ZEN
UND DIE KULTUR JAPANS

$\dfrac{S \mid M}{P \mid K}$

Veröffentlichungen
des Museums für Völkerkunde
Berlin

Neue Folge 56
Abteilung Ostasien II

ZEN

UND DIE KULTUR JAPANS
KLOSTERALLTAG IN KYOTO

MIT 100 FOTOGRAFIEN
AUS DEM KLOSTER TENRYUJI
VON HIROSHI MORITANI

HERAUSGEGEBEN VON
CLAUDIUS MÜLLER

MUSEUM FÜR
VÖLKERKUNDE
BERLIN

Ausstellung im
Museum für Völkerkunde
vom 19. 05. 1993–27. 02. 1994

Katalog- und Umschlaggestaltung:
Volker Noth Grafik-Design, Berlin
Umschlagmotiv siehe Seite 204
Foto: Moritani, Hiroshi

Gesamtherstellung:
Gotha Druck, Gotha

© 1993 Staatliche Museen zu Berlin
Preußischer Kulturbesitz

Die Deutsche Bibliothek-CIP-Einheitsaufnahme
Zen und die Kultur Japans:
Klosteralltag in Kyoto;
mit 100 Fotografien aus dem Kloster Tenryuji von Hiroshi Moritani;
[Ausstellung im Museum für Völkerkunde vom 19. 05. 1993 –
27. 02. 1994] / hrsg. von Claudius Müller. – Berlin:
Reimer, 1993
ISBN 3-496-01102-5
NE: Moritani, Hiroshi [Ill.]; Müller, Claudius [Hrsg.];
Museum für Völkerkunde ‹Berlin›

Buchhandelsausgabe:
Dietrich Reimer Verlag
Dr. Friedrich Kaufmann
Unter den Eichen 57
1000 Berlin 45

Inhalt

Claudius Müller   Einleitung   7

Claudius Müller   Der Buddhismus in Indien und China
und die Entwicklung des Zen in Japan   11

Hans-Jürgen Zaborowski   Der Meditations-Buddhismus in Korea   25

Seikô Hirata   Zen und Kultur   31

Helmut Brinker   Ästhetik und Kunstauffassung des Zen   37

Ataru Sotomura   Der Zen-Garten-Disput des Tenryûji (1345)   49

Franziska Ehmcke   Zen-Buddhismus und Blumen-Weg   63

Franziska Ehmcke   Zen-Buddhismus und Tee-Weg   67

Thomas Leims   Zen-Buddhismus und Nô   75

Inge Hoppner   Daruma   85

Bruno Rhyner   Zen-Buddhismus und Tiefenpsychologie   93

Thomas Frischkorn   Zen und japanisches Management   99

Johanna Fischer   Der Tenryûji und sein Gründer
Musô Soseki (1275–1351)   103

Hiroshi Moritani   Ansichten des Tenryûji   111

Helmut Brinker   Zum Deckengemälde in der Dharma-Halle des
Tenryûji in Kyôto   120

Hiroshi Moritani   Der Zengarten des Tenryûji   122

Seikô Hirata   Zen und Klosteralltag   127

Hiroshi Moritani   Aufnahme ins Kloster   131
Zendô und Meditieren   139
Sûtrenrezitation   158
Vorlesung des Zen-Meisters   174
Pflege des Klosters und seiner Anlagen   176
Baden   185
Tagesablauf   188
Küchenarbeit   190
Mahlzeit   191
Bettelgang   195

D. T. Suzuki   Klosterregel für den Alltag von Zen-Mönchen   209

Johanna Fischer / Claudius Müller   Katalog   217

Fotonachweis   239

Einleitung

Zen und Japan sind ein Begriffspaar, das einem leicht über die Lippen geht. So leicht, daß man sich kaum mehr des Klischees bewußt wird, das sich dahinter verbirgt. Und wie es kulturhistorische Stereotype an sich haben, ist auch die Verbindung von Zen und Japan eine Vermengung von Legende und Wirklichkeit, die oberflächliche Eindrücke mit fundierten Kenntnissen vermischt und den Betrachter zugleich fasziniert und auf Distanz hält.

Diese eigentümliche Spannung zwischen Extremen und widersprüchlichen Einstellungen ist schon in den frühesten Berichten über Japan zu spüren, die ins Abendland gelangt sind. Marco Polo – oder wer auch immer unter seinem Namen Ende des 13. Jahrhunderts Reisebeobachtungen, Erlebnisse und Fabeln aus dem Orient gesammelt hat – erzählt als erster von den «gefälligen Manieren» der Bewohner der Insel Cipangu, ihrer Vorliebe für «gekochtes» Menschenfleisch, dem Reichtum der dort gedeihenden Gewürze und den sagenhaften Schätzen an Gold, das die Dächer, Böden, Fenster und Säle des Herrscherpalastes «zwei Finger dick» überzieht.

Die Visionen des Gold- und Gewürzreichtums Cipangus sind noch zweihundert Jahre später einem Kolumbus so überzeugend erschienen, daß er sich auf die Suche nach den «Kannibalen mit den guten Manieren», den edlen Wilden begab. Nicht alle Nachrichten Marco Polos kann der moderne Reisende – zum Glück – bestätigen. Doch angesichts der auch heute noch in verschwenderischer Fülle mit Gold – genauer Goldlack – ausgestatteten Tempel ist auch für uns nachvollziehbar, wie die Fama vom fernöstlichen Eldorado entstanden sein mag.

«Von jetzt ab berichte ich nichts mehr über diese Region und diese Inseln, sie sind viel zu weit entfernt, und wir haben sie nie besucht.» – Es wäre müßig, diese Feststellung, mit der Marco Polo seine Schilderung Cipangus abschloß, heute noch als Maxime für die Berichterstattung über ferne Länder aufrechtzuerhalten: Im Zeitalter der Medien und weltweiten Kommunikation gibt es nichts «zu weit Entferntes» mehr, nichts «nie Besuchtes». Doch selbst in unseren Wohnzimmern und in der täglichen Presse bleiben uns die Japaner und ihre Inseln fremd und unbekannt: Erdbeben und Kirschblüten, Geishas und Menschenmassen, High Tech und Prinzenhochzeitsrituale rufen im westlichen Betrachter die bekannten ambivalenten Gefühle der Distanzierung und Anziehung hervor.

Zen ist ein Schlüsselbegriff dieser Art, in dem sich kulturelle Stereotype, die der Westen den Japanern zugedacht hat, wie in einem Fokus bündeln: Disziplin, Ausgeglichenheit, Härte, Zielstrebigkeit, Unterwerfung, «Selbst»-Aufgabe, Unergründlichkeit, Mystik u. ä. Aus einzelnen, nur im kulturellen, sozialen und historischen Zusammenhang sinnvollen

Kategorien wird ein Gesamtbild montiert, das man mit dem Land schlechthin gleichgesetzt: Zen ist Japan.

So kommt schließlich eine Ausstellung über japanische Farbholzschnitte mit dem zen-typischen Titel «Einhandklatschen in Kyoto» (München 1992) zustande, ohne daß das Thema irgend etwas mit Zen zu tun hätte. Und die Japan-Tournee der Münchner Philharmoniker wird durch den Bericht der Süddeutschen Zeitung zum Zen-Festival: «Mit Celi ins Land des Zen», mit dem «Meister der Zen-Kunst» Celibidache, den «mit dem Land des Zen» eine «besondere Leidenschaft» verbindet. «Als überzeugter Vertreter einer Musik, die immer wieder neu geschaffen werden muß und nie wirklich ... konserviert werden kann, schöpft der Maestro seine Schaffenskraft aus dem Zen-Buddhismus.» (SZ vom 8./9. 4. 1993). Eine ähnliche Inspiration steht hinter dem Titel der populären, langjährigen «Fünf-Minuten-Meditation» des Fernsehens, die unter dem suggestiven Titel ZEN (Zuschauen – Entspannen – Nachdenken) steht.

Doch Zen ist nicht Japan, sondern eine ursprünglich chinesische Schultradition innerhalb des aus Indien stammenden Buddhismus, deren Schwergewicht auf der meditativen Praxis, dem Zazen, als Weg zur Erleuchtung liegt. Etwa zehn Millionen Japaner bekennen sich zum Zen-Buddhismus im weitesten Sinne, von denen aber nur einige Tausend Zazen tatsächlich praktizieren (und nicht nur als geistige Konzentrationshilfe betrachten). Der weitaus größte Teil der 130 Millionen Japaner kennt Zen – wie wir – nur vom Hörensagen.

Zen ist ein Teil der japanischen Kultur, doch im Westen ist darüber wenig Fundiertes und zumeist nur in Klischees bekannt. Dies ist ein Hauptmotiv, im Museum für Völkerkunde eine Ausstellung über dieses Thema zu zeigen und mit einem einführenden Katalogband zu begleiten. Vor fünf Jahren knüpfte Prof. Dr. Volker Beeh, damals Dozent für Germanistik in Kyôto und Laienschüler des Zen, die ersten Kontakte für das Museum mit dem Tenryûji-Kloster in Kyôto und seinem Leiter Hirata Seikô. Zen-Meister Hirata, der von 1961–1963 an der Freien Universität Berlin tätig war, griff den Gedanken einer Ausstellung, die erstmals den Alltag der Zen-Mönche in einem westlichen Museum zeigen sollte, sofort auf. Gemeinsam mit ihm und Toga Masataka, Direktor des Instituts für Zen-Studien in Kyôto, wurde in kontinuierlicher Zusammenarbeit im Museum für Völkerkunde die Ausstellungskonzeption entwickelt.

Nur dank großzügiger Spenden von BMW Japan, und des Freundeskreises des Institutes für Zen-Studien, Kyôto, konnten alle Objekte der Ausstellung erworben und die photographische Dokumentation des Tenryûji-Klosters angelegt werden. Meister Hirata übergab diese für ein europäisches Museum wohl einmalige Dokumentation des japanischen

Zen der 90er Jahre dem Museum für Völkerkunde 1992 als Geschenk. Allen Stiftern sowie Abt Hirata Seikô, Direktor Toga Masataka, Zimmermann Isa Taketoshi, der Konstrukteur der Meditationshalle, und dem Photographen Hiroshi Moritani gilt unser aufrichtiger Dank.

Zu danken ist auch den Institutionen – Museen und Bibliotheken –, die dokumentarisches Illustrationsmaterial zur Verfügung gestellt haben, sowie den Autoren des vorliegenden Bandes. Darüber hinaus haben Frau Prof. Dr. Johanna Fischer, Freie Universität Berlin, der Bildhauer und Mönch am Tenryûji Heinz Anneser sowie Herr Kitamura Hiroshi, Orientabteilung der Staatsbibliothek Berlin, selbstlos viel Zeit und Mühe für das gute Gelingen der Ausstellung und des Kataloges eingesetzt.

Ein bekannter Zen-Dialog aus dem *Wu-men-kuan* («Zutritt nur durch die Wand») in der Übersetzung von Walter Liebenthal soll daran erinnern, daß Zen und völkerkundliche Tätigkeit häufig den gleichen Ausgangspunkt haben – die unmittelbare Alltagserfahrung: «Ein Mönch fragt den ho-shang Chao-chou: ‹Ich bin in das Kloster neu eingetreten; ich bitte um Unterweisung.› – Chao-chou antwortet: ‹Hast du deinen Reisbrei ganz aufgegessen?› – Der Mönch: ‹Ja›. – Chao-chou: ‹Dann geh deine Eßschale spülen.› – Der Mönch horcht auf.»

*Monju Bosatsu (skt. Bodhisattva Manjushrî). Holz mit Goldlack, H: ca. 90 cm. (gesamt), Ausschnitt. Muromachi-Zeit, 16. Jh. Meditations-
halle des Tenryûji-Klosters, Kyôto. Monju verkörpert die transzendentale Weisheit (prajnâ) und gilt im Zen als der ideale Lehrer. Sein Bild
in der Meditationshalle geleitet die Mönche auf dem Weg zur Erleuchtung.*

Hand mit Blume. Malerei in Weiß, Rot, Grün und Tusche auf Seide
(Fragment); 4,3 x 9,2 cm. Toyoq (Turfan), 8./9. Jh. n. Chr.
Museum für Indische Kunst SMB (Inv. Nr. III 6348).

Der Erhabene hält eine Blume hoch.
Einst, in einer Versammlung auf dem Geierberg, predigte der
Erhabene, indem er schweigend eine Blume hochhielt. Die
Gemeinde blieb stumm; nur der ehrwürdige Kâshyapa verzog das
Gesicht zu einem Lächeln. Der Erhabene sprach: «Ich besitze den
‹Korb: Spiegel der wahren Lehre›, in dem die Seligkeit des Nirvâna
sich spiegelt, das wahre Sein, das nicht so oder anders ist, den
Zugang zu der Geheimlehre. Diese läßt sich in Worten nicht
weitergeben und wird daher außerhalb der aufgeschriebenen Lehre
gesondert überliefert. Ich hinterlasse sie dem Mahâkâshyapa.»
Aus Hui-k'o: Wu-men kuan (Zutritt nur durch die Wand), Übers.
Walter Liebenthal, Heidelberg 1977, S. 54.

Der Buddhismus in Indien und China
und die Entwicklung des Zen in Japan

Seit eineinhalb Jahrtausenden ist Zen eine Hauptströmung innerhalb der buddhistischen Lehrtradition. Ch'an und Zen sind lautliche Übertragungen des Sanskritausdruckes *dhyâna* – Versenkung – ins Chinesische bzw. Japanische. Der Weg der Versenkung, der Kontemplation oder Meditation ist es auch, auf dem die Anhänger dieser Lehre versuchen, zum «Erwachen» (jap. *satori*) zu gelangen. Dieses Ziel hatte Siddhârta Gautama, der historische Gründer des Buddhismus, im Jahre 528 v. Chr. erreicht, worauf er zum Buddha, zum «Erleuchteten», wurde.

Wie alle sogenannten Weltreligionen beschrieb auch der Buddhismus im Laufe seiner Existenz mehr als eine religiöse Überzeugung oder einen Glauben im engeren Sinne, sondern wirkte darüber hinaus immer wieder als eine bedeutende gesellschaftliche und philosophisch-wissenschaftliche Bewegung. Zen ist ein Teil des Buddhismus und damit eingebunden in ein breites, selten klar voneinander zu trennendes Spektrum von Traditionen, die sich gegenseitig immer wieder befruchtet haben.

Historisch faßbar wurde Zen Anfang des 6. Jh. n. Chr. mit der Ch'an-Schule in China, die sich im 7. Jh. nach Korea, im 11. Jh. nach Japan und schließlich in den 30er Jahren dieses Jahrhunderts auch in Europa und Amerika verbreitet hat. Zu diesen historisch im allgemeinen gut belegten Traditionen tritt eine durch Legenden angereicherte hagiographische und genealogische Tradition hinzu, die bis zur Gründung des Buddhismus zurückreicht und Teil der Zen-Lehre geworden ist.

Die Anfänge des Buddhismus in Indien (6. Jh. v. Chr.– 8. Jh. n. Chr.)

Die Entstehung der buddhistischen Lehre fiel in eine Zeit großer gesellschaftlicher und wirtschaftlicher Umbrüche, die gekennzeichnet waren durch neue Methoden des Ackerbaus, technologische Fortschritte (Metallverarbeitung), Aufblühen des Handels und das Anwachsen der Bevölkerung. Mitte des 6. Jh. v. Chr. wurde Siddhârta aus dem Gautama-Klan geboren, Kronprinz eines kleinen nordindischen Königreiches, der nach einer wohlbehüteten Jugend der Legende nach plötzlich die Erfahrung des Leidens machte, als er mit kranken und alten Menschen sowie dem Tod konfrontiert wurde. Voll Erschütterung verließ er mit 29 Jahren Frau und Kind, um die Ursache des Leidens zu ergründen.

Historisch betrachtet ist Siddhârta am ehesten als vornehmer Gebildeter, als «Philosoph» zu bezeichnen, der mit dem Wissen seiner Zeit, vor allem den brahmanischen Erklärungen der Welt, unzufrieden war, daß das Leiden der Menschen unausweichlich und der Kreislauf des unablässig wieder-

geborenen Lebens ohne Ende und damit ohne Hoffnung wären.

Er löste sich durch seine Flucht in die Wildnis von allem, auch seiner eigenen Herkunft, und begann asketische Übungen zu betreiben. Nicht zum Zweck des «akademischen Theoretisierens», sondern um durch die Praxis des Yoga seinen Körper und Geist «der Erfahrung der Realität» auszusetzen (*yoga* heißt ursprünglich «unter das Joch spannen»). Auf diesem Weg ging Siddhârta jedoch nicht – wie zahlreiche Philosophen-Asketen seiner Zeit – bis zur absoluten Abtötung des Körpers, sondern betrachtete die Praxis des Yoga als ein Mittel, seinen Geist zu sammeln und so durch Meditation zur Einsicht in das Wesen des Leidens zu gelangen.

Auf diese Weise erkannte er , daß das Prinzip der Wiedergeburt eine Folge fortwirkender Handlungen aus früheren Existenzen ist und die Ursache allen Leidens letztlich in der Gier nach Leben liegt - und damit im Wunsch jedes einzelnen, wiedergeboren zu werden. Seine «Erleuchtung» war die Erkenntnis, daß er nun seine letzte Existenz erreicht hat und er mit seinem physischen Tod ins Nirvâna eingeht, d. h. sein «Ich» verlöscht.

Dieser Weg stand allen Wesen – ob Tieren oder Göttern – offen, und natürlich auch den Menschen, ungeachtet ihrer gesellschaftlichen Stellung. Das erklärte Ziel des Buddha war es, alle dank seiner unerschöpflichen neuen Kraft auf diesem neuen Weg zu führen (und sich nicht etwa mit seiner neuen Erkenntnis heimlich davonzustehlen): In seinen restlichen 45 Lebensjahren verkündet er diese «Wahrheit» (skt. *dharma*, zugleich die «Lehre»). Die Wahrheit des Buddha war allerdings keine, die geglaubt werden konnte, sondern sie mußte von jedem selbst untersucht, geprüft und durch sein eigenes Leben erfahren werden.

Die Möglichkeit, allen anderen Wesen zu helfen, stellt ein wesentliches, dynamisches Element im Buddhismus dar, nämlich die Aufforderung, die Lehre zu propagieren und die Menschen zu erziehen. Der Buddha selbst gründete eine Gemeinschaft von Mönchen und Nonnen, die seine Erkenntnisse verbreiteten. Der Orden (*sangha*) bildet zusammen mit dem Buddha und der Lehre (*dharma*) die «Drei Kostbarkeiten», die den Kern, das Credo des Buddhismus darstellen.

In den Jahrhunderten nach seinem Tode (483 v. Chr.) verbreitet sich seine Lehre in Indien, Südostasien, Zentralasien, Tibet, China, Korea und Japan. Es bildeten sich nach und nach drei Hauptrichtungen heraus, auch «Fahrzeuge» genannt, die – je nach ihrer Beschaffenheit – den Menschen verschiedene Wege zur Befreiung vom Leid wiesen.

1. Das «individuelle Fahrzeug» (aus späterer Sicht auch Hînayâna, kleines Fahrzeug, genannt) stellt die früheste, sich

Zwei Arhats am Wasserfall. Unbekannter Meister, Muromachi-Zeit (14. Jh.). Hängerolle, Tusche und Farben auf Seide; 85,5 x 57 cm. Museum für Ostasiatische Kunst SMB (Inv. Nr. 221).

befähigt sind, diesen letzten Schritt freiwillig jedoch zurückstellen, um allen anderen Wesen den Weg zur Erleuchtung zu weisen. Dieses Ideal der allumfassenden Barmherzigkeit und des universalen Mitleids war zugleich ein dynamisch-missionarisches Element, das dem Buddhismus zu einer fast plötzlichen und weiträumigen Ausbreitung vor allem nach Zentral- und Ostasien verhalf.

3. Die dritte Hauptströmung schließlich ist der tantrische Weg, eine gleichsam magisch-esoterische Erweiterung des Mahâyâna: Die Kenntnis gewisser geheimer Techniken, die nur vom Meister auf den Schüler übertragen werden, beschleunigt den Weg zu Erleuchtung. Im tantrischen Glauben wirken die «Großen Meister» (Mahâsiddhas), die die Buddhaschaft bereits erlangt haben, in ihren irdischen Körpern weiter, um diese Kenntnisse zu verbreiten. Diese Lehre ist vor allem in Tibet seit dem 8. Jh. bis heute sehr verbreitet.

Die Übernahme des Buddhismus in China

Die frühen chinesischen Gesellschaftsmodelle der späten Chou- und beginnenden Kaiserzeit (5. Jh. v. Chr.–Chr. Geb.), die sich vor allem am Konfuzianismus und Legalismus ausrichteten, verfolgten vornehmlich praktische, am Diesseits orientierte Ziele. Wenig wurde über religiöse Probleme, die Natur des Universums oder das Leben nach dem Tode spekuliert. Umso faszinierender muß der Eindruck gewesen sein, den der Buddhismus bewirkte, als er in den Jahrzehnten nach Christi Geburt in China Fuß faßte und vom 4.–9. Jh. einen nur selten unterbrochenen enormen Aufschwung nahm und eine ungeheure Popularität erlebte. Der Buddhismus war sowohl die intellektuelle Herausforderung an die höfisch-aristokratischen Kreise – hier vor allem die Tradition des Taoismus aufgreifend – als auch eine Erweiterung und Belebung volksreligiöser Strömungen.

Entstehung der Ch'an-Schule

Das tiefere Eindringen in den Buddhismus zog auch die Auseinandersetzung mit bereits in Indien bekannten Meditationstechniken nach sich, die in China in ähnlicher Form von Taoisten gepflegt worden waren. Die klaren, praxisbezogenen Anweisungen zur Atemkontrolle und geistigen Konzentration entsprachen der traditionellen Wertschätzung der Chinesen in gleicher Weise wie die Betonung der ruhigen Innenschau des einzelnen, der Erfahrung des eigenen Bewußtseins, der Nüchternheit des Geistes und der Erhabenheit über die Wirrnisse des Alltages.

unmittelbar an den Buddha anschließende Lehre dar. Ihr Ziel ist die Befreiung des einzelnen aus der Illusion seiner «Ich-Gebundenheit». Diese Erkenntnis war nur durch intensives Studium der Schriften möglich und war daher nur wenigen vorbehalten, die als Arhats (chin. Lohan, jap. Rakan), «Heilige», bezeichnet wurden. Das Hînayâna führte tendenziell zu einer elitären Entwicklung der Lehre, die die große Masse der Ungebildeten und von ihrer Arbeit abhängigen Menschen ausschloß.

2. Im 2. Jh. n. Chr. entstand eine messianisch-soziale Gegenbewegung, das Mahâyâna oder große Fahrzeug, das allen Wesen offenstehen sollte. Die Befreiung des Universums würde zu einem Reich des Friedens, des Überflusses und des Glücks führen. Dabei kommt den Bodhisattvas die wichtigste Funktion zu: Wesen, die bereits zur Erleuchtung

Auf diesem Boden soll der «aus dem Westen kommende Mönch» Bodhidharma den Ch'an-Buddhismus gegründet haben. Es ist nicht zu entscheiden, ob es sich um eine oder zwei Personen gehandelt hat: Immerhin werden als Herkunftsländer Indien oder Persien genannt und der Weg nach China soll ihn über Zentralasien oder den Indischen Ozean geführt haben. Er wurde im japanischen Zen-Buddhismus und in der japanischen Volksreligion (vgl. Beitrag Hoppner in diesem Band) zur einer Art «Kultfigur», um die sich zahlreiche Legenden ranken.

Dabei handelt es sich zumeist um exemplarische Wundergeschichten, deren Sinn sich aus der späteren Sicht der Zen-Praxis erschließt: «Sich so konzentriert wie Bodhidharma versenken», der seine Augenlider abschneidet, um nicht einzuschlafen, und dessen Füße abfaulen, weil er sich jahrelang nicht bewegt; «so unbeirrt sein Ziel verfolgen» wie Bodhidharmas Schüler Hui-k'o, der dem Meister seinen abgehackten Arm als Zeichen der Aufrichtigkeit seines Strebens überreichen läßt.

Vom Ende des 6. bis zur Mitte des 8. Jh. herrschte in China eine lange Zeit des Friedens und der intellektuellen Freiheit, in der sich der Ch'an-Buddhismus ausbreitete und eine große Zahl von Anhängern gewinnen konnte. Um 700 hatten sich zwei Hauptströmungen herausgebildet: Die sogenannte Nördliche Schule, die den schrittweisen Weg zur Erleuchtung propagierte, und die Südliche Schule, die von der totalen und plötzlichen Erleuchtung ausging, gegen bildhafte Darstellungen des Buddha und der Bodhisattvas eingestellt war sowie schriftliche Überlieferungen und Rituale verachtete. Die Südliche Tradition des Ch'an, zu dessen Hauptprotagonisten der 6. Nachfolger Bodhidharmas, Huineng (638-713), zählt, setzte sich schließlich als vorherrschende Lehrmeinung durch.

Inhalte des chinesischen Ch'an

Die Ch'an-Lehre lehnt bewußtes Handeln ab, da dies zu immer neuem Karma (also Taten, die sich auf künftige Wiedergeburten auswirken) führt, das den Träger an die endlosen Zyklen des Geborenwerdens und Sterbens bindet. Statt dessen soll der Geist ungebunden und spontan handeln. In den Worten des Zen-Meisters Lin-chi:«Töte alles, was Dir im Weg steht. Wenn Du den Buddha triffst, töte ihn. Wenn Du Patriarchen triffst, töte sie. Wenn Du Arhats auf Deinem Weg triffst, töte auch sie.» (Lin-chi ch'an-shih yü-lu, nach Ch'en 1964, S.358). Und ein anderer Zen-Meister fordert seine Schüler auf, den natürlichen Bedürfnissen freien Lauf zu lassen, bei Hunger zu essen, bei Durst zu trinken, Wasser zu lassen und Stuhl zu haben, und zu ruhen, wenn man müde

Daruma Daishi (skt. Bodhidharma), der erste Zen-Patriarch. Holz mit Lackfassung, H: 56 cm. Edo-Zeit (17.-19. Jh.). Staatliches Museum für Völkerkunde München (Inv. Nr. 69-12-133).

ist. «Es gibt weder Buddhas noch Patriarchen, Bodhidharma war nur ein alter Barbar mit Bart ... Nirvâna und bodhi (Erleuchtung) sind tote Baumstümpfe, um Deinen Esel anzubinden. Die 12 Abteilungen der heiligen Schriften sind nur Listen von Geistern, Papierblätter, um den Eiter von Deinen Geschwüren zu wischen.» (nach Ch'en 1964, l.c.)

Das erstrebte Ziel der Ch'an-Schüler ist das «Erwachen». Wer die Buddha-Natur in sich selbst findet, erlangt die Erleuchtung (chin. wu, jap. satori). Das heißt, man wird sich der undifferenzierten Einheit aller Existenz bewußt und wird eins mit dem Universum. Diese Erfahrung ist aber nichts neu zu Schaffendes, sondern die Realisierung einer Erkenntnis, die schon längst in einem präsent war, aber aus Unkenntnis bisher nicht bewußt gemacht wurde. Und sie ist auch – für den Bewußten – jederzeit wiederholbar.

Für alle Ch'an-Traditionen ist das Erwachen das einzige Ziel, wenngleich es unterschiedliche Wege dazu gibt. Unter den im 9. Jh. entstandenen Zweigen des Ch'an (die «Fünf Häuser») haben die Lin-chi- und die Ts'ao-tung-Schule die größte Zahl von Anhängern angezogen und sind bis heute in Japan – als Rinzai und Sôtô – die Vertreter zweier im wesentlichen unveränderter Hauptpositionen geblieben.

Die Lin-chi-Schule propagiert eine «Schocktherapie»: Der Schüler soll aus seinen eingefahrenen analytischen und begrifflichen Denkmustern aufgerüttelt werden und zu seinen natürlichen, spontanen Fähigkeiten zurückfinden. Die Unterweisung des Schülers durch den Lehrer kann demnach auch «ohne Worte» erfolgen, nämlich über das Schauen, Bewegen der Gesichtsmuskeln, Hochziehen der Augenbrauen, Stirnrunzeln, Lächeln, Zwinkern mit den Augen, Anbrüllen oder durch Schlagen. Die wichtigste und bekannteste Methode der Lin-chi-Schule besteht im Stellen von «Rätselfragen», (chin. *kung-an*, eigentlich «Fall», «Problem», jap. *kôan*), über die der Schüler meditieren muß und die ihn stimulieren sollen, aus dem gewohnten logischen Denken auszubrechen.

Hingegen vertritt die Ts'ao-tung-Schule die Methode der stillen Meditation unter Anleitung des Meisters, die auch verbale Instruktionen mit herkömmlicher Argumentationspraxis und Logik einschließt.

Ch'an und Taoismus

Zwischen Taoismus und Buddhismus gab es in China von Anfang an viele Übereinstimmungen, aber auch Konkurrenz, wenn es um die Verbreitung der Lehre ging. Ein beliebtes Argument, das man sich gerne um die Ohren schlug, war die Behauptung der Taoisten, daß ihr legendärer Begründer Lao-tzu am Ende seines Lebens «nach Westen gezogen» sei, um den Barbaren in der Gestalt des Buddha seine Lehre zu verkünden, während die Buddhisten konterten, daß Lao-tzus Lehre erst in Indien ihre wahre Ausformung erfahren habe und deshalb nach China zurückgebracht werden mußte.

Die Hauptberührungspunkte von Taoismus und Ch'an lagen sicherlich im Gewicht, das beide Lehren der Rolle der Natur und dem spontanen Handeln beimaßen und der Betonung der persönlichen, direkten Erfahrung, für die Äußerlichkeiten nur Hilfen sein können, nicht jedoch das Ziel selbst. Viele Passagen der taoistischen Klassiker Chuang-tzu und Lao-tzu lesen sich auch in der paradoxen Argumentationsweise wie Zen-Auslegungen von Koans. Kenneth Ch'en zitiert eine Passage aus dem Chuang-tzu, in der auf frappierende Weise die Ch'an-Emphase, daß die Buddha-Natur in allem und jedem gefunden werden kann, zum Ausdruck kommt:

Tung-kuo Shun-tzu fragte Chuang-tzu: «Wo ist das zu finden, was man das Tao nennt?»
Chuang-tzu antwortete: «Es ist allgegenwärtig»
«Das mußt Du näher bestimmen.»

«Es ist in dieser Ameise.»
«Und wo noch tiefer?»
«Es ist in diesem Unkraut.»
«Gib mir ein noch geringeres Beispiel.»
«Es ist in diesem Ziegelstein.»
«Und wo noch niedriger?»
«Es ist in diesem Kothaufen.»
(Ch'en 1964, S.362, Übersetzung nach R. Wilhelm: Dschuang Dsi, das wahre Buch vom südlichen Blütenland. Düsseldorf 1969, S.230 f.)

Und Lao-tzus berühmte Feststellungen «Das Tao, das benannt werden kann, ist nicht das wahre Tao» sowie «Wer weiß, redet nicht, und wer redet, weiß nichts» sind nichts anderes als die Ch'an-Forderung, daß die Wahrheit «nicht in Worten oder Schriftzeichen ausgedrückt wird». (Vgl. Beitrag Hirata, S. 31 ff.)

Ch'an in China nach dem 9. Jahrhundert

Trotz seiner enormen Popularität ist der Buddhismus in China, besonders in der Sicht der konfuzianischen Gelehrten und Beamten, als eine fremde, nichtchinesische Lehre oder Religion empfunden worden. Diese offizielle, aber auch unterschwellige Ablehnung vertrug sich im übrigen bestens mit der intellektuellen Bereitschaft der einzelnen Gelehrten, sich gewisse Aspekte der fremden Lehre – Literatur, Malerei, Philosophie – zu eigen zu machen und auch zuzeiten das Leben eines Mönches zu führen.

Auf der Ebene der Bürokratie und der staatstragenden Beamten wurde die Ablehnung des Buddhismus allerdings durch zwei, sich in der Geschichte häufig wiederholende Phänomene bestärkt: Zum einen die enge Verbindung des Buddhismus (und Taoismus!) mit volksreligiös motivierten Aufstandsbewegungen von Bauern gegen die Staatsgewalt. Zum anderen die Tendenz, daß viele der zahlreichen Fremddynastien sich aus einsichtigen Gründen mit Fremdideologien, vor allem dem Buddhismus, verbündeten, und diesen gegen die etablierten chinesischen Staatsorgane auszuspielen versuchten. In Zeiten wirtschaftlichen Niedergangs verschärften sich diese Konflikte, und es kam zu Buddhistenverfolgungen oder zumindest zu antibuddhistischen Steuergesetzgebungen. Als Vorwand diente der Vorwurf, daß der Buddhismus qua Doktrin die traditionelle konfuzianische Ahnenverehrung ablehne und sich in seiner «Ungebundenheit» den Staatsorganen entzöge. Nur geringfügig kaschiert ging es jedoch in Wahrheit um die Reichtümer der Klöster (Grundbesitz, die aus Edelmetallen gefertigten Kultobjekte und die Arbeitskraft der Mönche und Nonnen, die wieder der

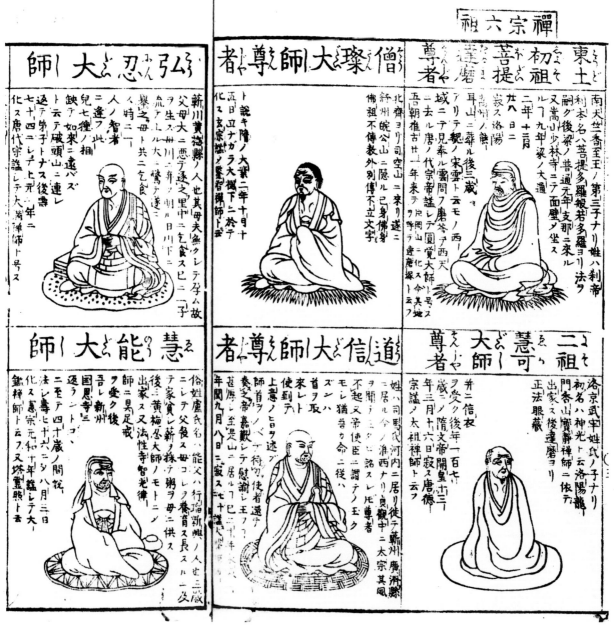

Die ersten sechs Ch'an-Patriarchen. Aus: Zôho shoshû Butsuzô zui (Illustriertes buddhistisches Lexikon), Shigetsuken Gizan (Verf., 1690), Shôsôkino Hidenobu (Ill. und Hrsg.), Edo 1783. Blockdruck, 17,7 x 22,2 cm. Staatliches Museum für Völkerkunde München (Inv. Nr. S.1195, Slg. Siebold).

1. Bodhidharma (Daruma), gest. vor 534 (rechts oben), 2. Hui-k'o (Eka), 487-593 (rechts unten), 3. Seng-ts'an (Sôsan), gest. 606 (Mitte oben), 4. Tao-hsin (Dôshin), 580-651 (Mitte unten), 5. Hung-jen (Gunin), 601-674 (links oben), 6. Hui-neng (E'nô), 638–713.

produktiven Wirtschaft zugeführt werden sollten. Die größte Verfolgung dieser Art fand 845 statt. Obgleich nur von kurzer Dauer stellte sie doch für den Buddhismus einen Einschnitt dar, von dem er sich als eigenständige wirtschaftliche und politische Kraft in China nicht wieder erholte.

Im Gegensatz zur allgemeinen Entwicklung konnten die Ch'an-Schulen dieses Pogrom relativ unbeschadet überdauern: Zum einen waren sie von materiellen Kultobjekten (Statuen, Texte) im wesentlichen unabhängig, zum anderen konnten sie sich dem Vorwurf des gesellschaftlichen Parasitentums dadurch entziehen, daß sie körperliche, produktive Arbeit als eine Hauptforderung ihrer Lehre propagierten.

Während der Sung-Zeit (11.-13.Jh.) erlebte Ch'an eine neue Blüte und war neben der Reinen-Land-Schule die bedeutendste buddhistische Strömung dieser Periode. Allerdings sind auch gewisse intellektuelle Erstarrungen und Veräußerlichungen zu beobachten. Klöster erfuhren zwar enormen Zulauf, wandelten sich aber zu Zentren des politischen und gesellschaftlichen Lebens. Künstlerische Produktivität rückte in den Vordergrund, anstelle der individuellen persönlichen Bewußtseinserfahrung traten das Studium der Sûtren und die Verehrung der alten Meister, der Weg zur Erleuchtung wurde zu einer akademischen Frage des entsprechenden Buchwissens. Dennoch verdanken wir dieser intellektuellen Atmosphäre des Sammelns und Kommentierens die beiden bedeutendsten Kôan (Kung-an)-Kompilationen des Meditationsbuddhismus, das *Pi-yen lu* und das *Wu-men-kuan*. Eine weitere Tendenz der Abkehr von früheren rigiden Ch'an-Traditionen war die Annäherung an andere buddhistische Schulen wie dem Amithâbhâ-Buddhismus: Die «Kung-an»-Praxis wurde mit dem «Buddha-Anrufen» (*nien-fo*) gleichgesetzt, dem unablässigen, mechanischen Rezitieren des Namens von Buddha, um so Verdienste für künftige Wiedergeburten zu erlangen.

In den folgenden Jahrhunderten nahm die Bedeutung des Ch'an in China weiter ab. Unter der letzten Dynanstie der Ch'ing (1644-1911), deren Kaiser Mandschuren – also nicht Chinesen – waren, wurde dem Buddhismus wieder starke Unterstützung zuteil. Die Richtung des Ch'an erfuhr vor allem durch den Yung-cheng-Kaiser (1723-1735) Förderung, der selbst philosophische Erörterungen zu Ch'an in seinen *Ausgewählten Kaiserlichen Aufzeichnungen* (*Yühsüan yü-lu*) beitrug.

Zen in Japan

Die Übernahme des Ch'an-Buddhismus in Japan ist eine wichtige Etappe innerhalb der fast zwei Jahrtausende währenden Kontakte zwischen den beiden Kulturen. Sie ist ein charakteristisches Beispiel in diesem Akkulturationsprozeß, da sie immer wiederkehrende Elemente enthält wie die eigenständige Weiterentwicklung und die Bewahrung von Traditionen, die im Herkunftsland nach und nach an Bedeutung verloren und von dort doch immer wieder neue, befruchtende Impulse erhielten.

Im 8./9. Jh. war den nicht wenigen japanischen Mönchen, die am Buddhismus interessiert waren und nach China reisten, Ch'an durchaus bekannt, betrachteten es jedoch als eine der vielen, an Meditationspraktiken orientierten Richtungen des Buddhismus ohne besondere Eigenständigkeit. Erst mit der Blüte des Ch'an während der Sung-Zeit wurde es auch von Japan aus als eine unabhängige Lehre wahrgenommen und innerhalb weniger Jahrzehnte Ende des 12./Anfang des 13. Jh. übernommen. Obwohl der historische Boden für die Frühzeit des Zen in Japan ungleich gesicherter ist als für die Entstehung des Ch'an im China des 6. Jh., so sind auch hier durchaus Legendenbildungen und retrospektive Verzerrungen zu erkennen. Für die Kamakura- und Muromachi-Zeit (1185-1333 und 1333-1568) bestimmen fast ausschließlich die beiden Richtungen der Rinzai- und der Sôtô-Schule die Entwicklung des Zen. Der Rinzai-Zweig wurde von Myôan Eisai (1141-1215), der sich zweimal zum Studium des Ch'an in China aufhielt, nach Japan gebracht, wo er auf der Hauptinsel Kyûshû sowie in Kamakura und Kyôto Klöster gründete.Der eigentliche Aufschwung erfolgte im 13. Jh. mit einer Generation eigenständiger Denker, wie Ennin Ben'en und Nampo Jômyô, die beide mit dem Ehrentitel «Nationallehrer», *kokushi*, ausgezeichnet wurden. In den folgenden Jahrhunderten erhielt Zen das «aristokratisch gefärbte Ansehen einer geheimnisvoll wirkenden Geistesmacht, deren Stärke sich nur schwer begreifen und nicht ganz abmessen läßt» (Heinrich Dumoulin), ein Ideal, das bis heute häufig als «Samurai-Ethik» oder «Weg des Kriegers» charakterisiert wird. Die Rinzai-Schule verzweigte sich in der Folge in zahlreiche Schulen. Der bedeutende Künstler und religiöse Lehrer Hakuin (1668-1769) steht als herausragende Persönlichkeit in der späteren Entwicklung des Rinzai-Zen.

Die Richtung des Sôtô geht auf Dôgen (1200-1253) zurück, einen der bedeutendsten japanischen Religionsphilosophen. Sein «Erwachen» erfuhr er während seines Studiums in China bei seinem Lehrer Ju-ching, einem Vertreter der Ts'ao-tung-Richtung des Ch'an (jap. Sôtô). Dôgen verstand sich nicht als Begründer einer Lehrrichtung, sondern bemühte sich, seinen Schülern den ursprünglichen Weg der Erleuchtung des Buddha Shâkyamuni zu zeigen. Gegen Ende seines Lebens zog er sich in das Eiheiji-Kloster («Tempel des ewigen Friedens») zurück, das bis heute das Zentrum der Sôtô-Schule ist, wenngleich sich die «wahren Anhänger» seiner Lehre lie-

ist, wenngleich sich die «wahren Anhänger» seiner Lehre lieber als Vertreter des Dôgen-Zen bezeichnen.

Dôgens besondere Wirkung liegt aber auch in seinen umfangreichen Schriften, die sich mit den metaphysischen Fragen des Mahâyâna-Buddhismus auseinandersetzen und richtunggebend für die einzige original japanische Philosophieschule wurden, die von Nishida Kitarô (1870-1945) gegründete «Schule von Kyôto».

Ende des 13. Jh. lebte ein weiterer bedeutender Zen-Lehrer in Japan, Nônin, dessen offenkundig wichtige historische Rolle in der Entstehung des Zen nur mehr schattenhaft aus den Schriften und Reaktionen seiner Hauptkontrahenten – Eisai und Dôgen – zu rekonstruieren ist. Bezeichnenderweise berief sich Nônin, der selbst nie in China war, sondern erst nachträglich von einem chinesischen Ch'an-Lehrer als legitimer Meister bestätigt wurde, direkt auf Bodhidharma und seine «Überlieferung außerhalb der Schriften». Ungeachtet der tatsächlichen historischen Rolle Nônins und der ungeklärten Frage, warum er keine eigene Schultradition hinterlassen hat, scheint festzustehen, daß das ausgehende 12. Jh. in Japan eine Epoche der Renaissance meditativer Praktiken und der Reform buddhistischer Lehren gewesen ist.

Drei Jahrhunderte später wurde eine dritte, bis heute fortbestehende Zen-Schule durch den chinesischen Abt Yinyüan (jap. Ingen, 1592-1673) ins Leben gerufen, der auf der Flucht vor den mandschurischen Eroberern Chinas und Gründern der Ch'ing-Dynastie (1644–1911) nach Japan gelangt war. Diese nach dem berühmten chinesichen Meister Huang-po (gest. um 855) Ôbaku genannte Richtung betonte die Praxis des Sûtrenrezitierens und verband sie mit den poulären Anrufungen des Namens von Amida Buddha. Ôbaku-Zen hat viele Züge der Ming-Zeit (1368–1644) bewahrt: Zur Rezitation der Sûtren wird chinesisch als liturgische Sprache benutzt, und Kloster- und Tempelanlagen orientieren sich am architektonischen Muster dieser Zeit.

Das Ziel aller buddhistischen Lehren – also auch des Zen – ist die Erleuchtung (jap. *satori*). Es sind vor allem zwei Wege, die zur Erleuchtung führen, das Praktizieren von Zazen (Meditation im Lotossitz) und das Studium von Koâns («Rätselfragen»), die vom Meister aus den Zen-Kanons ausgewählt und dem Schüler gestellt werden. Während die Anhänger der Sôtô-Richtung mehr dem Zazen zuneigen, steht für Rinzai-Schüler eher das Koân-Studium im Vordergrund. Keinesfalls existiert jedoch zwischen diesen beiden Schulen eine absolute Trennlinie des «Weder-noch», sondern vielmehr eine unterschiedliche Gewichtung der einen oder anderen Praxis als Hilfsmittel auf dem Wege zur Erleuchtung.

Die Meditation in der Lotoshaltung gilt in der buddhistischen Tradition – im Anschluß an das klassische indische

Porträt des Ch'an-Meisters Wu-chun Shih-fan (1177-1249). Unbekannter Meister. Mit Aufschrift des Dargestellten. Südliche Sung-Zeit, dat. 1238. Hängerolle, Farben auf Seide, 124,9 x 54,5 cm. Tôfukuji, Kyôto. Wu-chun Shih-fan (jap. Bushun Shihan) war einer der bedeutendsten Meister der Mi-an-Linie, eine Schule der Rinzai-Tradition, die im 13. und 14. Jh. in China besondere Aktivitäten entfaltete. Sein wichtigster Schüler war Enni Ben'en (1201-1280), der bei ihm eine siebenjährige Lehrzeit absolvierte und zu den großen Gründergestalten des Zen zählt. Das Bild von Wu-chun Shih-fan gilt als «das beste – und vielleicht das schönste chinesische Porträt» (Helmut Brinker: Die zen-buddhistische Bildnismalerei in China und Japan von den Anfängen bis zum Ende des 16. Jahrhunderts. Wiesbaden 1973, S. 160).

Yoga – als die vollkommene Form, in der bereits der Buddha Shâkyamuni die Erleuchtung erlangt hat: Durch die Übernahme dieser Meditationshaltung hat – was die Anhänger Dôgens besonders hervorkehren – der Adept bereits Teil an der Buddha-Natur und damit auch am erleuchteten Zustand des Selbst.

Dôgens Nachfolger und dritter Patriarch der Sôtô-Schule, Keizan (1268-1325), beschreibt die richtige Meditationshaltung, wie sie für seine Schule bis heute als authen-

*Yin-yüan Lung-ch'i (jap. Ingen Ryûki, 1592-1673), Ausschnitt.
Gemalt von Kita Genki (tätig 1664-1698), mit Inschrift des
Dargestellten. Edo-Zeit, dat. 1671. Hängerolle, Farben auf Seide,
138 x 60,5 cm. Mampukuji, Kyôto.
Der aus China vor den Mandschu-Eroberern geflüchtete Ingen
begründete in Japan die Schule des Ôbaku-Zen, die sich unter den
japanischen Zen-Mönchen der Zeit großer Popularität erfreute.
Ingen trägt als Zeichen seiner Abtwürde einen Wedel in seiner
Linken. Mit diesem üblicherweise aus dem Schwanz eines Hirsches
(in Tibet aus einem Yakschweif) gefertigten Wedel (jap. hossu)
berührt der Priester Kopf und Körper des Schülers, um symbolisch
die Hindernisse für seine Erleuchtung zu entfernen. Dieser «Fliegen-
wedel» diente ursprünglich zum Aus-dem-Weg-Kehren von kleinen
Tieren und ist somit ein Symbol für das buddhistische Gesetz,
keinem Wesen ein Leid zuzufügen.*

tisch gilt, wie folgt:«Beim Verschränkungssitz legt man zuerst den rechten Fuß über den linken Schenkel. Die Kleidung legt man locker an ... Dann läßt man die rechte Hand auf dem linken Fuß, die linke Hand auf dem rechten Fuß ruhen, bringt die einander entgegengestellten Daumen beider Hände sich stützend in die Nähe des Körpers, die gestützten Daumen ruhen gegenüber dem Nabel. Der Körper soll gerade hocken, ohne nach links oder rechts zu neigen, oder sich nach vorn oder rückwärts zu beugen. Ohren und Schultern, Nase und Nabel müssen einander gegenüberstehen, die Zunge haftet am oberen Gaumen, der Atem geht durch die Nase, Lippen und Zähne sind leicht geschlossen, die Augen sollen ohne Erweiterung und ohne Verengung geöffnet sein. Wenn so der Körper in Ordnung ist, atmet man tief und ruhig ...» (Übersetzung von Heinrich Dumoulin). Meditation und rhythmisches Atmen sind zunächst Konzentrationsübungen, die den Geist und Körper beruhigen, sie frei und «leer» machen und somit die Voraussetzung schaffen für andere, höhere Bewußtseinszustände, die den Weg zum Durchbruch der Erleuchtung weisen. Nach der Sôtô-Lehre ist Zazen allerdings nicht das Hilfsmittel, sondern bereits die Verwirklichung der in einem jeden vorhandenen Buddha-Natur: Meditationspraxis und Erleuchtung sind nicht voneinander zu trennen.

Hingegen sieht die Rinzai-Schule darin eine Veräußerlichung der Lehre und die Gefahr der Verabsolutierung von Haltungs- und Verhaltensvorschriften, die im Sôtô in der Tat alle Aspekte des täglichen Lebens (Händewaschen, Essen, Gehen, Sitzen usw.) erfassen. Sie propagiert die Möglichkeit der Erleuchtung auch ohne Zazen – wenngleich sie darin eine sehr hilfreiche Unterstützung auf dem Weg dahin sieht –, nämlich durch einen plötzlichen, von außen erfolgten Anstoß, der im allgemeinen durch das Meditieren über ein Kôan bewirkt wird. Bei den Kôans handelt es sich nicht nur um provokative Fragen in der Art: «Hat ein Hund Buddha-Natur?», sondern auch um Episoden aus der Geschichte des Zen sowie paradoxe Aussagen und Handlungen berühmter Meister. Der Rinzai-Meister Hakuin (1685–1768) hat sich besonders intensiv mit den Kôans und ihrer Systematisierung beschäftigt. Auf der Grundlage der beiden chinesischen Sammlungen *Pi-yen lu* und *Wu-men-kuan* (12./13.Jh.), die er um japanische Kôans erweiterte – darunter die berühmte Frage nach «dem Klang des Klatschens einer Hand» –, schuf er ein Korpus von über 1700 Kôans.

Nachdem der Schüler sein persönliches Kôan vom Meister erhalten hat, trägt er dieses Tag und Nacht mit sich und «kaut» unablässig daran, wie es heißt. Heinrich Dumoulin beschreibt es als «die intellektuell unlösbare Aufgabe, die er (der Schüler) doch lösen muß ... Der Jünger gewahrt bei der Kôan-Übung die völlige Nutzlosigkeit seines

Porträt eines Zen-Priesters (Gesamtansicht und Detail). Unbekannter Meister. Edo-Zeit, 18./19. Jh., Holz mit Farben- und Goldlackfassung. H: 134 cm (ohne Podest). Staatliches Museum für Völkerkunde München (Inv. Nr. 91.412).

Dargestellt als Tempelgründer. Von den ursprünglich sieben Figürchen auf seiner Kopfbedeckung sind drei erhalten, vermutlich seine Eltern und ein Ahn. Als Zeichen seiner Würde trägt er eine prachtvolle Priesterstola (kesa) und hielt wahrscheinlich in der Rechten einen Wedel (hossu).

intellektuellen Bemühens. Doch entsteht in der Folge der äußersten Konzentration der psychischen Kräfte jene Bewußtseinsleere und höchst sensible Hinspannung, die als psychologische Vorbedingung für die plötzliche Auslösung des Erlebnisses angesehen werden kann. Die Kôan-Übung hat die Funktion, jene völlig ausweglose innere Situation heraufzuführen, in der das Bewußtsein aufplatzt und der Durchbruch in eine neue Tiefenschicht gelingt.» Dieser Erfahrensweg, der durchaus mit gefahrvollen Phasen für den Schüler verbunden sein kann, ist nur im ständigen Dialog mit dem Meister und seinen auch wörtlich so zu verstehenden "handfesten" Argumenten, wie Anbrüllen, Schreien, Schlagen, mög-

lich. Das Meister-Schüler-Gespräch findet regelmäßig, meist täglich und schließlich im Endstadium auch mehrfach täglich statt.

Über die Erleuchtungserfahrung – buddhistisch «gesprochen»: die Erlangung der Buddhaschaft – liegen vor allem seit Hakuin zahlreiche Beschreibungen vor, die das freudvolle Erleben des «kosmischen Bewußtseins» schildern und in enger Verwandtschaft zu offenkundig ähnlichen mystischen Erfahrungen aus anderen Religionen stehen. Zen-Adepten sind jedoch angehalten, auch als «Erwachte» weiterhin Erleuchtungsübungen zu praktizieren und Kôans zu studieren.

Innenansicht eines buddhistischen Tempels. Aus: Philipp Franz von Siebold, Nippon. Archiv zur Beschreibung von Japan. Nachdruck der Urausgabe. E. Wasmuth: Berlin 1931. Tafelband II, Tafel 59.
Dem Würzburger Arzt Philipp Franz von Siebold (1796–1866), der von 1823 bis 1830 in holländischen Diensten in der Enklave Deshima, eine Nagasaki vorgelagerte, künstliche Insel, lebte, verdanken wir die umfassendste landeskundliche und historische Schilderung Japans für den Westen vor der Meiji-Zeit.
In seiner ausführlichen und reich mit Tempelansichten, Kultgegenständen und Mönchskleidungen illustrierten Beschreibung des japanischen Buddhismus geht Siebold als erster auf Zen ein, wenngleich er es aus der Vielzahl z. T. kaum differenzierter buddhistischer Schulen nicht als Einzeltradition hervorhebt. Bezeichnend ist seine eindeutige Parteinahme für den Amida-Buddhismus, den er als unverbildet, volkstümlich und dem Christentum am nächsten stehend einschätzt und gegen jene durch Betrug entstellte Lehre des Buddha absetzt, wo «verstockte Mönche durch sinnbetäubende Symbole, mystische Ceremonien und eine Reihe mannigfaltig gestalteter Götzen zum Volke sprechen ...»

Zen im 20. Jahrhundert

Mit der Beendigung des 2. Weltkrieges wurde die Freiheit der Religionsausübung und die Trennung von Staat und Kirche in die japanische Verfassung aufgenommen. Seitdem haben die buddhistischen Einzeltempel den Status von öffentlich-rechtlichen Körperschaften unter der Verwaltungshoheit der Präfekturen, während die Zusammenschlüsse mehrerer Tempel – die traditionellen «Schulen» – der Zuständigkeit des Kultusministers unterstehen. Eine Übersicht über die Zahlen der Zen-Tempel und ihrer Anhänger, die aus offiziellen Angaben der 80er Jahre zusammengestellt wurden (und sich im übrigen in den letzten hundert Jahren in ihren Relationen zueinander kaum verändert haben), läßt den Schluß zu, daß das im Westen gängige Klischee Japans als «Land des Zen» zumindest quantitativ nicht zu belegen ist.

Religionen in Japan insgesamt:

Shintô	84,5 Mio. Gläubige
Buddhismus	86,2 Mio. Gläubige
Christentum	0,9 Mio. Gläubige
Andere	11,0 Mio.

Japan hat insgesamt ca. 130 Millionen Einwohner, also ein Drittel weniger als die Gesamtsumme der obigen Nennungen. Die Diskrepanz erklärt sich aus dem traditionellen japanischen Religionsverständnis, das die Zugehörigkeit zu mehreren Glaubensgemeinschaften für durchaus zulässig hält. (Entsprechend sind natürlich die folgenden Zahlenangaben zu relativieren!)

Von den 86 Millionen Buddhisten bekennen sich 9,2 Millionen als Anhänger von Zen, die sich entsprechend ihrer Tempelaffiliation wie folgt verteilen (Zahlenangaben abgerundet):

Schule	Tempel	Klöster m (w)	Klerus	Anhänger
Sôtô (2 Haupttempel)	14 700	26 (5)	15 000 m 1 200 w	6,8 Mio.
Rinzai (15 Haupttempel)	5 750	38 (1)	5 800 m 350 w	1,7 Mio.
Ôbaku (1 Haupttempel)	460	2	680 m 75 w	0,35 Mio.
Sonstige	150	–	150 m 440 w	0,29 Mio.

Unter den 15 Rinzai-Haupttempeln gehört der Tenryûji in Kyôto, dem die Photodokumentation des vorliegenden Bandes gewidmet ist, zu den mittelgroßen: Er zählt 106 Unter- oder Haustempel, ein Kloster, 90 männliche und 7 weibliche Klerusangehörige sowie etwa 90 000 Anhänger.

Die Haupttempel fungieren als administrative und geistige Zentren der jeweiligen Zen-Schule und sind für die Finanzen, die Ausbildung des Klerus und Priesternachfolge, die Schulen und Lehrinstitute sowie die sozialen Belange der Gläubigen verantwortlich.

Wohl alle Haupttempel sind zugleich auch bedeutende touristische Attraktionen, die in ihrer Anlage, der Sakralarchitektur ihrer Gebäude und den zugehörigen Zen-Gärten

Ken-shô (Das Erkennen der eigenen Natur). Aus Giei Satô: Unsui nikki (Tagebuch eines Zen-Lehrlings), Übers. Johanna Fischer. Günther Neske Verlag: Pfullingen 1988, S. 89.
«... während der großen Meditationswoche am Ende der Winterruhezeit bei der Nachtmeditation unter kaltem Himmel, so kalt, daß die Sterne gefrieren, in dem Augenblick, wo die erstarrten Glieder die Kälte nicht mehr wahrnehmen und er fast zu atmen vergaß, ja, als er gerade wähnte, das kaum vernehmbare Geräusch fallender Blätter zu hören und plötzlich wieder zu sich kam, da: ach! soo ist das! – öffnete sich mit einem Mal sein Herz. Ungeduldig erwartete er am folgenden Morgen die Zwiesprache mit dem Meister. In einem Atemzug legte er seinen Erkenntnisstand dar: ‹Alle Menschen im Himmel und auf der Erde hören die Stimmen der einen Hand›. Als der Meister zum ersten Male zustimmend mit dem Kopf nickte, machte er Freudensprünge, ohne die Freude fassen zu können, so wie man eine außergewöhnliche Naturschönheit wohl zu malen versucht und doch nicht trifft. Diese große Freude anderen mitzuteilen ist ganz und gar unmöglich. Die Prüfungen durch den Meister mittels der ‹Einen Hand› wie die vielen minutiösen Regeln – er hatte es mit Bravour geschafft. Endlich hat er, was er ersehnte, das ‹Kôan der Einen Hand› gemeistert.»

«Wenn einer die Kraft Kuan-yins anruft, kann einem kein Haar gekrümmt werden». Frontispiz (Ausschnitt) aus: Kuan-shih-yin p'u-sa p'u-men-p'in ching (Saddharma Pundarika Sûtra, Lotos Sûtra). Blockdruck, 12,2 x 24,5 cm (gesamt). China 19. Jh., Abdruck einer älteren Ming-Ausgabe (15./16. Jh.?). Museum für Völkerkunde SMB (Inv. Nr. ID 25 541 a,1).
Der Bodhisattva Avalokiteshvara (chin. Kuan-yin, jap. Kannon) ist die volksnahste Gottheit des buddhistischen Pantheons in China und Japan. Seit dem 7./8. Jahrhundert zeigen seine Darstellungen erste weibliche Züge und seit dem 14. Jh. ist Kuan-yin die «mildtätig herabblickende» Frau, wie der Name sagt, die in allen Notfällen allein durch die Anrufung ihres Namens zu Hilfe kommt. Das Motiv der Hand – der auffangenden, Schutz gewährenden und der emporhebenden, befreienden – zeigt eine grundsätzlich verschiedene Sicht des Individuums im Zen und im volkstümlichen Buddhismus.

häufig mittelalterliche Traditionen lebendig erhalten und nicht selten wegen ihrer Sammlungen an hochrangigen Kunstwerken die Funktion von Museen erfüllen. Besucher stellen für alle Tempel – und Shintô-Schreine – dieser Art eine Hauptquelle für Einkünfte dar, die zum Leidwesen des Staates nicht versteuert werden müssen, da keine eindeutige Trennlinie zu ziehen ist zwischen dem steuerpflichtigen touristischen Bildungsinteresse und dem steuerbefreiten religiösen Pilgerwesen, in dessen Tradition solche Tempelbesuche seit eh und je stehen.

Im Haupttempel finden das ganze Jahr über eine Reihe von offiziellen religiösen Veranstaltungen statt: gemeinsame Gebets- und Sûtrenrezitationsversammlungen, Opferdarbringungen, Totenfeiern, Gedenkfeiern anläßlich der drei Hauptereignisse im Leben des Buddha Shâkyamuni sowie für den Gründerabt und andere bedeutende Meister des Tempels. Alle 14 Tage werden Sûtren zu Ehren des Kaiserpaares rezitiert, deren religiöses Verdienst ihm zugedacht ist, verbunden mit weiteren Zeremonien für verschiedene Schutzgottheiten.

Nach der Rinzai-Tradition stehen Klöster im allgemeinen in unmittelbarer räumlicher Verbindung mit dem jeweiligen Haupttempel. Allerdings kann – ähnlich wie in der Sôtô-Tradition – auch an einem Rinzai-Untertempel ein Kloster angeschlossen sein. Die Zahl der Mönche schwankt zwischen einigen wenigen und bis zu 100 in den beiden Haupttempeln der Sôtô-Schule, dem Eiheiji und Sôjiji, die unter Anleitung des Abtes von etwa 30 ausgebildeten Mönchen – zum Großteil Meister, *rôshi*, – unterrichtet werden. Die größeren Rinzai-Klöster haben etwa 25 Novizen, wobei fortgeschrittene Mönche alle administrativen und wirtschaftlichen Pflichten des Klosteralltags selbst übernehmen. Lediglich der Abt, ein Meister des Rinzai-Zen, übt seine Funktion permanent aus.

In den insgesamt 72 Zen-Klöstern, die es in Japan gibt, werden pro Jahr etwa 1000 Novizen ausgebildet. Fast alle Mönche bereiten sich im Kloster auf ihren Lebensberuf vor, das Priesteramt in einem Tempel. Als älteste Söhne von Tempelpriestern wird von ihnen erwartet, daß sie die Nachfolge ihrer Väter antreten. Nachdem sie die universitäre Grundausbildung abgeschlossen haben, erhalten sie im Kloster in einer sechs Monate bis drei Jahre dauernden Ausbildung alle Kenntnisse, die sie für die Leitung eines Zen-Tempels und die Betreuung seiner Gemeinde benötigen. Für den bei weitem überwiegenden Teil der Mönche ist also das Kloster nach Funktion und Ausbildungsangebot mit christlichen theologischen Seminaren vergleichbar.

Die Pflege des Priesternachwuchses für die kleineren Zen-Tempel ist die Hauptaufgabe der Klöster. Daneben ist es seit alters Tradition, ernsthaft interessierten Laienschülern des Zen die Möglichkeit zu geben, für kürzere oder längere Zeit gemeinsam mit den Mönchen Zen zu praktizieren, wobei diese durchaus fortgeschrittener sein können als die in beruflicher Ausbildung stehenden Mönche. «Soweit es sich um die geistige Entwicklung handelt, akzeptieren japanische Zen-Lehrer, daß es individuelle Unterschiede in den Fähigkeiten und Fertigkeiten gibt, die wichtiger sind als die formelle Unterscheidung zwischen Mönch und Laie. Laienschüler werden jedoch nicht in die Priesterausbildung miteinbezogen und dürfen auch nicht Klosterämter bekleiden oder Priesterfunktionen ausüben.» (T. Griffith Folk, The Zen Institution in Modern Japan. In: *Zen – Tradition and Transition*, Hrsg. K. Kraft, S. 166).

Kleine, lokale Zen-Tempel sind bei weitem in der Überzahl und dienen den Bedürfnissen der in ihrer Umgebung lebenden Gläubigen, im Durchschnitt etwa 150 Familien pro Tempel. Die buddhistische Seite des religiösen Bewußtseins der Menschen in Ostasien wendet sich traditionell häufig jenen Dingen zu, die mit dem Sterben zu tun haben. Liegt doch in der buddhistischen Überzeugung, daß auf die gegenwärtige Existenz noch weitere folgen werden, ein ungeheurer Trost, daß wir, wenn schon nicht in diesem, dann doch in einem künftigen Leben, die Kraft und Fähigkeit zur Erleuchtung erlangen werden. So sind die meisten Riten der Zen-Tempelpriester den Verstorbenen gewidmet, um ihnen den Übergang in eine neue Existenz zu erleichtern und zu ihrem Gedenken, um durch Opfergaben und Gebete ihre Verdienste zu vermehren, die letztlich zu einer günstigeren Wiedergeburt führen sollen. Donationen der Gläubigen sind auch die materielle Grundlage der von ihrem Tempel «lebenden» Priesterfamilie.

In den lokalen Tempeln finden wie im Haupttempel zu bestimmten Terminen gemeinschaftliche Zeremonien von Tempelpriestern und den Laiengläubigen statt. So zu Neujahr, zum Gedenken an den Geburts- und Todestag sowie die Erleuchtung des Buddha, an den Sonnwendfeiern und dem Totengedenktag. Ansonsten stellt die Teilnahme der Laiengemeinde an Meditationen oder weiteren Zen-Übungen eher die seltene Ausnahme dar.

Die Stellung der Frau im Zen

Die oben zitierten Tabellen führen unter den Tempeln und dem Klerus auch 6 Nonnenklöster und 2000 Nonnen auf. Dies spiegelt eine Entwicklung seit dem 2. Weltkrieg wider, denn in der Geschichte des Ch'an und Zen spielen Nonnen keine wesentliche Rolle, wie überhaupt das Thema Frau im Buddhismus im allgemeinen bestenfalls am Rande erwähnt wird. Nicht, daß der Buddhismus frauenfeindlich zu nennen wäre (jedenfalls nicht frauenfeindlicher als die Gesellschaften, in denen er entwickelt und in die er übernommen wurde), doch ist der generelle Tenor immer gewesen, daß zum einen die Frau den Mann bei seinem Streben nach Erleuchtung ablenken könnte, und zum anderen, daß das Los der Frauen auch deswegen beklagenswert ist, weil man im Prinzip nur aus einer männlichen Existenz heraus – als Mönch – zur Erleuchtung gelangen kann. Allen Frauen also noch zumindest eine männliche Existenz bevorstehen muß.

Zwar soll bereits der historische Buddha Shâkyamuni nolens volens der Gründung eines Nonnenordens zugestimmt haben, doch schien seine Einstellung gegenüber Frauen eher zwiespältig gewesen zu sein, wie der folgende Dialog mit seinem Schüler Ânanda belegt, der ihn fragte, wie sich Mönche gegenüber Frauen verhalten sollen: – «Sie nicht ansehen, Ânanda.» – «Aber wenn wir sie sehen, was sollen wir tun?» – «Nicht mit ihnen sprechen, Ânanda.» – «Wenn sie uns aber ansprechen, Herr, was sollen wir dann tun?» – «Auf der Hut bleiben, Ânanda!».

Diese tendenziell abwehrende Grundhaltung der buddhistischen Lehre gegenüber Frauen ist durchweg im Verlaufe der Geschichte vor allem innerhalb des Klerus festzustellen. Sie wird auch nur unwesentlich durch theologische Diskussionen gemildert, ob Frauen nicht doch unmittelbar zur Erleuchtung gelangen können: Etwa wenn der Legende nach eine Prinzessin, die vom absoluten Drang nach Erleuchtung beseelt war, schon zu ihren Lebzeiten in einen Mann verwandelt wurde oder die Frage nach dem Geschlecht als letztlich belanglos erklärt wird, da die sichtbare Welt sowieso bloß Schein ist.

Bis zur Restauration durch den Meiji-Kaiser (1868-1912) war die Heirat für den buddhistischen Klerus verboten. Nachfolger rekrutierten sich aus den jungen Mönchen, die zur Ausbildung ins Kloster kamen. Mit der Aufhebung des Zölibats, vor allem jedoch unter dem Einfluß westlicher Wertvorstellungen nach dem 2.Weltkrieg, lockerten sich die Konventionen, und die meisten Tempelpriester sind heute verheiratet. In der in dieser Frage etwas fortschrittlicheren Sôtô-Schule waren darüber hinaus 1977 die Hälfte aller Priesterfrauen (ca. 650) offiziell als religiöse Lehrerinnen anerkannt und arbeiteten in dieser Funktion in ihrem Tempel. Seit den 50er Jahren steht Nonnen auch die Möglichkeit offen, zur Hauptpriesterin eines Untertempels ernannt zu werden, was jedoch bislang – besonders in der Rinzai- und Ôbaku-Schule – eher zu den Ausnahmen zählt. Zusätzlich diskriminierend ist das Heiratsverbot für Tempelpriesterinnen, dem sie im Gegensatz zu ihren männlichen Kollegen unterworfen sind.

Zen im Westen

Entstehen und Verbreitung eines größeren, populären Interesses an Zen im Westen ist untrennbar mit dem Namen D.T. Suzuki (1870-1966) verbunden. Seine zahlreichen, vor allem auch auf Englisch erschienenen Werke – Einführungen in das Zen, Darstellungen seiner Bedeutung für die japanische Kultur – prägten über ein halbes Jahrhundert Kenntnis und Bild des Zen im Westen. Die umfangreichen Aktivitäten buddhistischer Initiativgruppen bauten darauf auf und machten Zen populär und zu einem gängigen Begriff, so daß es neben dem tibetischen Buddhismus heute die bekannteste fernöstliche Religion im Westen sein dürfte.

Zeitschriftenartikel und Bücher zum Thema Zen und der Westen sind schier unüberschaubar. Eine jüngst erschienene Bibliographie, die nur seriöse Arbeiten aufnimmt, erwähnt Hunderte von Titeln, und seit zwei Jahrzehnten kommt kaum eine Buchhandlung ohne eine eigene Abteilung mit einschlägigen Publikationen aus. Aufschlußreich ist allerdings, daß Zen-Literatur im Westen in die Nähe ganz bestimmter Titel gerückt wird: Schamanismus, Geheimlehren, Astrologie, psychologische Ratgeber, esoterische Literatur im weitesten Sinne und die zahlreichen Arbeiten über «Zen und ...» (Meister Ekkehart, die Beatniks, Heidegger, Platon, Wittgenstein, Sartre, Barthes, Ökologie, Feminismus, Ethik usw.) verraten, daß es vorrangig nicht um ein Interesse an der Zen-Lehre geht – was sicherlich dem Bedürfnis vieler westlicher Schüler entsprechen würde –, sondern eher um eine intellektuelle Modeerscheinung. Heinrich Dumoulins Einschätzung, daß die «Pluralität der Zen-Form ... das charakteristische Merkmal der modernen (westlichen) Zen-Bewegung sein (dürfte)», wäre demnach auch so zu verstehen, daß Zen dem westlichen Interessenten Versatzstücke zur Bewältigung aller möglichen Lebenskrisen und akademischer Probleme in beliebiger Verfügbarkeit offeriert.

Eine Reihe von westlichen Zen-Institutionen, die als offiziell gebilligte Tempel japanischer und koreanischer Schulen Zen lehren, sind allerdings von solchen Entwicklungen zu unterscheiden. Bemerkenswert ist ein intensives Interesse christlicher Gruppen, im besonderen katholischer Orden, am Zen-Buddhismus. (Zwei der profundesten Kenner des Zen aus dem Westen, Hugo M. Enomiya-Lasalle und Heinrich Dumoulin, sind Angehörige des Jesuitenordens). Der fruchtbarste Zugang zum Verständnis des Zen, den diese anbieten, dürfte wohl im Vergleich ähnlicher Formen und Erfahrungen liegen: In vielen Bereichen konnten zum Beispiel Gruppen von katholischen Mönchen und von Zen-Mönchen, die wechselweise am jeweils anderen Klosteralltag teilnahmen, bis in Details gehende Verwandtschaften und Parallelen erkennen. Erst in der sorgfältigen Analyse einzelner Phänomene –

etwa die unterschiedliche Einstellung zum «Schweigen» oder das sich nicht deckende Verständnis von «Freiheit» – zeigen sich die spezifischen Unterschiede zwischen den Religionen mit ihren verschiedenen Zugängen zur Wirklichkeit. Hierin manifestierte sich für den Autor einer solchen Untersuchung, den Benediktiner Erzabt Notker Wolf, ein grundsätzlicher Gegensatz zwischen dem Streben nach «Leerheit» im Zen und dem bewußten Annehmen von «Individualität» im Christentum. Für beide gilt jedoch, daß sie als Religionen miteinander vergleichbar (und kommunikationsfähig) sind.

Daß Zen eine Religion ist und keine «Weltanschauung» oder «psychologische Methode», wird im Westen allerdings allzu gerne vergessen. Zen ist in den Augen seiner Träger – Laiengläubige und Klerus – seit eineinhalb Jahrtausenden Teil des Buddhismus und propagiert seine Ziele und Methoden. Deshalb ist Zen auch nur innerhalb der buddhistischen Lehre und seiner Kategorien zu verstehen und praktizierbar.

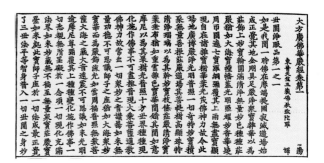

Abdruck der ersten Seite des Hwaôm-gyông (Avatamsaka Sûtra). Zu den bedeutenden Schöpfungen des Buddhismus in Korea gehört der vollständig erhaltene Kanon buddhistischer Schriften in chinesischer Sprache, der nach zwölfjährigen Arbeiten 1251 vollendet wurde. Er umfaßt insgesamt 81.258 beidseitig mit Texten versehene Druckplatten, die 69,6 cm breit, 24 cm hoch und zwischen 2,6 und 3,9 cm dick sind. Jede Platte wiegt etwa 3,5 kg. Die Seiten umfassen jeweils 23 Spalten mit je 14 chinesischen Schriftzeichen. Die Sammlung zählt 1511 Werke in 6805 Bänden. (HJZ)

Literaturauswahl

Ch'en, Kenneth: *Buddhism in China*. Princeton University Press: Princeton 1964.

Dumoulin, Heinrich: Selbstzeugnisse japanischer Zen-Jünger über die seelischen Haltungen während der Zen-Meditation. In: *Asien – Tradition und Fortschritt* (Festschrift Horst Hammitzsch). Hrsg.: Lydia Brüll, Ulrich Kemper. Wiesbaden 1971. S. 85–102.

Dumoulin, Heinrich: *Geschichte des Zen-Buddhismus*. Bd. 1 Indien und China. Bd. 2 Japan. Francke Verlag: Bern 1985, 1986.

Gardner, James L.: *Zen Buddhism. A Classified Bibliography of Western-Language Publications Through 1990*. Wings of Fire Press: Salt Lake City 1991.

Kraft, Kenneth, Hrsg.: *Zen – Tradition and Transition. An Overview of Zen in the Modern World*. Rider: London 1988.

Lai, Whalen; Lancaster, Lewis R., Hrsg.: *Early Ch'an in China and Tibet*. University of California: Berkeley 1983.

Reader, Ian: Zazenless Zen? The Position of Zazen in Institutional Zen Buddhism. In: *Japanese Religions* 14. 3., 1986, S. 7–25.

Sato, Koji: *The Zen Life*. Übers. V. Ryojun. Weatherhill: New York 1972.

Schumann, Hans Wolfgang: *Buddhismus. Stifter, Schulen und Systeme*. Walter Verlag: Olten 1976.

Wolf, Notker: Schweigen und Freiheit. Konvergierende und divergierende Erfahrungen in der Begegnung von Benediktinermönchen und Mönchen des Zen-Buddhismus. In: *Una Sancta. Zeitschrift für ökumenische Begegnung*. Kyrios Verlag: Meitingen. Bd. 3, 1988, S. 249–262.

Der Meditations-Buddhismus in Korea

Die Aufnahme des Buddhismus

Die Herausbildung von Staaten aus Stammesföderationen wird von den koreanischen Geschichtsquellen in das erste vorchristliche Jahrhundert verlegt. Sie nennen den im Südosten Koreas gelegenen Staat Silla als ältesten mit dem Gründungsjahr 57 v. Chr.; Koguryŏ im Norden, das bis weit in die heutige Mandschurei reichte, soll 32 v. Chr., Paekche im Südwesten 18 v. Chr. entstanden sein. Tatsächlich aber muß die Staatenbildung erheblich später angesetzt werden und eng mit einem von Norden her sich ausbreitenden chinesischen Kultureinfluß verbunden gewesen sein. Eine wesentliche Rolle spielten dabei buddhistische Missionare, denn sie haben außer der chinesischen Form des Buddhismus auch profane Aspekte der chinesischen Kultur verbreitet, vor allem die chinesische Schrift und Sprache als Medium von Bildung und Verwaltung. Staatswerdung und buddhistische Missionierung müssen zeitlich eng beieinander liegen.

Der älteste Beleg für das Auftreten des Buddhismus findet sich für das Jahr 372 n. Chr. Ein chinesischer Mönch mit dem Namen Shun-tao (kor. Sundo) kam mit Sûtren und Statuen nach Koguryŏ. Weitere Mönche folgten bald, 385 wurden erste Klöster gegründet, und schon 392 wurde der Buddhismus Staatsreligion. Hier muß die Frage nach der Verständnisfähigkeit und -möglichkeit für eine fremde Ideologie gestellt werden. In China ist in der Frühzeit des Buddhismus vor allem die Lehre vom Kausalnexus und vom Karma übernommen worden. Sie fand dort sprachlichen Ausdruck in Begriffen des Taoismus. In Korea wurden weltliche Ziele betont – mit deutlicher Parallele zur Rolle des Schamanismus – nämlich Suche nach dem Glück, Beitrag zur Sicherung und Stärkung des Staatswesens. Daß sich die neue Religion rasch etablieren konnte, zeigen u. a. Grabfresken aus der Mitte des 5. und aus dem frühen 6. Jahrhundert in Nekropolen um die Hauptstadt von Koguryŏ (im heutigen Ji'an nördlich des Grenzflusses Yalu in der VR China gelegen). Älteste datierte Statuen mit buddhistischen Heilswesen stammen aus den Jahren 539 und 571 und zeigen eine deutliche Entwicklung aus älteren, undatierten Plastiken auf. Auch die Entsendung von Mönchen aus Koguryŏ nach Japan spricht für eine Verwurzelung des Buddhismus – 584 reiste der erste buddhistische Mönch von dort nach Japan. Eine große Rolle spielte dann der Koreaner Hyeja (jap. Eji), der 595 nach Japan kam und dort 20 Jahre als Lehrer des Kronprinzen und Regenten Shotoku Taishi (574-622) wirkte.

Im koreanischen Südwest-Staat Paekche lebte von 384 an der indische Mönch Malanda, der mit weiteren aus China gekommenen Mönchen in der damaligen Hauptstadt ein Kloster begründete. Auch für Paekche betonen die

Die buddhistische Triade von Sôsan, frühes 7. Jh. Abb. aus: Han'guk munhwajae taegwan, Bd. 5, Tafel 17.
Dieses Relief nahe der Westküste Koreas wurde erst 1959 entdeckt. In der Mitte zeigt dieses älteste bekannte Felsbildwerk Koreas, geschützt von einem in Granit gehauenen Überhang, den 2,8 m hohen historischen Buddha. Ihm zur Rechten steht der Bodhisattva Avalokiteshvara, zur Linken Maitreya Buddha. Deutliche Ähnlichkeiten bestehen zu chinesischen Darstellungen in Felsenhöhlentempeln. Eine Eigentümlichkeit der buddhistischen Plastik im Süden der koreanischen Halbinsel dieser Zeit ist die sorgfältige Darstellung des Kopfes, während im Gegensatz dazu der Körper flächig bleibt. (HJZ)

Berichte das Streben nach Glück als wichtiges Motiv für die Übernahme der fremden Religion sowie deren magische Wirkung. Aber daneben ist auch die Beschäftigung mit philosophischen Aspekten belegt, was auf solide Kenntnisse der chinesischen Sprache hinweist. Einen großen Entwicklungsschub gab es für den Paekche-Buddhismus, als 526 ein dort heimischer Mönch mit indischen Brüdern aus dem Ursprungsland des Buddhismus zurückkehrte und das Studium der Texte über die Mönchs- und Ordensdisziplin (vinaya) vorantrieb. Schon kurz darauf kamen Nonnen aus Japan, um die Vinaya-Texte zu studieren. 538 reiste eine Gesandtschaft nach Japan, ausgerüstet mit buddhistischen

Devotionalien, Sûtren und einem an Kaiser Kimmei Tennô gerichteten Gesandtschaftsschreiben, das einerseits um Unterstützung bat, andererseits die Übernahme des Buddhismus als Grundlage der Politik empfahl. In den japanischen Quellen, wo dieses Datum als erstes im Zusammenhang mit dem Buddhismus verzeichnet ist, finden sich von da an häufige Belege über buddhistische Kontakte zu Paekche: u. a. werden Reisen koreanischer Mönche auf den Inselstaat, die sowohl als Spezialisten für einzelne Sûtren wie auch als Fachleute für sonstige Fertigkeiten (Tempelbau, Malerei, Astronomie) bezeichnet werden, beschrieben.

Auch zu China war die Verbindung des koreanischen Buddhismus eng: ein Mönch aus Paekche mit Namen Hyŏn'gwan wurde dort in einer von einem Schüler des Sechsten Zen-Patriarchen Hui-neng (638-713) errichteten Gedenkhalle, als einer von zwölf Meistern verehrt. Eine rege Bautätigkeit in Paekche ließ prächtige Klosteranlagen entstehen. Der Klosterkomplex des Mirŭk-sa (bei Iksan), kurz nach 600 begonnen, war, nach den vorläufigen Ergebnissen einer noch nicht abgeschlossenen Ausgrabung, wahrscheinlich die größte Klosteranlage dieser Zeit in ganz Ostasien.

Als letzter der Staaten auf der Halbinsel wurde Silla vom Buddhismus erreicht. Dort gab es schon im 5. Jahrhundert Missionsansätze von Koguryŏ aus. Medizinische Erfolge von Mönchen erweckten zwar Interesse, hatten aber keine Breitenwirkung. Vor allem die Stammesverfassung des Silla-Reiches stand der fremden Religion als Hindernis im Weg, ihr zufolge hatten mehrere Sippen Anspruch auf die Herrscherwürde. Die Übernahme des Buddhismus hätte als Stärkung der gerade an der Macht befindlichen Sippe gedeutet werden können. Und genau das geschah dann auch. 520 wurde versucht, die Königsmacht durch Annahme des Buddhismus zu stärken und die Staatsordnung mit der buddhistischen Lehre zu identifizieren. Erfolgreich war der regierende König Pŏphŭng (514-540) damit aber erst 527/28. Seit der Mitte des 6. Jahrhunderts wurden in der Hauptstadt, dem heutigen Kyŏngju, zahlreiche Klöster errichtet. Die Könige übernahmen buddhistische Namen, Pŏphŭng bedeutet «Der den Dharma erhob». Buddhistische Riten wurden für Frieden, Sicherheit und Wohlergehen des Landes eingesetzt, die staatliche Verwaltungsorganisation fand eine Parallele in der Verwaltung des buddhistischen Klerus. Jungmännerbünde (hwarang) verbanden schamanistische Vorstellungen mit buddhistischen Idealen: sie strebten danach, das «Reine Land» des Buddhismus in Silla zu verwirklichen. Mit der Verehrung des Buddhas des Westlichen Paradieses, Amitâbha, gelang dem Buddhismus der Sprung von einer Religion des Königshauses und der Oberschicht zur Volksreligion.

Die engen Verbindungen Sillas zum chinesischen T'ang-Reich (618-906) führten, besonders nach der Vereinigung der koreanischen Staaten zu dem Groß-Silla-Reich (661), zu verstärktem chinesischem Kultureinfluß. China wurde das «Heilige Land» des koreanischen Buddhismus. Mit der großen Zahl von Chinapilgern nahm auch der religiöse Austausch zu. Viele blieben in China und hatten wesentlichen Anteil an der Übersetzung buddhistischer Texte aus den «westlichen» Sprachen ins Chinesische. Auch an der Weiterentwicklung von Doktrinen und der Gründung neuer Schulen hatten Koreaner Anteil, ein reger Austausch von Personen, Texten, Kommentaren und Lehrmeinungen ist belegt. An der Entwicklung des Meditations-Buddhismus in China war ebenfalls ein Koreaner beteiligt. Der Silla-Mönch Kim hwasang «Verehrungswürdiger Kim» (680-762) mit dem Mönchsnamen Musang (chin. Wu-hsiang) wird von zwei frühen Ch'an-Traditionen im chinesisch-tibetischen Grenzgebiet als Patriarch für sich in Anspruch genommen. Er dürfte eine der frühen historischen Persönlichkeiten in den weitgehend nachträglich konstruierten Genealogien von Patriarchen des Meditations-Buddhismus sein. Die Zahl koreanischer Mönche in China und ganz besonders in der Hauptstadt Ch'ang-an, dem heutigen Xi'an, muß im letzten Jahrhundert der T'ang-Dynastie beachtlich gewesen sein. Ja, es gab sogar rein koreanische Klöster auf der Halbinsel Shan-tung, wie ein japanischer Chinapilger, der Mönch Ennin (793-864), in seinem Reisetagebuch berichtet. Ennin war über Korea auf dem Seeweg nach China gereist und hielt sich dort von 838-847 auf.

In Korea war das gesamte kulturelle Leben vom Buddhismus durchdrungen. Eine Vielfalt buddhistischer Kunstschätze wurde geschaffen, die noch heute in koreanischen Museen und Sammlungen von einer einzigartigen Hochblüte zeugen. Koreaner leisteten Beiträge zur Weiterentwicklung fast aller Schulen des Buddhismus des Großen Fahrzeugs. Aber vom späten 8. Jahrhundert an kam es zu gesellschaftlichen Konflikten, die auch den Buddhismus berührten und ihn seiner Kreativität beraubten. Gerade zu jener Zeit wurde der Meditations-Buddhismus (koreanisch sŏn, so die Lesung des chinesischen Schriftzeichens, das chinesisch ch'an, japanisch zen gesprochen wird) in Korea eingeführt und schlug in neun Klöstern in verschiedenen Landesteilen erste Wurzeln.

Die Begründer der Sŏn-Tradition hatten ihre Einweihung von Ch'an-Meistern der T'ang-Dynastie erhalten und vertraten die Reformlehre in aller Radikalität. Sie standen in unversöhnlichem Gegensatz zu den auf Sûtren-Studium beruhenden anderen Schulen, die man unter dem Begriff o-gyo, «Fünf Lehren», zusammenfaßte. Diese hatten trotz unterschiedlicher Haupttexte eines gemeinsam: die Vorstellung von einem allmählichen geistigen Fortschritt, der durch Glauben, durch Verstehen und durch Praxis bis hin zu magischen Riten zu erreichen war. Die Meditations-Schulen wurden mit dem Oberbegriff *kusan*, «Neun Berge», bezeichnet nach den zuerst entstandenen neun klösterlichen Zentren, die sich ganz der Sŏn-Richtung verschrieben hatten. Sie betonten die Überlegenheit eines Weges, der der allmählichen Erleuchtung die plötzliche gegenüberstellte. Die Authentizität der Wahrheitsübermittlung schien wichtiger als die Wahrheit selbst.

Hochblüte des Meditations-Buddhismus

Auf Silla folgte die Koryŏ-Dynastie (918-1392). Auch sie erklärte den Buddhismus zur Staatsreligion und wies ihm eine Schutzfunktion sowohl gegen Naturkatastrophen wie auch gegen innere und äußere Feinde zu. Priesterexamen wurden parallel zu dem Prüfungssystem, mit dem die Beamten der Staatsverwaltung rekrutiert wurden, eingeführt. Aufgabe des Klerus war es, den Herrschern geistliche Führung zukommen zu lassen und durch Gebete und Riten den Staat zu schützen. Erneut wurden Klöster in großer Zahl gegründet, die mit Ländereien und Klostersklaven beschenkt wurden – sowohl vom Herrscherhaus wie auch von Mitgliedern einer sich heranbildenden Oberschicht. Da der Klosterbesitz sowie die wirtschaftlichen Aktivitäten der Klöster steuerfrei waren, brachten es viele der Klöster zu einem ansehnlichen Reichtum. Einige stellten sogar eigene Truppen auf, die sich in die Politik einzumischen versuchten. Damit war eine große Gefahr gegeben: der Buddhismus drohte immer mehr zur Religion der Elite zu werden und seine Massenbasis zu verlieren. Schulen bestanden nebeneinander, wobei der Gegensatz der auf Sûtren orientierten Richtungen zu den die direkte Erleuchtung betonenden Meditations-Schulen bestehen blieb. Doch der synkretistische Zug der gesamten koreanischen Religiosität, der zum Beispiel in der Affinität des Buddhismus zum Schamanismus schon lange spürbar war, wirkte sich nun auch innerhalb seiner verschiedenen Schulen aus. Ersten Versuchen einer zusammenfassenden Synthese verschiedener Schulen war allerdings nur kurzer Erfolg beschieden.

Dann aber trat die für die weitere Geschichte des koreanischen Buddhismus vielleicht bedeutendste Persönlichkeit auf: der Mönch Chinul (1158-1210). Mit sieben Jahren war er ins Kloster eingetreten, mit fünfzehn als Novize ordiniert worden. Fünfundzwanzigjährig schloß er seine formelle Ausbildung ab. Jahre einsamer Meditation folgten, gekrönt von Erweckungserlebnissen. Eine stetig wachsende Zahl von Schülern versammelte sich um ihn, als er mit 32 seine Lehrtätigkeit begann. Ab 1200 wirkte er im

Bibliothek des Haein-sa-Klosters.
In zwei riesigen Hallen des Haein-sa-Klosters 70 km westlich der Stadt Taegu werden heute die Druckplatten des 1251 fertiggestellten Kanons der buddhistischen Texte in chinesischer Sprache aufbewahrt. Zwar wurden die Arbeiten an diesem Großprojekt auf der Insel Kanghwa, vor Seoul im Gelben Meer gelegen, unternommen, wohin sich die Königsfamilie vor der mongolischen Invasion in Korea geflüchtet hatte, aber 1398 verlagerte man die Druckplatten ins zentrale Bergland, um sie vor japanischen Seeräubern zu schützen. Die Legende berichtet, daß jede der Druckplatten von einer Nonne auf dem Kopf zum Haein-sa getragen wurde. (HJZ)

Mönche des Haein-sa-Klosters stellen in traditioneller Weise Abzüge von den 1251 vollendeten Druckplatten her. Aus: Haein-sa ch'ulp'anbu. Naya-san Haein-sa 1989. (HJZ)

Räuchergefäß mit Deckel. Porzellanartige Ware mit Seladonglasur,
Durchbruchsarbeit mit appliziertem und eingeschnittenem Dekor,
Koryŏ-Zeit (frühes 12. Jh.). H: 15,5 cm. Koreanisches National-
museum, Seoul (Nationalschatz Nr. 95). (HJZ)

Chogye-Gebirge im Südwesten Koreas in einem Kloster,
das sich unter seiner Leitung aus einer Einsiedelei zu einem
der wichtigsten Zentren des Sŏn-Buddhismus entwickelte,
später Songgwang-sa genannt. In seinen Erweckungserlebnissen hatte er erkannt, daß der religiöse Gehalt der Lehr-
texte im wesentlichen gleich ist mit den Erfahrungen in der
Meditation, daß der Konflikt zwischen Sŏn und Kyo nichts
anderes ist als das Ergebnis falscher Unterscheidungen. Er
führte den Meditations-Buddhismus aus einer gewissen Sta-
gnation heraus und betrieb dessen Vereinigung mit den Sûtren-
schulen.

Durch dieses Verbindung von Sŏn (Meditation) und Kyo
(Sûtrenstudium) entstand eine neue, eine typisch koreanische
Ausformung des Buddhismus, die bis in die Gegenwart hin-
ein bestimmend geblieben ist. Die von Chinul verfaßten Texte sind ein bedeutender Einstieg in den Sŏn-Buddhismus geblieben. In der neuen Schule Chogye-jong (*jong*, Orden),

benannt nach dem Gebirge, in dem Chinul wirkte, stand
die Meditationspraxis im Vordergrund. Das Sûtrenstudium
hingegen – vor allem des Hwaŏm-gyŏng (*avatamsaka*)- Sûtra
– wurde als Grundlage und Voraussetzung dafür betrieben.
Dharma, die Lehre, wurde wieder wichtiger als Personen,
die diese Lehre verkündeten. Auf einer höheren Ebene ge-
wann dann aber das Lehrer-Schüler-Verhältnis wieder besondere Bedeutung, plötzliche Erleuchtung und allmähliche
Vervollkommnung ergänzen einander.

Zu den wichtigsten kulturellen Errungenschaften des Buddhismus der Koryŏ-Dynastie muß wohl an erster Stelle die
Kompilation und Drucklegung der Gesamtheit der damals
bekannten buddhistischen Sûtren in chinesischer Sprache
genannt werden. Mit diesem Unternehmen wurde etwa 1010
begonnen. Die Arbeiten dauerten rund 40 Jahre. Nach der
Fertigstellung der Druckplatten wurden dann auch die Kommentare katalogmäßig erfaßt und somit der Kanon als of-
fener Kanon aufgefaßt, der nicht nur ursprünglich aus Indi-
en stammende Texte zu bewahren hatte, sondern auch die
in China und Korea entstandene Kommentarliteratur und die
dort geschaffenen Sekundärtexte. Als während der Mon-
goleneinfälle in Korea dieser Druck-Kanon zerstört wurde,
machte man sich von 1236 bis 1251 auf der der Westküste vorgelagerten Insel Kanghwa-do abermals an die Arbeit und schnitzte die chinesischsprachigen Texte erneut in
insgesamt 81258 Druckplatten, die vollständig erhalten sind
und seit dem späten 14. Jahrhundert im Kloster Haein-sa
(westlich der Stadt Taegu) aufbewahrt werden. Sie gelten
noch immer als beste Textüberlieferung und wurden zur Basis moderner kritischer Ausgaben.

Der zweite bedeutende Beitrag des buddhistischen Geistes zur koreanischen Kultur aus der Koryŏ-Zeit sind die Se-
ladon-Keramiken, wobei im Zusammenhang mit dem Meditations-Buddhismus vor allem die verschiedenartigen Teegefäße von Bedeutung sind.

Zwar gewannen dann andere, zum Teil neue Richtungen des Buddhismus Einfluß in Korea, so der tibetische Buddhismus (Lamaismus) während der Zeit der mongolischen
Herrschaft (1231-1356), aber im großen und ganzen blieb
der Chogye-Orden mit seiner Verbindung von Meditation
und Sûtrenstudium bestimmend. Jener erhielt seinen Namen
in der ausgehenden Koryŏ-Zeit von der zweiten bedeutenden
Persönlichkeit des Sŏn, dem Mönch T'aego (1301-1382).
Er galt in der Sŏn-Tradition lange als deren eigentlicher Begründer. Im Gegensatz zu Chinul, der China nie bereist,
sondern eigene Lösungen gesucht und gefunden hatte, stellte T'aego während eines mehrjährigen Aufenthaltes die Verbindung zu chinesischen Patriarchen-Linien her und führte
nach seiner Rückkehr in die Heimat inzwischen konkurrie-
rende Sŏn-Schulen zusammen.

Die Zeit des Niedergangs

Nachdem die Mongolen sich aus Korea zurückgezogen hatten, ihre Herrschaft auch in China 1368 gestürzt worden war und dort eine neue Dynastie mit chinesischen Kaisern ausgerufen wurde, die Ming-Dynastie (bis 1644), kam es auch in Korea zu Diskussionen und Auseinandersetzungen, die 1392 zum Sturz der Koryŏ-Herrscher führten. Der erste König der neuen Dynastie, der Yi-Dynastie nach dem Familiennamen ihres Begründers, war zwar Anhänger des Buddhismus, er machte aber den Neo-Konfuzianismus zur Grundlage des neuen staatlichen Ordnungssystems. Seine unmittelbaren Nachfolger leiteten dann einschneidende Maßnahmen gegen den Buddhismus ein. Die Steuerfreiheit wurde aufgehoben, der Grundbesitz beschnitten, die Zahl der Klöster reduziert, der buddhistische Klerus aus der neuen Hauptstadt Seoul vertrieben.

Mönche wurden zwangsweise in den Laienstand zurückgeführt. Teilweise wurden diese Maßnahmen von einzelnen Herrschern zurückgenommen, oft unter dem Einfluß von Müttern oder Ehefrauen, die dem Buddhismus weiterhin folgten, aber insgesamt blieb die Lage des Buddhismus bis in die letzten Jahre der Dynastie, die bis 1910 andauern sollte, schwierig.

Durch politische Willkür wurden alle Gruppierungen, die außerhalb der Sŏn(Meditations)-Schule und der Kyo(Sûtrenstudien)-Schule standen, aufgelöst. Die Sŏn-Schule formalisierte im späten 15. Jahrhundert die Mönchsausbildung (die für die früheren Zeiten nur fragmentarisch aus den historischen Quellen rekonstruierbar ist). Eingerichtet wurde das «Lehrtempel-System», wobei einzelne Klöster sich auf bestimmte Ausbildungsschwerpunkte spezialisierten. Studiert wurden:

1. die buddhistischen Werte, Verhaltensforderungen für Mönche und die Riten
2. die Analekten bedeutender Ch'an- und Sŏn-Mönche
3. verschiedene Sûtren mit
4. dem Avatamsaka-sûtra als abschließenden Höhepunkt.

Dafür wurden mehrere Textsammlungen neu kompiliert, die noch heute gelesen werden, wie auch das Lehrtempel-System weiter besteht.

Bedeutendste Persönlichkeit des Sŏn während der Yi-Dynastie war zweifelsohne Meister Sŏsan (1520-1604). Er führte ein wechselvolles Leben, war zeitweise Mönch, zeitweise im Staatsdienst. Als viel gepriesener Dichter und Kalligraph ist er aus der koreanischen Kulturgeschichte nicht wegzudenken. Er wandte sich erneut den Ideen Chinuls aus der Koryŏ-Zeit zu und wies damit über T'aego hinaus, der

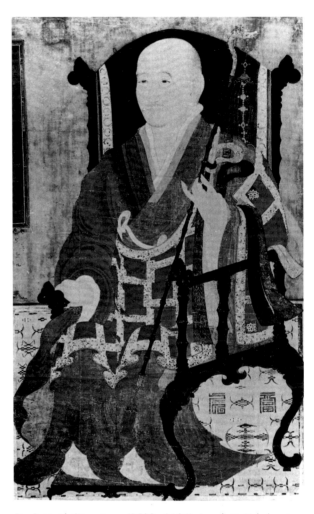

Der Patriarch Sŏsan-taesa (1520 - 1604), Ausschnitt. Unbekannter Maler, frühes 18. Jh. Querrolle, Farben und Tusche auf Seide, 76 x 123,9 cm (gesamt). Tongwŏn misulgwan, Seoul. Sŏsan-taesa ist eine der bedeutendsten Persönlichkeiten des Meditationsbuddhismus der Yi-Dynastie (1392 - 1910). (HJZ)

in der Tradition bis dahin als der eigentliche Begründer der Sŏn-Schulen galt. Als Patriot wird er noch immer verehrt. Im Kampf gegen die japanische Invasion unter Hideyoshi zwischen 1592 und 1598 stellte Meister Sŏsan Mönchseinheiten auf, die aktiv in den Kampf gegen die Aggressoren eingriffen und wesentlichen Anteil am koreanischen Sieg über die Japaner hatten. Mönchsregimenter wurden dann während der Mandschu-Invasionen im frühen 17. Jahrhundert noch einmal aktiv.

Eine Lockerung für den Buddhismus in Korea ergab sich erst in den letzten Jahren der Dynastie nach der «Öffnung» des Landes durch Japan 1876. In dieser Zeit begann auch eine Einbeziehung von Laien in buddhistische Ausbildungssysteme, so in der 1906 gegründeten Myŏngjin-Schule in Seoul, die Kinder von Laienanhängern ebenso aufnahm wie Mönchskandidaten.

Die japanische Besatzungszeit

1910 wurde Korea als Generalgouvernement Japan angegliedert. Dadurch ergaben sich zwar größere Freiheiten für den Buddhismus, aber auch neue Konkurrenz durch japanische Sekten, die zu missionieren begannen.

Die Verwaltung der verschiedenen Orden wurde unter japanischer Führung zentralisiert und bürokratisiert. Reaktion war die Beteiligung koreanischer Buddhisten am Widerstand gegen die Kolonialherrschaft, die sich in einem Aufstand am 1. März 1919 artikulierte, der gewaltsam niedergeschlagen wurde. Immerhin gestand die japanische Verwaltung den Koreanern größere Freiheiten im kulturellen Bereich zu. So wurde im Juni 1920 eine Gesellschaft junger Buddhisten Koreas gegründet, 1921 dann die Buddhistische Reformgesellschaft unter dem Vorsitz des Mönchs-Poeten Han Yong'un, der als Vordenker des modernen koreanischen Buddhismus Bedeutung erlangte. Die Tempel waren wirtschaftlich trotz der Rückgabe von Ländereien abhängig von Spenden. Der Landbesitz wurde von Pächtern bearbeitet, was kaum Gewinn abwerfen konnte. Wegen der Bemühungen um eine eigenständige Organisationsform kam es zum Versuch der japanischen Verwaltung, einen von einer japanischen Sekte gegründeten Tempel als Haupttempel des Buddhismus in Korea anzuerkennen. Aber der Widerstand der koreanischen Buddhisten war schließlich von Erfolg gekrönt. Der von ihnen als führend angesehene Chogye-Orden wurde 1941 dann auch von den Japanern in dieser Rolle anerkannt, womit ein Stück Selbständigkeit zurückgewonnen war.

Die Zeit nach der Befreiung

Die Niederlage Japans am 15. 8. 1945 ermöglichte die Befreiung Koreas. Für den Buddhismus wurde eine Zentralverwaltung in Seoul eingerichtet, in der aber zahlreiche Kollaborateure mit den Japanern saßen und noch dazu zahlreiche verheiratete Mönche – das Zölibat war von den Japanern aufgehoben worden. Dies hatte zur Ablehnung in der Bevölkerung geführt, die dadurch entstandenen Probleme waren nur schwer zu lösen. Durch die Bodenreform von 1949 wurde den Orden der gesamte Landbesitz entzogen, aus den Pächtern, die seit der japanischen Zeit den Boden bebaut hatten, wurden Landbesitzer – für die Orden eine ernste Gefährdung. Die teilweise Landrückgabe an die Buddhisten war ein Beitrag zur Aussöhnung durch die neue politische Führung in Seoul. In Nordkorea verschwand der Buddhismus dagegen völlig von der Bildfläche.

Derzeit bestehen 18 Hauptorden. Gemessen an der Zahl der Klöster, der Mönche und der Laienanhänger ist der Chogye-Orden der bedeutendste. Er hat sich im sozialen Bereich verstärkt und im Erziehungswesen bis hin zur Gründung einer buddhistischen Universität engagiert. Machtkämpfe flackerten zwar immer wieder auf, besonders zwischen zölibatär lebenden Mönchen und solchen, die verheiratet waren, was schließlich 1970 zu einer Spaltung des Chogye-Ordens führte. Insgesamt herrscht jedoch zwischen den verschiedenen Gruppierungen ein Geist der Kooperation, und wachsendes Selbstbewußtsein zeigt sich nicht zuletzt durch Aktivitäten im Ausland.

Literaturauswahl

Buswell, Robert E., Jr.: *The Korean Approach to Zen. The Collected Works of Chinul*. Translated with Introduction. Honolulu 1983.

Buswell, Robert E., Jr. *The Formation of Ch'an Ideology in China and Korea. The Vajrasamâdhi-Sûtra, a Buddhist Apocryphon*. Princeton 1989.

Buswell, Robert E., Jr.: *Tracing Back the Radiance. Chinul's Korean Way of Zen*. Honolulu 1991.

Buswell, Robert E., Jr.: *The Zen Monastic Experience. Buddhist Practice in Contemporary Korea*. Princeton 1992.

Chun , Shin-yong (ed.): *Buddhist Culture in Korea*. Seoul 1974.

Cleary, J. C.: *A Buddha from Korea. The Zen Teachings of T'aego*. Translated with Commentary. Boston/Shaftesbury 1988.

Keel, Hee-Sung: *Chinul: The Founder of Korean Sŏn Tradition*. Berkeley 1984.

Kusan: *Nine Mountains. Dharma-Lectures of the Korean Meditation Master Ku San*. Song Kwang Sa, Korea 1978.

Kusan Sunim: *The Way of Korean Zen*. New York/Tokyo 1985.

Lancaster, Lewis R.; Park, Sung-bae: *The Korean Buddhist Canon: A Descriptive Catalogue*. Berkeley/Los Angeles 1979.

Lancaster, Lewis R.; Yu, C. S. (eds.): *Introduction of Buddhism in Korea. New Cultural Patterns*. Berkeley 1989.

Lee, Peter H.: *Lives of Eminent Korean Monks: The Haedon Kosŭng chŏn*. Cambridge, Mass. 1969.

Seung Sahn.: *Buddha steht Kopf. Die Lehren des Zen-Meisters Seung Sahn*. Bielefeld 1990.

Vos, Frits.: *Die Religionen Koreas*, in: *Die Religionen der Menschheit*, Band 22,1. Stuttgart 1977.

Yu, C. S. (ed.): *Korean and Asian Religious Tradition*. Toronto 1977.

Zen und Kultur*

Über «Zen-Kultur»

Der Begriff «Zen-Kultur» ist relativ jungen Datums. Er wurde von Sozialwissenschaftlern geprägt und beschreibt einen Komplex religiös-kultureller Phänomene im Zusammenhang mit Zen, einer charakteristischen Form des Buddhismus, die im 6. Jh. n. Chr. in China entstand und sich später nach Korea und Japan verbreitete. Der Begriff ist nach Gebrauch und Bedeutung vergleichbar mit ähnlichen Ausdrücken wie «christliche Kultur» oder «altindische Kultur». Der Komplex «Zen-Kultur» beinhaltet ein breites Spektrum von philosophischen, literarischen und künstlerischen Elementen, die vom Zen-Denken beeinflußt werden. Jedes dieser Elemente stellt jedoch ein hoch entwickeltes System dar und kann sehr wohl für sich alleine stehen. So sind heute z. B. die Zen-Kunst des Tees oder des Haiku im Grunde genommen von jeglicher religiöser Assoziation frei. Dennoch rechtfertigen die tief im Boden des Zen-Denkens verwurzelten Ursprünge dieser Künste ihre Zuordnung als kultureller Ausdruck von Zen.

Der Begriff Zen-Kultur umfaßt im weiteren Sinne religiöse und kulturelle Erscheinungsformen, die sich unter den Rahmenbedingungen des Buddhismus und der Zivilisation Ostasiens entwickelt haben. Bevor man jedoch oberflächliche Schlüsse über die Verwandtschaft von Zen mit den verschiedenen ihm assoziierten Künsten zieht, muß man sich vor Augen halten, daß die Beziehung zwischen beiden Bereichen in vielerlei Hinsicht unklar ist. Die Erörterung von Zen und den literarischen Künsten – Prosa und Poesie – sollte eine gute Einführung zum Thema bieten und einige seiner Hauptaspekte klären helfen.

Zen und Kultur

Nach buddhistischer Tradition wurde der Zen-Buddhismus im 6. Jahrhundert n. Chr. vom indischen Mönch Bodhidharma nach China gebracht. Mit der Weitergabe des Dharma, der Lehre, an seinen Schüler Hui-k'o (jap. Eka, 487–593?) begründete er die Nachfolgelinie der chinesischen Zen-Patriarchen. Bodhidharma soll Hui-k'o auch in die tiefere Bedeutung des *Lankâvatâra Sûtra* eingeführt haben, das von manchen Gelehrten als eine Zusammenstellung vermischter Schriften von Mahâyâna-Lehren angesehen wird. Wenn auch die Historizität der Legenden um Bodhidharma angezweifelt worden ist, so sind sie doch ein

* Ursprünglich erschienen als «Zen and Culture», in: *Zen Buddhism Today* 9, S. 61–70. Kyôto: The Institute for Zen Studies 1992. Geringfügig gekürzt und aus dem Englischen übersetzt von Inge Hoppner und Claudius Müller.

Hinweis darauf, daß man in China Zen als eine Schule betrachtete, deren Ursprung in den Ideen des indischen Mahâyâna-Buddhismus liegt. Unter den Äußerungen, die Bodhidharma zugeschrieben werden, ist folgende berühmte Beschreibung des Zen:

Eine besondere Überlieferung außerhalb der Schriften, unabhängig von Wort und Schriftzeichen:
Unmittelbar des Menschen Herz zeigen. –
die (eigene) Natur schauen und Buddha werden.

Zwar stammen diese Worte nicht tatsächlich von Bodhidharma, sondern wurden zum ersten Mal 1108 im *Tsu-t'ing shih-yüan*[1] (*Gesammelte Schriften aus den Hallen des Patriarchen*, kompiliert von Mu-an Shan-ching) aufgezeichnet, dennoch drücken sie die grundlegenden Ideen der von Bodhidharma begründeten chinesischen Zen-Tradition aus und gelten seit damals als die bekannteste Beschreibung für die besondere Stellung des Zen.

Die ersten beiden Zeilen – «Eine besondere Überlieferung außerhalb der Schriften, unabhängig von Wort und Schriftzeichen» – enthalten eine Ablehnung des gesprochenen und geschriebenen Wortes. Der Begriff «Schriften» verweist natürlich auf die Sûtren, die heiligen Texte des Buddhismus, die die Reden des Buddha Shâkyamuni wiedergeben, wie sie von seinen Schülern und in den späteren philosophischen Systemen des Hînayâna und Mahâyâna überliefert worden sind. Nach der üblichen Sichtweise des Buddhismus kann einen das Studium dieser Texte, die Ausdruck von Buddhas Erleuchtungserfahrung sind, näher an ein persönliches Verständnis dieser Erfahrung heranführen. Die Ablehnung von Worten und Schriftzeichen durch den Zen-Buddhismus steht demnach im direkten Gegensatz zu dieser Auffassung.

Der japanische Begriff für «Kultur» *bunka* besteht aus den beiden Schriftzeichen *bun*, «Wort/e» oder «Schrift», und *ka*, «verändern», «umwandeln». Das heißt, eine Gesellschaft mit Kultur ist eine, deren Angehörige lesen und schreiben können und die durch den Gebrauch der Schrift verändert wurde. So kann der Zen-Ausdruck «unabhängig von Wort und Schriftzeichen» auch verstanden werden als «unabhängig von der Kultur», was Zen letztlich zu einer Kultur verneinenden Religion machen würde. Und in der Tat finden sich in den Aufzeichnungen der Lehren der Zen-Patriarchen immer wieder Sätze mit dieser Aussage, vor allem bei solchen aus der T'ang-Zeit wie Lin-chi (jap. Rinzai, gest. 866), der einst erklärt hat: «Die zwölf Abteilungen der Lehre der Drei Fahrzeuge sind gerade soviel wert wie ein Arschwisch.»[2]

Dennoch wäre es eine unzulässige Vereinfachung, Zen als eine praxisorientierte Tradition zu bezeichnen, die jegliche kulturelle Äußerung ablehnt. Mu-an Shan-ching schreibt

Blockdruck aus: Ikkyû shokoku monogatari zue (Illustriere Aufzeichnungen über die Pilgerreisen des Mönchs Ikkyû). Hirata Shisūi (Komp.), Hishikawa Kiyoharû (Ill.), Edo 1865. Staatsbibliothek Berlin PK (Sign. 1a – 36566 R-OA).
Nan-ch'üan läßt die Katze töten.
Die Mönche von der Ostseite und die von der Westseite der Halle streiten um ein Kätzchen. Der ho-shang Nan-ch'üan stellt (ihnen) eine Aufgabe: «Ihr Mönche, könnt ihr es sagen, so rettet ihr sie; könnt ihr es nicht, so tötet ihr sie.» Die Mönche antworten nicht. Nan-ch'üan läßt die Katze töten.

Am selben Abend kommt Chao-chou heim. Nan-ch'üan erzählt ihm das Geschehene. Chao-chou zieht die Sandalen aus, legt sie sich auf den Kopf und geht weiter. Nan-ch'üan: «Wärst du dabei gewesen, hättest du das Kätzchen gerettet.»
Aus Hui-k'o: Wu-men kuan (Zutritt nur durch die Wand), Übers. Walter Liebenthal. Heidelberg 1977, S. 69 f. In seiner Anmerkung weist Liebenthal darauf hin, daß in den Illustrierungen dieser Legende Nan-ch'üan aus Publikumswirksamkeit die Katze selber tötet und daß die richtige Antwort der Jünger gewesen wäre: «Laß den Blödsinn!»

in seinem bereits erwähnten Werk *Gesammelte Schriften aus den Hallen des Patriarchen* folgenden Kommentar über die wahre Bedeutung des Ausdrucks «unabhängig von Wort und Schriftzeichen»:

«Weiterhin haben wohl viele die Bedeutung von ‹unabhängig von Wort und Schriftzeichen› mißverstanden. Sie scheinen sich einfach von Worten und Schriftzeichen zurückgezogen und Zen als etwas interpretiert zu haben, das aus stillem Sitzen besteht. Das sind nun wirklich die stummen Schafe unserer Schule».

Ein Zen, das darauf gründet, «unabhängig von Wort und Schriftzeichen» zu sein, ist jedenfalls – mit anderen Worten – kein Zen «des stillen Sitzens und der blinden Erleuchtung», das jede Form von Kultur verneint. Was soll dieser Ausdruck aber sonst bedeuten?

Die eigentliche Absicht, die hinter der Ablehnung von

Wort und Schriftzeichen im Zen steht, wird im *Chuan-hsin fa-yao* (*Die Übertragung des Geistes*) von Huang-po Hsi-yüan (gest. 850)[3] dargelegt: «Direkt auf den menschlichen Geist zielen, um die wahre Natur zu sehen und Buddhaschaft zu erlangen – das ist nun wahrlich nicht das Reich der Wörter!» Was Hsi-yüan mit Sehen des wahren Geistes und Erlangen der Buddhaschaft meint, ist bereits in den Anfängen des Mahâyâna-Buddhismus in Indien Teil der Tradition gewesen. Im Gegensatz zu den Anhängern des Hînayâna-Buddhismus, deren Ziel es ist, die Arhatschaft durch die Befolgung der Lehren Buddhas zu erlangen, streben Anhänger des Mahâyâna-Buddhismus danach, selbst Buddha zu werden. Dieses Ziel kann nicht durch das Studium der Schriften erreicht werden – nur in Bereichen, die mit Worten nicht faßbar sind, kann man die Eigennatur des «Formlosen, das nicht begriffen werden kann», durchdringen.

Die Beziehung zwischen dem Wort und Wahrheit wird im *Lankâvatâra Sûtra* in dem berühmten Sinnbild vom Finger, der auf den Mond zeigt, prägnant dargestellt. Der Mond stellt die Wahrheit dar und der Finger die Worte, die diese beschreiben. So wie der Finger niemals der Mond werden kann, können Worte, wie sorgsam sie auch gewählt sein mögen, niemals selbst Wahrheit enthalten. Wahrheit, die *Vergegenwärtigung*, daß jede Eigennatur ursprünglich ohne Form ist, kann niemals durch sensorisch-regulierte Wahrnehmung begriffen werden. Eigennatur kann in Bildern genausowenig ausgedrückt werden wie in Worten, und kein Künstler – wie geschickt er auch sein mag – kann Wind oder leeren Raum direkt darstellen. Es ist diese Wahrheit, die die Mahâyâna-Anhänger in Indien in vielen Sûtren angesprochen hatten und auf die das Zen in China mit dem Ausdruck «unabhängig von Worten und Schriftzeichen» hinweist. Dies wirft jedoch ein Problem auf. Wenn Menschen eine Erfahrung machen, suchen sie zwangsläufig eine Möglichkeit, dieser Erfahrung Ausdruck zu verleihen. Dieser nicht zu unterdrückende Instinkt kann sich anfangs in Verhaltensweisen und unausgesprochenen Worten äußern, doch schließlich kommt es zu dem Punkt, wo ein eigener künstlerischer Ausdruck gesucht wird. Auf dieser Stufe hat die Erfahrung des Individuums bereits eine objektive Natur angenommen als etwas, das der ursprünglichen Wirklichkeit von außen zukommt, doch der Wunsch, es darzustellen, es für andere zu übertragen, bleibt bestehen. Da Übermittlung nur mit Hilfe von Wörtern oder Buchstaben geschehen kann, ist derjenige, der die Erfahrung gemacht hat, gezwungen, sich Worten zu bedienen, um zu versuchen, das Unausdrückbare auszudrücken.

In dieser Situation wählen Zen-Meister im allgemeinen einen Weg, der über den wiederholten Gebrauch der Negation führt. In der buddhistischen Philosophie gibt es eine

Kai-sei (Von den Regeln entbunden). Aus Giei Satô: Unsui nikki (Tagebuch eines Zen-Lehrlings), Übers. Johanna Fischer. Günther Neske Verlag: Pfullingen 1988, S. 100.
An einem 1. August enden die Lehrpredigten des Meisters. Für diesen Tag ist die Gemeinschaft der Zen-Lehrlinge aller Pflichten und der ständigen Disziplin ledig. «Es ist das Hôgyô nach Unsui-Tradition, die ‹Übung im Loslassen›, bei der alles erlaubt ist und hinter dem Rücken der Vorgesetzten ganz verstohlen feiner weißer Reis gekocht und verschlungen wird.» Und sicher auch der Gedanke an ein saftiges Stück Fleisch auftauchen mag.

ähnliche Lösung: die Entwicklung der Technik der «vier Phasen und einhundert Negationen» (mit dem Ziel, die Illusion des Seins und des Nicht-Seins auszulöschen); allerdings kann man von Zen sagen, daß es sogar in die Unmittelbarkeit seiner Erfahrung transzendiert. Die chinesischen Zen-Meister versuchten alles mögliche, um dieses Unbeschreibliche zu beschreiben und langten schließlich bei solch ungebundenen, nonverbalen Ausdrucksformen an wie Schreien, Schlagen, Augenbrauen hochziehen oder mit den Augen zwinkern. Natürlich gab es auch Meister wie z. B. Kuei-fen Tsung-mi (jap. Keihô Shûmitsu, 780–841), die in ihren Zen-Lehren Sûtren benutzten, doch selbst er mußte am Ende das Vergessen von Lehre und Zen predigen.

So gesehen zeigt sich, daß Zen kaum eine andere Wahl bleibt, als an einem bestimmten Punkt Kultur abzulehnen. Zen benutzt jenes Moment der Negation, um sorgfältig alle Begriffe zu läutern, und knirscht zugleich mit den Zähnen über ihre immanente Unvollkommenheit. – Die Kultur des Zen ist eine der *zusammengebissenen Zähne*.

Mit dem Nachdruck, den Zen auf die direkte Erfahrung legt, wendet es sich nicht an die Logik, sondern richtet sich unmittelbar an Auge und Ohr als ein Mittel, sein Vorhaben

Porträt des Zen-Priesters Ikkyû Sôjun (1394-1491), Ausschnitt. Unbekannter Maler mit (nicht abgebildeter) Inschrift von Ikkyûs Schüler Bokusai, 2. H. 15. Jh., Tusche und Farben auf Seide, 71,2 x 26,1 cm (gesamt). Nationalmuseum Tôkyô.

auszudrücken. Das kraftvolle, augenfällige Bild «Weiden sind grün, Blumen sind rot» wird zum Beispiel benutzt, um das Tathatâ-Konzept (jap. *shinnyo;* So-heit,die wahre Form der Dinge) des indischen Mahâyâna zu vermitteln, und die Metapher von den weißen Wolken, die ungebunden zwischen den Berggipfeln treiben, illustriert die Vorstellung des *mushin* (jap. «Nicht-Geist», Freiheit von unterscheidendem Denken). In dieser Hinsicht kann das chinesische Zen auch als Ausdruck des praktischen chinesischen Geistes gesehen werden, der traditionellerweise konkrete Beispiele abstrakten Spekulationen vorzieht.

Während der T'ang-Zeit (7.–10. Jh.) interessierten sich immer mehr Literaten für Zen, wodurch es verstärkt zu Begegnungen zwischen Zen und der literarischen Welt kam. Das gegenseitige Interesse war in vielerlei Hinsicht ganz natürlich, wenn man die Ähnlichkeit zwischen Zen und den Ausdrucksformen der Kunst betrachtet: Dichter und Künstler versuchen, die unmittelbaren Erfahrungen des Geistes und der Sinne darzustellen, während sich Zen-Meister den auf Sinnen und Gefühlen basierenden Formulierungen zuwenden, um etwas von ihrer Lebenserfahrung zu übermitteln und gleichzeitig die Unzulänglichkeit des logischen Denkens bloßzulegen. Künstler der T'ang- und Sung-Zeit trieben diesen Prozeß noch einen Schritt weiter und praktizierten häufig bei Zen-Meistern, um ihre Sensibilität und ihr Verständnis zu vertiefen. Die Dichter der T'ang-Zeit zeigen vor allem eine tiefe Liebe zur Natur, sie schätzen das Leben in den Bergen in einem Geiste religiöser Einsamkeit und losgelöster Mäßigung, frei von den Fesseln des Ruhms, des Reichtums

und der Macht. Dies führte auf natürliche Weise zur Entstehung von Zen-Dichtung und Literatur, die wertvolle Einsichten in das Verständnis der Beziehung zwischen Zen und Kultur gewährt.

Dichtung und Literatur unter dem Blickwinkel von Zen und Kultur

Zen-Gedichte heißen auf japanisch *geju. Ge* ist eine Abkürzung von *geda,* die japanische Transkription des Sanskrit-Wortes *gâthâ:* gereimte, metrische Verse, die den buddhistischen Sûtren angehängt werden und den Inhalt des Textes zusammenfassen. *Ju* bezeichnet ein ursprünglich chinesisches literarisches Genre, das die «leuchtende Tugend» der Weisen und Zen-Meister in Gedichtstrophen preist. Das *Hsin-hsin-ming (Meißelschrift des gläubigen Geistes)* des Dritten Patriarchen Seng-ts'an (gest. 606)[4] ist ein frühes Beispiel für das *geju*-Genre, obwohl es eher der Form als dem Inhalt nach dichterisch ist und in ziemlich doktrinärer Weise Zen-Erfahrung behandelt. Gleiches kann man von der *Hymne auf die Erfahrung der Wahrheit* (chin. *Cheng-tao ko*) von Yung-chia Hsüan-chüeh (665–713)[5] sagen, das noch immer kein wirklich dichterisches Werk ist, obwohl es in *shih*-Form (sieben Schriftzeichen pro Zeile) geschrieben ist. In der T'ang-Zeit gibt es ähnliche Beispiele von Zen-Literatur, die allerdings trotz ihres dichterischen Ausdruckes noch nicht als unabhängige Zen-Dichtung zu bezeichnen sind. Als typische Texte gelten die *Reden des Zen-Meisters Lin-chi (Lin-chi hui-chao yü-lu,* jap. *Rinzai Eshô goroku),* die Gedichte von Te-shan Hsüan-chien (jap. Tokusan Senkan, 782–865) und die Kommentare von Ts'ao-shan Pen-chi (jap. Sôzan Honjaku, 840–901) über das dialektische System der «Fünf Stufen».

Eine genuin dichterische Darstellung der Erfahrung des Zen gibt es, zum ersten Mal im Werk von Te-yin Kuan-hsü (jap. Tokuin Kankyû, 832–912), einem Zen-Meister der T'ang-Zeit, der ein exzellenter Dichter, Schriftsteller und Maler war und dessen Werk in der *Sammlung von Gedichten der drei berühmten T'ang-Mönche (T'ang san-kao-seng shih,* jap. *Tô san kôsô shishû)* enthalten ist. Die von ihm begründete Tradition der Zen-Dichtung fand einen neuen Höhepunkt mit Hsüeh-tou Ch'ung-hsien (jap. Setchô Jûten, 980–1052), der eines der schönsten Werke der Zen-Literatur geschrieben hat, das *Po-tsê sung-ku (100 Kôans mit Gedichten und Kommentaren,* jap. *Hyakusoku juko).*

Der taiwanesische Literaturhistoriker Pai Tu-sung hat in seinem jüngst erschienen Werk *Ch'an hsüeh yü T'ang Sung shih hsüeh (Zen und die Dichtung der T'ang- und Sung-Zeit)* eine interessante Analyse der Zen-Dichtung in China nach zwei Gesichtspunkten vorgelegt.

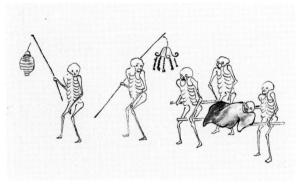

In seinem Essay über den Tod schildert der Dichter und Zen-Priester Ikkyû eine Schein-Gegenwelt, die von Skeletten statt Menschen bevölkert ist und in die er durch einen Traum hineingerät.

«Zahllos sind die Wege jener, die diese Welt ‹erklettern›. – Am Ende sehen sie doch alle den gleichen Mond über dem Berg scheinen. ... Wie töricht sind die Begräbnisriten am Toribe-Berg! Werden doch die Trauernden selbst bald Tote sein.» Ikkyû Sôjun: Gaikotsu (Skelette), 1457. Übers. nach Jon Carter Covell: Unraveling Zen's Red Thread. Elizabeth, N.J. 1980, S. 132

Im Kapitel «Zen durch Dichtung ausdrücken» untersucht er, wie weit Dichtung fähig ist, Zen-Erfahrungen mitzuteilen, und ordnet sie nach vier Kategorien:

Die erste beinhaltet die *Shihôshi* (Gedichte, die auf Dharma hinweisen), in denen die Zen-Doktrin in dichterischer Form propagiert wird.

Die zweite Kategorie besteht aus *Kaigôshi*, (Erleuchtete Gedichte), nicht-doktrinäre Verse, die das persönliche Satori-Erlebnis von Zen-Anhängern – wenn der Geist in der Erleuchtung eins wird mit dem des Meisters – beschreiben. Die Gedichte dieser beiden Kategeroien sind im allgemeinen nicht gerade von hohem literarischen Niveau.

Die dritte Kategorie enthält die *Jukoshi* (Kôan-Verse), in denen ein Meister sein vom Zen geprägtes Verständnis eines bestimmten Kôan in dichterischer Form ausdrückt. Die bereits erwähnten *100 Kôans* von Hsüeh-tou sind ein klassisches Beispiel dieses Typs.

Die vierte Kategorie bilden die *Zenkishi* (Gedichte über das Wirken von Zen). Sie sind Ausdruck des Zen-Geistes und werden dann, wenn sich dieser manifesliert, verfaßt: bei Gesprächen mit anderen Zen-Praktikern, bei alltäglichen Verrichtungen wie Trinken, Essen und auf dem Feld Arbeiten oder als Folge der Erfahrung von Hitze und Kälte. Diese beiden letzten Kategorien sind im allgemeinen von hoher literarischer Qualität, und zu ihnen zählen die Werke der besten und typischsten Vertreter der Zen-Dichtkunst wie die T'ang-Dichter Hsüeh-tou und Han-shan (jap. Kanzan)

sowie T'ien-t'ung Cheng-chüeh (jap. Tendô Shôgaku, 1091–1157) und Hung T'ung-fan (jap. Kô Kakuhan, 1071–1128).

Im folgenden Kapitel untersucht der Autor das gleiche Material unter dem Blickwinkel, wie weit Zen zu einer tieferen dichterischen Einsicht führt. Auf der ersten Stufe sind die *Zenrishi* (Gedichte über die Zen-Doktrin), die in ihrem Inhalt unverstellt belehrend sind. Die nächste Stufe sind die *Zentenshi* (Gedichte über Zen-Texte), in denen Berichte über Zen sowie Sprichwörter als Quelle benutzt werden. Die dritte Stufe, die *Zenshakushi* (Gedichte über alte Zen-Stätten), enthält Gedichte über alte Stûpas und Tempel, und die vierte Stufe, die *Zenshushi* (Gedichte über die Bedeutung des Zen), umfaßt Beispiele, die die besondere Bedeutung von Zen zum Thema haben, ohne dafür spezifisches Zen-Vokabular oder Ausdrücke zu benutzen. Ein guter Beleg für diese Kategorie ist der folgende Zweizeiler aus einem Gedicht des chinesischen Dichters Wang Wei (699–759):

Gehen, bis ich dorthin komme, wo der Fluß endet,
Sitzen und beobachten, wenn Wolken aufsteigen.

Zen und Dichtung standen also in einer sehr engen Beziehung und in manchen Schulen wurden sie einander sogar gleichgestellt. Wie subtil diese Beziehung war, deutet Shen Te-ch'ien (jap. Chin Tokusen, 1673–1769) mit seiner Bemerkung an: «In der Dichtung werden die Lehren und die

Bedeutung des Zen hochgeachtet, nicht jedoch der Gebrauch der Zen-Terminologie.»

Es stellt sich die durchaus berechtigte Frage, was nun jene Anhänger des Zen dazu sagen, die im Geist der «Unabhängigkeit von Wort und Schriftzeichen» zu leben versuchen.

Die Beziehung zwischen Kultur und dem «Unabhängig-Sein von Wort und Schriftzeichen»

In der Tat lehnten große Teile der Zen-Gemeinschaft den Zugang zu Zen über die Dichtkunst in der Art von Hsüeh-tous *Po-tsê sung-ku* ab. Als repräsentativ kann die Kritik von Hsin-wen T'an-p'i (jap. Shinmon Donhi, Daten unbekannt) gelten, die im ming-zeitlichen *Ch'an-lin pao-hsün* (15./16. Jh.) wiedergegeben ist:

«Die besondere Übermittlung außerhalb der Schriften ist das Wesen [von Zen]; von allem Anfang an hat es keine andere Lehrmeinung gegeben. Unsere Vorgänger haben dies praktiziert und sich daran gehalten, ohne je Laxheit einreißen zu lassen. Dies alles hat sich in der frühen Sung-Zeit mit Hsüeh-tou Ch'ung-hsien geändert, einem Priester, der Talent für Worte hatte. In seinem Streben nach Neuartigkeit und dem ständigen Feilen an geistreichen Phrasen war er sich einig mit den Gelehrten seiner Zeit, wie schon Fen-yang Shan-chao (jap. Bunyô Zenshô, 947–1024) vor ihm. Seit Hsüeh-tou war der Geist der Zen-Schule nie wieder derselbe. Später berief sich Yüan-wu K'o-ch'in (jap. Engo Kokugon, 1036–1135) auf Hsüeh-tous Werk für seine eigenen selbstsüchtigen Ziele, als er seine *Niederschrift von der Smaragdenen Felswand* (*Pi-yen lu*, jap. *Hekiganroku*) verfaßte. … Seit damals haben fixe Adepten seine Worte gepriesen, sie am Morgen rezitiert und am Abend memoriert und als den Gipfel der Lehre betrachtet. Nur wenige haben gesehen, wie falsch das ist. Das ist sehr bedauerlich.»

Nach Yüan-wus Tod zerstörte sein Schüler Ta-hui Tsung-kao (jap. Daie Sôkô, 1089–1163) die hölzernen Druckstöcke des *Pi-yen lu*, um so den Schaden zu beseitigen, den sie seiner Meinung nach bewirkt hatten. Daraus ergibt sich aber die Frage, auf welche Weise Ta-hui versucht hat, das Dharma zu übermitteln und zugleich den traditionellen Zen-Geist der «besonderen Überlieferung außerhalb der Schriften, unabhängig von Wort und Schriftzeichen» zu bewahren. Seine Bemühungen, dieses Problem zu lösen, führten zur Entwicklung der Kôan-Praxis, die auf das berühmte *mu*-Kôan (*mu* ist die japanische Lesung der chinesischen Negation *wu*, «nicht haben») von Chao-chou Ts'ung-shen (jap. Jôshū Jûshin, 778–897) zurückgeht:

Ein Mönch fragte: «Kann auch ein Hund Buddha werden oder nicht?» Chao-chou sagte: «Wu!»

Wieviel gelehrte Nachforschungen auch immer in die ursprüngliche Version der *mu*-Geschichte gesteckt werden, so werden sie auch nicht den leisesten Hinweis auf ihre wahre Bedeutung als Kôan ergeben. Genausowenig wird eine noch so sorgfältige Analyse des chinesischen Zeichens für *wu* weiterhelfen. Dieser Laut ist einzig und allein «das Wort ohne Bedeutung», ein nützliches Hilfsmittel, um jegliches unterscheidendes Denken hinwegzuwischen. Gerade durch dieses «Wort ohne Bedeutung» hat Zen versucht, seine Tradition, «die Lehre nicht durch äußerliche Mittel weiterzugeben», zu bewahren.

Eine solche Position läßt wenig Raum für literarische oder philologische Ansätze zum Zen-Studium, eine Quelle der Klage für viele moderne Wissenschaftler. Fast das gleiche kann man von der Beziehung zwischen Zen und buddhistischer Doktrin sagen. Die Huang-chao (jap. Kôshū)-Tradition des Zen, die von Ma-tsu Tao-i begründet wurde, hielt sich streng an die Tradition «einer besonderen Überlieferung außerhalb der Schriften», während die Richtung des Zen, die der bereits erwähnte Kuei-feng Tsung-mi vertrat, Zen-Praxis und Doktrin in vollkommener Übereinstimmung sah: Erstere betraf Aspekte der buddhistischen Praxis, letztere ihren rationalen Gehalt. In der Praxis des Zen folgte Kuei-feng der Ho-tse (jap. Kataku)-Tradition, in der Doktrin richtete er sich nach dem *Avatamsaka* (*Girlanden*)-*Sûtra*, das er für das vortrefflichste unter den Lehrschriften hielt. Der Gegensatz zwischen den Wegen von Ma-tsu und Kuei-feng ist symbolisch für einen Konflikt, der sich unter der Oberfläche des Zen bis heute fortsetzt.

Anmerkungen

1 Jap. *Sotei jion* von Bukuan Zenkyô.
2 *Lin-chi Hui-chao yü-lu* 18, vgl. Ruth F. Saskai, Übers., *The Record of Rinzai*, Kyôto 1975, S. 21. Während der T'ang-Zeit benutzte man ein Stück zurechtgeschnittenes Holz oder einen Ziegel als «Toilettenpapier».
3 Jap. *Denshin hôyô* von Ôbaku Kiun.
4 Jap. *Shinjinmei* von Sôsan.
5 Jap. *Shôdôka* von Yôka Genkaku.

Ästhetik und Kunstauffassung des Zen*

Offenbar hat die fruchtbare Wechselwirkung zwischen Buddhismus, Taoismus und Konfuzianismus sowie die strapaziöse Überbeanspruchung des Zen und seiner Kunst für außerordentlich viele Publikationen in jüngster Zeit gelegentlich dazu geführt, daß die Existenz einer spezifischen Zen-Kunst zumindest in China angezweifelt und statt dessen der neokonfuzianischen Komponente in diesem kulturellen Amalgamierungsprozeß mehr Gewicht verliehen wurde. Dies mag als willkommene Ausweitung des oftmals zu engen Blickwinkels mancher Autoren begrüßt werden, doch sollte man nicht das Zen mit dem klärenden Bade ausschütten. Sicherlich gibt es keinen einheitlichen Zen-Stil in Malerei und Schriftkunst, keine allgemeingültige Formgesetzlichkeit, keinen festgefügten ikonographischen, gestalterischen Kanon, und auch die Gleichsetzung jener vor allem seit dem 13. Jahrhundert in China und rund ein Jahrhundert später auch in Japan sich entfaltenden spontanen, abbreviierenden, suggestiven Tuschmalerei mit Zen-Malerei ist zu einfach und einseitig, um nicht zu sagen verfälschend. Zen-Malerei zeigt ein viel breiteres Spektrum künstlerischer Manifestation, Methoden, Techniken, Themen, Formen und Stile, und es ist schwierig, die charakteristischen Zen-Merkmale eines Bildes herauszufiltern. Die Malerei des Zen ist keine in sich geschlossene, isolierte und klar abgrenzbare Gattung der ostasiatischen Kunst; sie muß vielmehr eingebettet in die allgemeine Malereigeschichte Chinas und Japans einerseits und in die Gesamtentwicklung der buddhistischen Kunst Ostasiens andererseits betrachtet werden.

In der Wahl der künstlerischen Mittel, des Stils, konnten die Maler auf ein jahrhundertealtes, äußerst reiches Reservoir zurückgreifen. Freilich setzten sie dabei in der dem Zen-Geist eigenen Freiheit und allseitigen Offenheit traditionelle Gestaltungsprinzipien in neuem Kontext und teils überraschender, unkonventioneller Vortragsweise ein, so daß etwa ein fest etablierter akademischer Malstil bei einem unmißverständlichen Zen-Thema zur Anwendung gelangen und aus dieser unorthodoxen Synthese somit durchaus etwas Neues, nämlich ein Zen-Kunstwerk, entstehen konnte. Andererseits bedienten sich die aus persönlicher Glaubenserfahrung und in individueller Losgelöstheit von den Fesseln konservativer Kriterien arbeitenden Maler etwa bei den aus der herkömmlichen buddhistischen Kunst in die Bilderwelt des Zen übernommenen Themen gern der unorthodoxen Methoden und Medien exzentrischer, von der etablierten chinesischen Kunstkritik scharf verurteilten Außenseiter. Dabei vermochte gerade das formal bewußt Unvollendete, das Unprätentiöse, das Spontane im Verständnis der Zen-

Anhänger hohe ästhetische und religiöse Werte zu offenbaren. In den Zen-Klöstern Japans ebenso wie unter den sie fördernden kunstsinnigen politischen Machthabern wurde diese Art der Malerei mit höchster Wertschätzung aufgenommen und bewahrt. Weit stärker als in China haben in Japan einflußreiche Persönlichkeiten des Zen seit dem 13./14. Jahrhundert das geistig-kulturelle Klima des ganzen Volkes geprägt und ihren künstlerisch-ästhetischen Prinzipien auch in weltlichen Kreisen Geltung verschafft.

Welches sind diese ästhetischen Prinzipien? Zunächst einmal fällt bei allen vom Geist des Zen bestimmten Kunstschöpfungen und zu künstlerischen «Wegen» (dô) ausgereiften Kunstfertigkeiten, insbesondere dem «Weg des Schreibens» (shodô) und dem «Tee-Weg» (chadô), ein elementarer Sinn für ungekünstelte Einfachheit, Schlichtheit, Sachlichkeit und Reinheit auf, für selbstverständliche Ungezwungenheit und zupackende Unmittelbarkeit sowie ein tiefes, respektvolles Naturgefühl. Shin'ichi Hisamatsu, ein zeitgenössischer Philosoph und profunder Zen-Kenner, hat in seinem Buch Zen to bijutsiu[1] sieben Eigenschaften hervorgehoben, die – in ihrer Wertigkeit auf gleicher Ebene – ein Zen-Kunstwerk in besonderer Weise auszeichnen. Es sind dies: Asymmetrie (fukinsei), Schlichtheit (kanso), schmucklose Erhabenheit (kokô), Natürlichkeit, Selbstverständlichkeit (shizen), abgründige Tiefe (yûgen), Losgelöstheit, Unweltlichkeit (datsuzoku), Stille, innere Ruhe und Ausgeglichenheit (seijaku). Diese Begriffe geben eine gute Vorstellung von wichtigen Qualitäten eines Zen-Kunstwerks. Einige verweisen über ihre ästhetischen Werte hinaus auf hohe moralische und religiöse Ideale, und zugleich umreißen sie Grundgedanken einer Kunstauffassung, durch die sich das Zen prinzipiell von orthodoxen Schulen des Mahâyâna-Buddhismus unterscheidet. Wir wollen versuchen, im folgenden diese spezifisch zen-buddhistische Kunstauffassung in ihren Grundzügen zu skizzieren.

Kultbilder im herkömmlichen Sinne spielen im Zen ebensowenig eine Rolle wie klassische Mahâyâna-Sûtren. Man sucht ja die «Unabhängigkeit von heiligen Schriften» und eine «spezielle Überlieferung außerhalb traditioneller Lehrrichtungen». So entwickelte das Zen ein umfangreiches genealogisches und hagiographisches Schrifttum. Zudem unterstützten die Gesammelten Werke (chin. yü-lu, jap. goroku) eines großen Zen-Meisters, zumeist postum von Schülern zusammengetragen, die unverfälschte «Übermittlung von Herz-Geist zu Herz-Geist». In ihnen manifestiert sich schließlich – ähnlich wie in den Bildnissen mit ihren teils vom Porträtierten eigenhändig geschriebenen Widmungen und in anderen «Tuschespuren» (chin. mo-chi, jap. bokuseki) von der Hand eines Zen-Meisters – dessen erleuchteter Geist am klarsten und reinsten. Denn wirksamer als der stets unzulängliche

* Geringfügig veränderte Fassung des gleichnamigen Kapitels aus Helmut Brinker: Zen in der Kunst des Malens, Bern, München, Wien: Otto Wilhelm Barth Verlag 1985, S. 27-40.

Der Zen-Priester Ikkyû Sôjun (1394-1481) bei der Beschriftung einer Hängerolle. Aus: Ikkyû shokoku monogatari zue (Illustrierte Aufzeichnungen über die Pilgerreisen des Mönches Ikkyû), Hirata Shisui (Komp.), Hishikawa Kiyoharu (Ill.), Edo 1865. Staatsbibliothek Berlin PK (Sign. 1a - 36 566 R-OA).

Versuch eines Abbilds vermag ein handschriftliches Zeugnis Wesen und Geist des Lehrers dem Schüler zu vermitteln, vermag es «unmittelbar auf des Menschen Herz-Geist zu deuten» und hinweg über Raum und Zeit die unsichtbare Gegenwart des geistlichen Vorbilds im Bewußtsein wachzuhalten.

Neben den schon erwähnten Bildaufschriften (chin. *tsan*, jap. *san*) erfüllen für den Zen-Jünger besonders folgende, teils auf hohem schriftkünstlerischen Niveau stehende Dokumente über ihren primär inhaltlichen Sinn hinaus diese evokatorische Aufgabe:

1. *Fa-yü* oder *Hôgo*, Dharma-Worte in Essay- oder Gedichtform, die vielfach persönliche Hinweise für den Zen-Schüler zur Erlangung der geistigen Reife oder Erleuchtung enthalten;

2. *Fu-fa-chuang* oder *Fuhô-jô*, Anweisungen zur Lehr- oder Amtsnachfolge an den für diese Aufgabe ausersehenen Zen-Schüler;

3. *I-chi* oder *Yuige*, auf dem Sterbebett geschriebene Unterweisungen in Versform, gleichsam das religiöse Vermächtnis eines Zen-Meisters;

4. *Yin-k'o-chuang* oder *Inka-jô*, Approbationsurkunden, die dem Zen-Jünger bescheinigten, alle zur Meisterschaft erforderlichen Bedingungen erfüllt zu haben;

5. *Tzu-hao* oder *Jigô*, Konfirmationsnamen, die, in der Regel mit zwei großen Zeichen geschrieben, hervorragenden Zen-Schülern anläßlich ihrer Approbation verliehen wurden;

6. *Ch'ih-tu* oder *Sekitoku*, Briefe oder Episteln.

Dem Zen-Menschen liegt nichts ferner, als durch Verehrung und Anbetung eines Kultbildes sein Glaubensziel zu verfolgen oder sich gar durch ein esoterisches Ritual, eine nach strengen Regeln ablaufende Liturgie, in der starr fixierte Symbole zu einer verbindlichen Zeichensprache verdichtet sind, leiten zu lassen. Hätte man die Kunstauffassung des Zen-Buddhismus, insbesondere auch sein Verständnis eindeutig religiöser Malereithematik, kurz und knapp zu charakterisieren, geschähe dies vielleicht am treffendsten mit den Worten des ersten Ch'an-Patriarchen Bodhidharma, der auf die Frage des Liang-Kaisers Wu (464-549) nach dem «höchsten Sinn der Heiligen Wahrheit» antwortete: «Offene Weite – nichts Heiliges». Diese markanten Worte bilden den Auftakt im *Pi-yen lu*, der *Niederschrift von der Smaragdenen Felswand*. Das bekannte Werk enthält hundert, von Hsüeh-tou Ch'ung-hsien (980-1052) zusammengestellte «Fälle» oder Kôan, über die der Ch'an-Meister Yüan-wu K'o-ch'in (1063-1135) ursprünglich vor seinen Schülern sprach, wohl kaum in der Absicht, daß seine Ausführungen später einmal zusammen mit den Beispielen veröffentlicht würden. Ta-hui Tsung-kao (1089-1163), ein Schüler des Yüan-wu, glaubte wohl im Sinne seines Meisters zu handeln, als er in einem demonstrativen Akt gegen das überreiche Angebot an Zen-Schriften das *Pi-yen lu* verbrannte. Aber es existierten bereits andere Kopien als die in Ta-huis Besitz, so daß uns bis heute die Hinweise, Beispiele und Lobsprüche, aus denen dieser Text besteht, erhalten sind.[2] Mit welcher Radikalität das Zen die Abkehr vom traditionellen Schrifttum und Bildkult vollzog, mögen ein paar andere Beispiele andeuten.

Der Sechste Patriarch Hui-neng war, das betonen verschiedene Überlieferungen, des Lesens und Schreibens unkundig. Als er in der umstrittenen Frage der Nachfolge des fünften Patriarchen das Gedicht seines Rivalen, das dieser zu nächtlicher Stunde an die Wand des für die am nächsten Tag geplante Ausmalung vorbereiteten Klostergangs geschrieben hatte, erwidern wollte, mußte er einen befreundeten Mönch bitten, seinen Vers für ihn niederzuschreiben. Ein großartiges Bild, das traditionsgemäß als ein Werk des berühmten Sung-Akademiemalers Liang K'ai (tätig 1. Hälfte 13. Jahrhundert) gilt, von manchen jedoch für eine japanische Kopie gehalten wird, vermittelt höchst eindringlich die tiefe zen-buddhistische Abneigung gegen scholastische Textabhängigkeit. Mit geradezu sarkastischem

Vergnügen zerfetzt hier ein alter, struppiger Mönch, wohl der Sechste Patriarch Hui-neng, eine Sûtra-Rolle. Diesem Vorbild scheint ein anderer Ch'an-Priester, der 865 gestorbene Te-shan Hsüan-chien, gefolgt zu sein, als er alle seine Sûtren im Feuer vernichtete, nachdem er die Erleuchtung erfahren hatte.

Die skeptische Einstellung des Zen gegenüber der Vorstellung, daß in Kultbildern eine heilige Substanz enthalten ist und sich offenbart, demonstriert der eigenwillige Ch'an-Meister T'ien-jan (738-824) aus Tan-hsia, von dem in mehreren Zen-Schriftensammlungen ganz erstaunliche Episoden überliefert sind. Er schockierte seine Umwelt nicht nur damit, daß er sich gelegentlich stumm oder taub stellte, sondern auch in sakrilegischer Mißachtung aller monastischen Regeln auf eine buddhistische Statue kletterte und ein anderes Mal gar, als ihn fror, kurzerhand mit einer hölzernen Buddhafigur ein Feuer anzündete. Als der Abt des Klosters ihn zur Rede stellte, erwiderte T'ien-jan, er trachte in Form der Asche eine Buddha-Reliquie (*sharîra*) zu erhalten.[3] Darauf der Abt entrüstet: «Wie können aus einem Stück Holz Reliquien entstehen?» Antwort des Mönchs: «Wenn das der Fall ist, warum tadelt Ihr mich dann?» Yin T'o-lo, ein wahrscheinlich aus Indien stammender Ch'an-Mönchsmaler, der während der ersten Hälfte des 14. Jahrhunderts vorwiegend in der ostchinesischen Küstenregion tätig gewesen zu sein scheint und mit vollem Priesternamen Fan-yin T'o-lo hieß, hat diese für die Zen-Auffassung symptomatische Anekdote mit viel Humor ins Bild umgesetzt. Das heute als Hängerolle montierte kleine Tuschbild im Bridgestone Art Museum (Sammlung Ishibashi), Tôkyô, dürfte ein herausgeschnittener Abschnitt aus einer längeren Handrolle mit ähnlichen typischen Zen-Anekdoten sein.

Der Mönch von Tan-hsia handelt nicht etwa in blindem Ikonoklasmus, wenn er eine Holzskulptur des Buddha verheizt, um sich zu wärmen; vielmehr bringt er den für orthodoxe Buddhisten unumstößlichen Glauben an die Hypostasierung des Absoluten im Kultbild ins Wanken und führt zugleich die weit verbreitete Reliquienverehrung ad absurdum. Das Zen toleriert Buddha- und Bodhisattva-Bilder durchaus, betrachtet sie aber nicht als sakrosankt, so daß T'ien-jan, als er auf eine Kultstatue klettert, im Grunde nur das Ablegen jeder Scheu, seine Gleichgültigkeit und innere Unabhängigkeit gegenüber dem weihevoll erhabenen, heiligen Bildwerk unverhohlen und provokativ zur Schau stellt. Für ihn sind Bilder – auch des Buddha – etwas Vergängliches und letztlich von vornherein zum Scheitern verurteilte Versuche, das wahre Buddha-Wesen (*buddhatâ*) sichtbar und greifbar zu machen, es gar in personale Gestalt zu fassen. Abbilder schuf man im Zen eher von großen Zen-Meistern, den Tempelgründern, deren Porträtstatuen bis auf den heutigen

Der Mönch von Tan-hsia verbrennt eine hölzerne Buddhastatue. Fan-yin T'o-lo (tätig 2. H. 13. Jh./1. H. 14. Jh.), Hängerolle, Tusche auf Papier. Ausschnitt, 35 x 36,7 cm (gesamt). Privatsammlung Tôkyô.

Tag in vielen Zen-Klöstern Japans erhalten geblieben sind. Daneben aber gibt es bezeichnenderweise praktisch keine nennenswerten Schöpfungen zen-buddhistischer Plastik. Insgesamt darf man für das reife Zen vielleicht sogar eine Neigung zum Anikonismus, zur Bildlosigkeit, konstatieren, ohne daraus freilich eine generelle Bilderfeindlichkeit abzuleiten.

Typus und Charakter eines Zen-Bildes sind jedoch grundsätzlich verschieden von Werken der herkömmlichen buddhistischen Sakralmalerei. Deren kultischer Pracht und Strahlungskraft der Farben, des Goldes, des Schmucks und deren hierarchisch geordneter, sicher kalkulierter, ikonographisch fixierter Formenvielfalt stehen in der Zen-Malerei unprätenziöse Spontaneität, die festgefügte Konventionen über den Haufen wirft, eine geradezu asketisch, jedoch bestimmt und entschieden wirkende Formenstrenge, Sachlichkeit und Herbheit gegenüber sowie ein auf Vollendung, Virtuosität und Reichtum verzichtender Einsatz einfacher künstlerischer Mittel. Dazu gesellt sich in der Regel Bescheidenheit und Schlichtheit bei der Wahl des Bildgegenstands und des Materials sowie eine nicht zu übersehende Vorliebe für den leergelassenen Bildgrund. Dieser freilich ist häufig mehr als nur künstlerisch-kompositorischer Integrationsfaktor, mehr als nur unbemalter Teil des Bildträgers. In letzter Konsequenz hat er im Verständnis des Zen höchste Bedeutung erlangt als abstraktes Symbol für die form-, farb- und eigenschaftslose Leere (jap. *kū*). Der leere Grund des Bildes wird identifiziert mit dem leeren Grund des Seins und dem Satori, das heißt der absoluten Wahrheit und der höchsten Stufe der Erkenntnis.

In der beliebten Zen-Parabel vom *Büffel und seinem Hirten*, die man seit dem 11. Jahrhundert in verschiedenen Vers- und Bildserien kennt und die dem Schüler als geistige und visuelle Stütze und als Wegweiser auf seiner Suche nach dem Erleuchtungsziel dient, wird der fortschreitende Prozeß der Reifung auf dem Zen-Weg in zehn Stadien mit der Suche und dem Einfangen eines von einem einfältigen Hirtenbuben verloren geglaubten und endlich doch wiedergefundenen Wasserbüffels verglichen. Als Simile für das absichts- und wunschlose Vergessen des Büffels wie des Hirten oder, anders ausgedrückt, für die zur «Buddhawerdung» führende «Schau des eigenen Wesens» steht auf der achten Stufe ein leerer Kreis (siehe Abb. S. 97). Wie sagte doch Bodhidharma auf die Frage nach dem höchsten Sinn der Heiligen Wahrheit: «Offene Weite – nichts Heiliges».

Noch nicht gezähmt

Der Ochse und sein Hirte. Blockdruckserie in 10 Bildern. P'u-ming, um 1150.

Im Gegensatz zu den meisten anderen buddhistischen Schulen wurde im frühen Ch'an die Erleuchtung nicht als ein stufenweiser Prozeß der Wissenserweiterung angesehen, sondern als eine unmittelbare Offenbarung verstanden, zu der es nur geringer Anleitung von außen bedurfte. «Später allerdings, als das Studium der Kōans zur Standardmethode geworden war ... wurde nach und nach deutlich, daß es in der Fähigkeit des Menschen, das Wesen der Ch'an-Wahrheit zu erfassen, erkennbare Stufen gab. Darüber hinaus realisierten die Ch'an-Adepten, daß auch die Erleuchtung selbst durch definitive Stufen gekennzeichnet ist und dem letzten, absoluten Erwachen vorbereitende Stadien vorausgehen.» (Fontein/Hickman, S. 113). Die zehnteilige Parabel vom Ochsen und seinem Hirten ist eins der bekanntesten Mittel der Zen-Meister, ihre Schüler auf dem Wege des «In-sich-Hineinschauens, um Buddha zu werden», anzuleiten.

Das Bild des Ochsenhütens hat eine lange Tradition im Buddhismus. In einem Hīnayāna Sūtra vergleicht der Buddha die 11 Arten des Rinderhütens mit den 11 Aufgaben der Mönche. Eines der berühmtesten Kōans über die Vergeblichkeit, die Buddha-Natur außerhalb seiner selbst zu suchen, geht auf einen Dialog zwischen Pai-chang Huai-hai und Ch'ang-ch'ing (8./9. Jh.) zurück, der sich ebenfalls eines Ochsen-Gleichnisses bedient:
Ch'ang-ch'ing: «Ich bin auf der Suche nach dem Buddha und weiß nicht, wie ich es anstellen soll.»
Pai-chang: «Das ist ganz ähnlich dem Ausschauhalten nach einem Ochsen, während man auf ihm reitet.»
Ch'ang-ch'ing: «Was ist zu tun, wenn man den Buddha erkannt hat?»
Pai-chang: «Es ist wie das Heimkehren auf einem Ochsen.»
Ohne Zweifel sind viele der chinesischen und japanischen Darstellungen des auf dem Ochsen reitenden Hirten Anspielungen auf diese Metapher (und auf die bekannte taoistische Legende, daß Lao-tzu die Chou-Hauptstadt auf einem Ochsen reitend verlassen habe).

Erstes Üben

Anlegen der Führleine

Im 11. Jh., zu Beginn der Sung-Zeit, wurden zahlreiche «Ochsen-Gedicht»-Serien verfaßt und illustriert. Eine der frühesten und in China verbreitetsten Serien stammt von P'u-ming, einem ansonsten unbekannten Ch'an-Mönch, der um 1150 tätig war. Ein auffälliges Merkmal dieser Serie ist die schrittweise Veränderung des Ochsen von Schwarz zu Weiß, wodurch der Prozeß der Reinigung von Unwissenheit zur ursprünglichen Klarheit dem Zähmen eines Ochsens gleichgesetzt wird. Während P'u-ming stärker die Gedanken der Schule der «schrittweisen Erleuchtung» illustriert, ist eine zweite, veränderte Serie von Kuo-an, die ebenfalls um die Mitte des 12. Jh. entstanden sein dürfte, eher der Schule der «plötzlichen Erleuchtung» zuzurechnen. Diese Serie wurde von Mönchen nach Japan gebracht und erfreute sich dort seit Anfang des 14. Jh. großer Popularität. (vgl. Abb. S. 94–97).

Auswahlliteratur

Brinker, Helmut: Zen in der Kunst des Malens. Bern, München, Wien 1985, S. 119-123.

Covell, Jon Carter: Unraveling Zen's Red Thread. Elizabeth, N.J. 1980, S. 48-52.

Fontein, Jan und Money L. Hickman: Zen – Painting and Calligraphy, Museum of Fine Arts: Boston 1970, S. 113-118.

Ikihara, Gyokusei: Zen no bokugyûzu (Zen Oxherding Pictures), Shibayama, Zenkei, Komm., Ôsaka 1975.

Jang, Scarlett Ju-yu, Ox-Herding Painting in the Sung Dynasty. In: Artibus Asiae 52, 1992, S. 54-93.

Ohtsu, Daizohkutsu R.: Der Ochs und sein Hirte. Verlag Günther Neske: Pfullingen 1958.

普明禪師頌

廻首第四

日久功深始轉

頭。顛狂心力漸

調柔。山童未肯

全相許猶把芒

繩且繫留。

普明禪師頌

馴伏第五

綠楊陰下古溪

邊放去收來得

自然。日暮碧雲

芳草地。牧童歸

去不須牽。

Sich im Kreis bewegen　　　　　　　　　　　　*Gezähmt*

Ohne Hinderung

Loslassen

相忘

普明禪師頌

相忘第八

白牛常在白雲
中人自無心牛
亦同月透白雲
雲影白白雲明
月任西東。

Sich gegenseitig vergessen

獨照

普明禪師頌

獨照第九

牛兒無處牧童
閑。一片孤雲碧
嶂間拍手高歌
明月下。歸來猶
有一重關。

Der einsame Mond

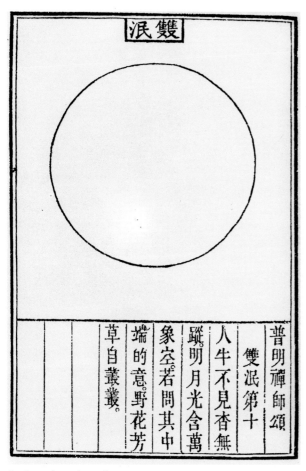

Beide sind verschwunden

Der Kreis (chin. *yüan-hsiang*, jap. *ensô*) ist seit alters ein zentraler Bestandteil zen-buddhistischen Gedankengutes. Schon der dritte chinesische Patriarch Chien-chih Sêng-ts'an (gest. 592) spricht in seinem *Hsin-hsin-ming*, der *Meißelschrift des Glaubens an den Geist*, vom «Kreis, welcher der ‹Großen Leere› gleicht; nichts fehlt, nichts ist überflüssig». Der Kreis als «vollkommene Manifestation» und eine Form ohne Anfang und Ende schließt in sich die Aufhebung aller Gegensätze zur absoluten Einheit und damit zur «wahren Leere» (chin. *chên-k'ung*, jap. *shin-kû*). Er symbolisiert das form- und farblose wahre Wesen aller Geschöpfe, das «ursprüngliche Antlitz vor der Geburt», von dem es im *Wu-men-kuan* heißt: «Wenn man es auch malt, es wird nicht gemalt».

Das adäquate Symbol – oder besser Nicht-Symbol – für die «Schau des eigenen Wesens» ist in der Zen-Malerei also der leere Grund. «Das unmittelbare Deuten auf des Menschen Herz-Geist», das der Schau des «ursprünglichen Antlitzes vor der Geburt» in der Diktion jenes schon mehrfach zitierten fundamentalen Zen-Glaubenssatzes voraufgeht, führt uns der von 1325 bis zu seinem Tode 1345 in China tätige japanische Zen-Mönch und Maler Mokuan Reien in einem humorvollen Tuschbild des MOA Museum of Art, Atami, vor Augen. In Anlehnung an eine wohl chinesische Darstellung des historisch nachweisbaren Bettelmönchs Pu-tai (jap. Hotei, gest. 916), die allerdings gelegentlich ebenfalls dem Mokuan zugeschrieben wird, malte er den frohgemut durch die Lande streifenden, kahlköpfigen Alten, wie dieser lachend mit erhobener Hand nach oben ins Leere zeigt. Die andere Fassung des Themas erleichtert das Verständnis dieser deutenden Geste dadurch, daß in deren Fixpunkt ein kleiner Kreis (Nimbus) mit einer darinsitzenden winzigen Buddha-Figur erscheint. Es ist das «ursprüngliche Antlitz» des Pu-tai, ein Hinweis auf seinen Erleuchtungsstand und zugleich auf Maitreya, den zukünftigen Buddha, für dessen irdische Inkarnation seine Nachwelt ihn hielt.

Eng verwandt mit diesen in China entstandenen Tuschbildern sind zwei japanische Darstellungen des nach oben weisenden Hotei. Die eine, heute im Nationalmuseum Tôkyô aufbewahrte Version trägt das Siegel eines wenig bekannten, vermutlich während der ersten Hälfte des 16. Jahrhunderts in Kamakura tätigen Künstlers namens Kôboku, und die andere, in der Sammlung von Mrs. Milton S. Fox, ist ein Werk des Yamada Dôan (gest. ca. 1573) mit der vierzeiligen Aufschrift eines gewissen Tokei Dôjin. Der Vers lautet übersetzt etwa wie folgt:

Dicker Bauch, weit geöffnetes Gewand.
Schätze liegen gesammelt auf dem Boden des Sacks.
Am Firmament vorüberziehend ist ein anderer Weg.
Forsche nicht danach, worauf seine Fingerspitze deutet.

Dies sollte wohl als Warnung zu nehmen sein, nicht bewußt und krampfhaft nach dem Weg zur Erleuchtung zu
suchen. Doch wenn wir uns nicht an die Weisung des uniden-
tifizierten Schreibers halten und versuchen, das unsichtbare Geheimnis zu ergründen, auf das der weltüberlegene
Hotei mit dem befreiten Lachen des Wissenden in allen Darstellungen dieser Art zeigt, kommt man zu dem Schluß, daß
neben den bereits angesprochenen Bedeutungsschichten hier
der Vollmond gemeint sein könnte, der am Firmament vor-
überzieht und als Symbol der «wahren Leere ohne Merkmale» (chin. *chen-k'ung wu-hsiang*, jap. *shinkû-musô*) gilt,
sich unweigerlich jeglicher Darstellung entzieht. Den stets
prall gefüllten Sack des Hotei, in dem «Schätze» verborgen
ruhen, wie es heißt, könnte man als das sichtbare und greif-
bare Gegenstück der vollkommenen Leere und des unsichtbaren, merkmallosen Mondes ansehen, als das Behält-
nis für das Schatzkammer-Bewußtsein (*âlaya-vijñâna*), so daß
Kôboku in seinem Tuschbild sowie spätere Zenga-Künstler
in sinnfälliger Deutung Hotei auf dem Bettelsack stehend
darstellen, auf der soliden Basis dieses «Schatzkammer-Be-
wußtseins» also. Erinnern wir uns daran, daß der Zen-Mönch
und Maler Reisai in seinem Siegel das Motto führte: «Seine Füße auf festen Boden setzen».

   Kein Geringerer als der große indische Patriarch Nâgâr-
juna (2. oder 3. Jahrhundert), dem das Mahâyâna seine
Lehre vom «Mittleren Weg» mit ihrem Zentralbegriff *Shûnyatâ*
(chin. *k'ung*, jap. *kû*), der «absoluten Leere», verdankt, soll
bereits das Buddha-Wesen mit dem Vollmond verglichen

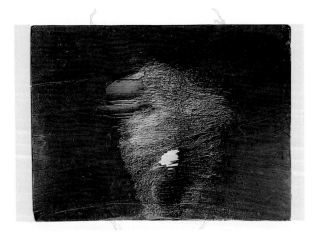

Schlagplatte (han). Keyaki-Holz, jap. Ulme, 59,5 x 79 x 10.5 cm.
Tenryûji Kyôto, ca. 1980 (vgl. Abb. S.229).
An der Vordertür zur Meditationshalle hängend, wird das Brett
mehrmals am Tag mit einem Holzhammer angeschlagen (kaihan),
um die Zeit anzuzeigen. So wie auf diese Weise im Laufe der Jahre
ein Loch entsteht, soll auch für den Zen-Schüler der Durchbruch zum
Erwachen erfolgen.

Kreis (ensô). Hirata Seikô, 1992; Tusche auf Japanpapier. 221 x
227 cm. Vom Künstler signiert.

haben, der «offenen Weite, leer und hell». In einem ihm
zugeschriebenen Gedicht heißt es:

Der Leib, in runden Monds Gestalt erschienen,
Zeigt aller Buddhas Wesen offen vor,
So merket: Lehre ist nichts Äußerliches,
Ist weder für das Auge noch fürs Ohr.[4]

Auf dieser Basis scheint das Zen schon früh ein von der viel-
schichtigen Kreissymbolik ausgehendes Lehr- und Lernprin-
zip entwickelt zu haben, das sich in seiner theoretisieren-
den spekulativen Ausprägung an der Grenze logisch-intel-
lektueller Spielerei bewegt. Nan-yüeh Huai-jang (gest. 775)
war der erste Ch'an-Meister, der mit der Hand Kreise in
die Luft zeichnete, um vor seinen Schülern das Wesen der
wahren Erleuchtung symbolhaft zu demonstrieren. Diese Idee
wurde in der Wei-yang-Schule zu einem komplizierten dia-
lektischen und nur für Eingeweihte verständlichen System von
97 Kreisfiguren weiterentwickelt. Mittelalterliche Zen-Künst-
ler scheinen sich nur noch selten mit dieser Kreissymbolik
befaßt zu haben. Erst die späteren Erneuerer des Zen in Japan, namentlich die Vertreter des sogenannten Zenga, einer seit dem 17. Jahrhundert sich entfaltenden Bewegung
zen-buddhistischer Malerei, die freilich den geistigen Ernst
und die künstlerische Verdichtung der älteren Zen-Kunst vielfach vermissen läßt, haben den Kreis als Symbol für den
vollkommenen Geist, für die Fülle und Leere des allumfassenden Universums und für das alle Vielfalt und Gegensätze

in seinem raum- und zeitlosen Bestand transzendierende Buddha-Wesen des öfteren wieder aufgegriffen. So schreibt beispielsweise der früh verstorbene Zen-Priester Isshi Monju
(1608-1646) aus dem Eigenji in der Nähe von Kyôto als
Erklärung zu einem solchen Kreis:

Sieh doch, sieh. Das wirkliche Buddha-Wesen
entzieht sich dir nicht, noch verschließt
es sich vor dir. Öffne die Augen, du Narr![5]

Anmerkungen

1 Kyôto 1958: *Zen and the Fine Arts*, translated by Gishin Tokiwa,
  Tôkyô/Palo Alto 1971.
2 Vgl. dazu Wilhelm Gunderts bewundernswerte Übersetzung unter
  dem Titel *Bi-yän-lu*. Meister Yüan-wu's Niederschrift von der Smaragdenen Felswand, verfaßt auf dem Djia-schan bei Li in Hunan
  zwischen 1111 und 1115, im Druck erschienen in Sitschuan um
  1300, Kapitel 1-33, München 1960, Kapitel 34-50, 1967, Kapitel 51-68, 1973.
3 Der Sanskrit-Ausdruck *sharîra* bezeichnet als Reliquien verehrte sterb-
  liche Reste oder die Asche des nach dem Tod verbrannten Körpers eines großen buddhistischen Erleuchteten.
4 Wilhelm Gundert: *Bi-yän-lu*, Bd. 1, München 1960, S. 264.
5 *Zen und die Künste*. Tuschmalerei und Pinselschrift aus Japan, Hrsg.
  v. Museum für Ostasiatische Kunst der Stadt Köln, Köln 1979, Nr.
  2.1, S. 38 f.

*Hotei (chin. Pu-tai), Ausschnitt. Mokuan Reien (gest. 1345). Tusche
auf Papier. 80,2 x 32 cm (gesamt). Museum of Art, Atami, Japan.
«Um Pu-tai oder Hotei haben sich im Laufe der Zeit so viele
Legenden und Anekdoten gerankt, daß es unmöglich geworden ist,
die historischen Fakten seiner Biographie sicher herauszufiltern. Er
war offenbar ein umherwandernder chinesischer Bettelmönch namens
Ch'i-tz'u, der aus Szu-ming (Ning-p'o) stammte und 916 (oder 905)
im Yüeh-lin-szu, einem Ch'an-Kloster, in dem er ausnahmsweise drei
Jahre lang zugebracht hatte, starb. Alle Quellen beschreiben ihn als
stets gutgelaunten, zu Späßen aufgelegten, gutmütigen Charakter mit
einem dicken Bauch und einem ebenso großen Bettelsack, in dem er
seine Almosen, aber auch Steine und Holz sammelte. Sein populärer
Spitzname Pu-tai heißt wörtlich ‹Hanfsack›, bezieht sich jedoch
unzweifelhaft in euphemistischer Weise zugleich auf seinen enormen
Körperumfang. Er soll auf seinen Wegen von Ort zu Ort unverständ-
liche Dinge vor sich hingemurmelt, mit Kindern gespielt, gelacht und
getanzt haben.*

*Der Zen-Malerei bot diese schillernde Gestalt, in der die Nachwelt
eine Inkarnation des zukünftigen Buddha Maitreya sah, Anlaß zur
Verherrlichung des bedürfnislosen, ungezwungenen, heiteren Zen-
Lebensideals. Wir finden ihn dargestellt, wie er lachend ins Leere
oder auf den Mond weist, wie er sich vergnügt auf seinen vom
Gewand stets unbedeckten Bauch klopft, wie er wohlig gähnt und
sich verschlafen streckt, wie er auf seinem Bettelsack versonnen
ausruht und schläft, einem auf seinem weichen Sack eingeschlafenen
Kind neckend das ‹Kopfkissen› wegzuziehen versucht, einem
Hahnenkampf zuschaut, wie auf seinem Rücken plötzlich ein Auge
erscheint, als sein Anhänger Chiang Tsung-pa ihn dort scheuert, oder
wie er frohgemut mit seinem Bettelsack am Pilgerstab über der
Schulter durch die Lande zieht. Im volkstümlichen Glauben Japans
nimmt Hotei einen Platz unter den populären ‹Sieben Glücksgöttern›
ein und gilt als wohlwollender Schutzpatron der Kinder.»
(Helmut Brinker: Zen in der Kunst des Malens. Otto Wilhelm Barth
Verlag: Bern 1985, S. 77 f.)*

Hotei auf den Mond weisend. Sengai Gibon (1750–1838).
Tusche auf Papier, 54,1 x 60,4 cm. Idemitsu Sammlung, Tôkyô.
Ein bekanntes Kôan aus dem Wu-men kuan (Zutritt nur durch die
Wand. Übers. W. Liebenthal, Heidelberg 1977, S. 49) nimmt auf
die Geste des mit dem Finger nach oben Deutens Bezug: «Wenn
jemand dem hₒ-shang (Mönch) Chü-chih mit einem Problem kam,
hob er stets nur einen Finger. Nun hatte er einmal einen Klosterkna-
ben zur Bedienung. Als ein Besucher diesen fragte, was der ho-
shang hauptsächlich lehre, hob er auch nur einen Finger. Chü-chih
hörte davon, nahm ein Messer und schnitt dem Knaben den Finger
ab. Der brüllte vor Schmerz und lief weinend davon. Chih rief ihm
nach. Der Knabe blickte sich um. Chih hob den Finger, und
sogleich kam dem Knaben die Erleuchtung. Als Chü-chih zum
Sterben kam, sprach er zu der Gemeinde: ‹Ich erhielt das Ein-
Finger-dhyâna von Meister T'ien-lung. Mein ganzes Leben lang
habe ich es benutzt, ohne es abzunutzen.› Dies waren seine letzten
Worte, bevor er in das Nirvâna einging.» (Der Name von Meister
T'ien-lung wird mit den gleichen chinesischen Zeichen geschrieben
wie der Tenryûji-Tempel, für den er – nach einer Interpretation –
auch Pate gestanden haben könnte, vgl. unten S. 106).

Der Zen-Garten-Disput des Tenryûji (1345)
Ein Beitrag zur Entstehungsgeschichte von Zen-Gärten in Japan

Wenn von Zen-Gärten die Rede ist, denken nicht nur Ausländer, sondern auch Japaner zunächst an den berühmten Steingarten des Ryôanji im Nordwesten von Kyôto oder an den Garten im Daisen-in, einem Untertempel des großen Daitokuji-Tempelbezirkes im Norden Kyôtos. Dieser ist bekannt für sein Arrangement von Steinen, Sand, Moos und kleineren Bäumen und Sträuchern. Ein dritter oft genannter Zen-Garten ist der des Saihôji im Westen Kyôtos, besser bekannt unter dem Namen Koke-dera (Moos-Tempel), der sich auf die Gartenanlage dieses Tempels bezieht. Der Garten des Tenryûji, der wie die drei genannten der Rinzai-Schule des Zen-Buddhismus angehört, ist im allgemeinen Touristen weniger bekannt, obwohl er in der Geschichte der Zen-Gärten Japans eine sehr bedeutende Rolle spielt.

Für die Diskussion des Begriffes Zen-Garten sind zunächst zwei Grundfragen zu klären, nämlich wo der Ursprung der heute in den japanischen Zen-Klöstern erhaltenen Gärten zu suchen ist, und zum anderen, weshalb sich die meisten Zen-Gärten in Tempeln der Rinzai-Schule des Zen finden.

Die Beantwortung dieser beiden Fragen führt zugleich zur Erklärung einiger weiterer Punkte, unter anderem der Frage, ob die in Zen-Tempeln und Klöstern angelegten Gärten eine religiöse Bedeutung oder Funktion hatten und ob für die Gestaltung der Zen-Gärten ein eigener Stil entwickelt wurde, der als zen-spezifisch bezeichnet werden kann.

Zwar hatten Japaner bereits im 9. Jahrhundert erste Kontakte mit Zen-Praktiken, doch wurde Zen in Japan erst seit dem späten 12. Jahrhundert ernsthaft betrieben, nachdem der Mönch Eisai (1141-1215) aus China zurückgekehrt war. Seit jener Zeit errichteten Zen-Mönche eigene Tempel und setzten sich dabei über die Kritik der anderen buddhistischen Schulen hinweg. Diese kam vorwiegend aus der Richtung der Tendai- und Shingon-Schulen, der stärksten Kräfte des Buddhismus in den vorangegangenen Jahrhunderten.

Musô Soseki (1275-1351), der ranghöchste Zen-Mönch seiner Zeit, war einer der berühmtesten Zen-Meister, denen die Schaffung von Gärten zugeschrieben wird. In der 1344 publizierten Schrift *Muchû mondô shû*, einer Sammlung von Antworten des Musô Soseki auf Fragen des Bruders des Shôgun, Ashikaga Tadayoshi (1306-1352),[1] erwähnt er, daß bereits damals einige Zen-Mönche damit begonnen hätten, das Gestalten von Gärten als Bestandteil ihrer Zen-Praxis zu betreiben, etwa um Schläfrigkeit abzuschütteln oder die Langeweile zu überwinden. Obwohl er, Soseki selbst, diese Praxis durchaus schätze, habe er dennoch Vorbehalte gegen die genannte Begründung.

Musô Soseki (1275-1351). Holzskulptur, Japan, 14. Jh. H: 120,1 cm (gesamt). Zûisenji, Kanagawa.

Chinesische Gartenelemente in japanischen Gärten

Das Gestalten von Gärten war also selbst in den Augen des heute als Gartengestalter berühmten Musô Soseki keine unabdingbare Notwendigkeit für die Ausübung des Zen. Als Erklärung für die Entstehung der Zen-Gärten mag deshalb seine Feststellung zu einfach erscheinen. Mit Sicherheit ist wohl nur zu sagen, daß in der Frühphase die Gestaltung von (Zen-)Gärten lediglich eine Art Liebhaberei der Zen-Mönche war, vergleichbar dem Praktizieren der Tuschmalerei, Dichtung und Kalligraphie nach chinesischem Vorbild, wo ebenfalls nicht immer das Dargestellte mit den Inhalten der Zen-Philosophie übereinstimmte.

In Japan hatte man bis zum 14. Jahrhundert bereits viele Gärten in buddhistischen Tempeln angelegt. Die Anlagen des Byôdo-in in Uji südlich von Kyôto (fertiggestellt 1052 n. Chr.) und des Môtsuji in Hiraizumi (1117 n. Chr.) sind heute noch teilweise erhalten und zu besichtigen. Bei der Planung dieser frühen Gärten hatte der Einfluß der chinesischen Gartentradition eine ebenso große Rolle gespielt wie bei der Übernahme der buddhistischen Architektur. Mit der Übernahme des Zen und den direkten Kontakten mit China kamen auch eine ganze Reihe neuer gestalterischer Elemente hinzu, die die Gartenanlagen der Muromachi-Zeit (1392-1573) beeinflußten. Die japanischen Zen-Mönche führten als kulturelle Vorreiter ihrer Zeit so auch die Mode der zeitgenössischen chinesischen Gärten nach Japan ein. Hierbei sollte betont werden, daß die chinesischen Tempelgärten, die die Zen-Mönche inspirierten, sich nach den mir bekannten Beispielen keinesfalls von den anderen Gärten unterschieden, wie man sie üblicherweise im Anwesen z. B. eines chinesischen Gelehrten-Beamten finden konnte.

Zu den im *Muchû mondô shû* erwähnten Mönchen zählen mit großer Wahrscheinlichkeit auch Tengan Ekô (1273-1335), Kokan Shiren (1278-1346) und Betsugen Enshi (1294-1364). Alle drei erwähnten in ihren Schriften[2] auch Gärten, wobei man nicht ganz sicher ist, ob es sich um ihre eigenen, d. h. von ihnen angelegte, oder nur um ihnen bekannte Gärten handelte, die sie besonders schätzten. Diese Texte, die stellvertretend für eine ganze Reihe

ähnlicher Schriften sind, erwähnen folgende für eine Gartenanlage wichtige Elemente:

1 *Die drei Inseln der Unsterblichen.* Nach alten chinesischen Legenden gab es drei Inseln der Unsterblichen im Ostmeer. Wer den Weg zu diesen Inseln fand, sollte ewiges Leben erlangen.[3]

2 *Eine Höhle als Eingang in ein verborgenes Paradies.* Nach einer anderen alten Legende glaubte man, daß es Höhlen gab, durch die man in ein verwunschenes Land ewigen Friedens gelangen konnte. Das bekannteste Beispiel für diese Legende ist das Prosagedicht des T'ao Yüan-ming (365-427) mit dem Titel *Die Sage vom Pfirsichblütenquell*, das sehr häufig in Literatur und Malerei aufgegriffen wurde.[4]

3 *Die Miniatur-Wiedergabe einer realen Landschaft.* Seit der Han-Zeit (2. Jh. v. Chr. – 2. Jh. n. Chr.) assoziierte man in China Miniaturdarstellungen von Landschaften mit Paradiesvorstellungen analog zu den beiden bereits genannten Legenden. Diese Idee steht auch hinter der Entwicklung der Bonsai-Kultur.[5]

Steingarten, Ryôanji, Kyôto. (Aufnahme: Ingeborg Klinger, Heidelberg)

Kleine Besuchergruppe im Steingarten des Ryôanji, 2. H. 18. Jh. (Das Betreten des Gartens ist heute nicht mehr erlaubt.) Aus: Miyako meisho zue (Illustrierte Beschreibung von Sehenswer- *tem in und um Kyôto), Akizato Ritô (Verf.), Takehara Shunchôsai (Ill.), Kyôto 1780. Staatsbibliothek Berlin PK. (Sign. 1a Libri japon 9)*

Diese Elemente der Gartengestaltung hatten sich in China über Jahrhunderte entwickelt und waren bereits sehr populär, als die japanischen Zen-Mönche begannen, Gärten nach chinesischem Vorbild anzulegen. Dementsprechend sind einige traditionelle Elemente der chinesischen Gartengestaltung , die üblicherweise in anderen Gärten – Gelehrten- oder Palastgärten z. B. – zu finden sind, auch in den japanischen Zen-Gärten vertreten.

Chinesisch inspirierte Gärten wurden zu dieser Zeit nicht nur in den Zen-Tempeln angelegt, sondern sie erfreuten sich, genau wie chinesische Malereien und Keramik, besonders bei den Angehörigen des Kriegeradels großer Beliebtheit. Diese waren es auch, die seit der Kamakura-Zeit (1185-1392) aus mehr oder weniger politischen Gründen große Förderer dieser neuen Richtung des Buddhismus waren. Eine auf eigentümliche Weise verschiedene Entwicklung cha-

rakterisiert die etwa zur gleichen Zeit erfolgte Übernahme derselben chinesischen Elemente der Gartengestaltung in Korea. Diese fanden laut den historischen Berichten besonders bei den zu jener Zeit kulturell tonangebenden konfuzianischen Gelehrten begeisterte Aufnahme. So paradox es klingen mag, wurden also Elemente der chinesischen Gartengestaltung, die wir heute in japanischen Gärten als zenspezifisch empfinden, in Korea im Umfeld des Konfuzianismus übernommen.[6]

Der Garten des Tenryûji

Der Garten des Tenryûji wurde in der ersten Hälfte des 14. Jahrhunderts historischen Berichten zufolge von Musô Soseki gestaltet. Er legte diesen Garten nicht vollständig neu

*Walking in the Zen Garden at the Ryôanji Temple Kyôto Feb 21st
1983. David Hockney. Farbphotocollage, 101,6 x 158,8 cm.
1983. Aus: David Hockney – A Retrospective. Ausst. Kat., Los
Angeles: County Museum 1988, S. 241.
Zwischen 1982 und 1986 schuf Hockney über 200 großformatige
Photocollagen, in denen er erzählerische Aspekte und zeitliche
Abläufe miteinander verbindet und zugleich den Betrachter zu
seinem Begleiter macht, indem er ihn in seinen eigenen Blickwinkel
mit einbezieht. So fixiert der Künstler hier seinen jeweiligen*

*Standort, von wo aus er den Garten aufgenommen hat, durch
Photos seiner Füße, die wie eine heraldische Bordüre den unteren
Rand der Collage beschließen. Dies ist zugleich die Veranda, auf
der die Mönche meditieren und von der aus die nicht abreißende
Reihe der Besucher dieses klassische Motiv aufnehmen. «Hockneys
ineinander übergehende Perspektiven zeigen nicht nur, was er sieht
und was er weiß, sondern wie er es erfährt – indem er vorbeigeht.»
(Anne Hoy, in David Hockney – A Retrospective, S. 63).*

an, sondern übernahm zum Teil die bereits vorhandenen
Elemente des (begehbaren) Gartens der kaiserlichen Villa
Kameyama Rikyû von Ex-Kaiser Go-Saga (1220-1272), auf
deren Grundstück der Tenryûji erbaut wurde. Die Gestaltung dieses Gartens innerhalb eines Zen-Komplexes war Teil
einer ernsten Auseinandersetzung zwischen den Vertretern
der (Rinzai) Zen-Schule und anderen buddhistischen Strömungen, die sich um die Errichtung des Tempels selbst

entsponnen hatte. Dieser Disput steht am Anfang einer neu-
en Epoche der japanischen Gartengestaltung.
   Der Shôgun Ashikaga Takauji (1305-1358) begann kurz
nach dem Tod von Kaiser Go-Daigo (1288-1339), den
er entthront hatte, unter dem Dekret des Ex-Kaisers Kôgon
mit dem Bau des Tenryûji, wo Gebete für die Seele des
Go-Daigo abgehalten werden sollten. Musô Soseki wurde
als Gründer des Tempels eingesetzt. Im 9. Monat des

*Der Zakkein-Garten des Rinzai-Tempels Myôshinji, Kyôto, mit
Besuchergruppe, 2. H. 18. Jh.
Aus: Miyako meisho zue (Illustrierte Beschreibung von Sehenswer-*
*tem in und um Kyôto), Akizato Ritô (Verf.), Takehara Shunchôsai
(Ill.), Kyôto 1780. Staatsbibliothek Berlin PK. (Sign. 1a Libri
japon 9)*

Jahres 1344 sah der Bau seiner Beendigung entgegen, und so wurde festgesetzt, daß der Ex-Kaiser Kôgon am 16. Tag des 8. Monats 1345 einer Zeremonie zum 7. Jahrestag des Todes von Kaiser Go-Daigo beiwohnen sollte. Im 7. Monat des Jahres 1345, nur einen Monat vor der geplanten Feier, machte der Enryakuji, ein Tempel der Tendai-Schule (des esoterischen Buddhismus) auf dem Berg Hiei im Nordosten Kyôtos, eine direkte Eingabe beim Kaiserhof und

bei der Ashikaga-Militärregierung, in der unter Hinweis auf die Unzulänglichkeiten der Zen-Schule die Absage der Zeremonie, der Abriß des Tenryûji und sogar die Exilierung Musô Sosekis gefordert wurden.

In dieser Eingabe kritisierte der Enryakuji unter anderem, daß die Zen-Schule in falscher Auslegung der buddhistischen Lehre Gärten anlege. Die Tenryûji-Vertreter wandten sich sofort mit ihren Argumenten gegen die Vorwürfe. Der genaue

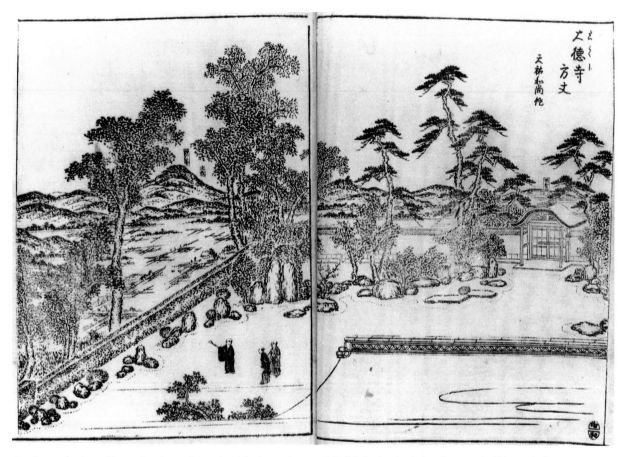

*Zen-Garten des Rinzai-Klosters Daitokuji in Kyôto. Aus: Miyako meisho zue (Illustrierte Beschreibung von Sehenswertem in und um Kyôto), Akizato Ritô (Verf.), Takehara Shunchôsai (Ill.), Kyôto 1780. Staatsbibliothek Berlin PK. (Sign. la Libri Japan 9).
Obgleich dem Priester Tenyu Joka (1586–1666) zugeschrieben, zeigt dieser Garten die charakteristischen Eigenschaften der Muromachi-Zeit*

(15. Jh.). Die beiden hohen Steine in der Ecke symbolisieren einen Strom oder Wasserfall, die Büsche und kleinen Felsen Kaskaden und die große, kaum gezeichnete Kiesfläche den Ozean. (Vgl. G. Mosher: Kyôto – A Contemplative Guide. Tuttle: Rutland, Tôkyô 1964, S. 261).

Wortlaut des Disputs hat sich in einer handschriftlichen Kopie des Shôbôron (Erklärung der Wahren Lehre) vom 7. Tag des 8. Monats 1345 bis heute erhalten.7 Der Text lautet (in Auszügen) wie folgt:

«In der Eingabe des Enryakuji wird behauptet: ‹Der Terminus sôrin (dichter Hain) bedeutet, daß wir auf Steinen und unter Bäumen leben sollten [d. h. in der freien Natur], aber

nicht, daß wir [unsere] Gebäude ausschmücken sollten. Nichtsdestoweniger konkurrieren die Zen-Tempel untereinander in dem Luxus, größere Bauten zu schaffen, und es macht ihnen nichts aus, so viel Geld dafür auszugeben, ihre Gärten zu verschönern. [. . .]›

Wir/Ich [entspricht: die Zen-Schule/der Autor] widerspreche/n mit folgender Begründung:

‹Der Begriff *sôrin* kann nicht so ausgelegt werden; dies

Garten des Tenryûji, Kyôto. Haupttempel und Abthaus (hôjô) rechts im Vordergrund, 2. H.18. Jh.
Aus: Miyako meisho zue (Illustrierte Beschreibung von Sehenswer-

tem in und um Kyôto), Akizato Ritô (Verf.), Takehara Shunchôsai (Ill.), Kyôto 1780. Staatsbibliothek Berlin PK. (Sign. 1a Libri japon 9)

ist im *Zô-Agon-kyô*, im *Daishôgon-kyô* und in anderen Texten klar belegt. Eure Auslegung ist falsch. Das Wort *sô* [von *sôrin*] bedeutet „zusammenkommen" oder bezeichnet einen Ort, an dem eine Gruppe von Mönchen zusammentreffen kann. Ein einziger Baum kann nicht zum Hain werden [dem *rin* des Binoms *sôrin*], ein einziger Mönch wird nicht zur Gruppe. Demzufolge [bedeutet] *sôrin*, [daß wir an einem ·Ort zusammenkommen sollten].

Wir [die Zen-Anhänger] vergrößern unsere Bauten und verschönern unsere Gärten, um dadurch das Land Buddhas prächtig und rein zu gestalten. Der Ort, an dem wir uns im Augenblick aufhalten, sollte das Land Buddhas [für uns] sein.›

Das ist es, was wir gegenüber Euch Anhängern des Enryaku-ji als Lehre vertreten.»

In der Schlußphase des Disputes, der sich über einen Monat hinzog, schrieb Gôhô (1305-1362), der Gründer des

Garten, Tenryûji, Kyôto.

Garten, Tenryûji, Kyôto

Garten Tenryūji, Kyôto.

Garten, Tenryûji, Kyôto. Im Hintergrund rechts Abthaus (hôjô), vgl. Abb. S. 55.

Kanchi-in, eines Untertempels in der Shingon-Tempelanlage Tôji im Süden von Kyôto, in Unterstützung der Eingabe des Enryakuji am 14. Tag des achten Monats des Jahres 1345 an den Minister zur Linken, der als einer der Schiedsrichter fungierte:

«Die, die Zen praktizieren, sollten keine Gärten anlegen [. . .]. Musô Soseki behauptete, er praktiziere Zen. Er schuf einen [wundervollen] Garten; damit versetzte er die Leute in Erstaunen. Dies verletzt aufs stärkste [die Regeln] des Sûtra [wie sie im *Rokudo-kyô*, Band acht], geschrieben stehen. Dementsprechend, heißt es, hat der Enryakuji kürzlich eine direkte Eingabe vorgelegt [. . .]»[8]

Letztendlich ignorierte der Kaiserhof ebenso wie die Ashikaga-Regierung die Eingabe; allerdings nahm der Ex-Kaiser Kôgon an der Zeremonie zum 7. Todestag des Go-Daigo nicht teil. Diese fand am 16. Tag des 8. Monats im Jahr 1345 statt, und am 29. Tag desselben Monats wurde der Tenryûji selbst unter großem Aufwand eingeweiht. Aus heutiger Sicht gingen also die Anhänger der Rinzai-Schule des Zen als Sieger aus dieser Auseinandersetzung hervor.

Aufgrund der neutralen Haltung von Hof und Regierung im Fall des Tenryûji war es den Anhängern der Rinzai-Schule des Zen in der Folge von offizieller Seite gestattet, Gärten in der von ihnen bevorzugten Form anzulegen. Dies war einer der wichtigsten Anstöße für die Entwicklung dessen, was wir heute als Zen-Garten kennen.

Genaugenommen hat die Auseinandersetzung um den Garten des Tenryûji im *Shôbôron* nicht viel mit Zen zu tun. Dennoch darf man nicht übersehen, daß die Zen-Anhänger darin das Anlegen von Gärten selbst mit einer religiösen Bedeutung versahen, indem sie sagten, so das Reich Buddhas, die Welt selbst, zu reinigen.

Zum Zen-Gehalt japanischer Zen-Gärten

In einer der jüngsten größeren Publikationen zur japanischen Gartengeschichte in einer westlichen Sprache verneint der holländische Landschaftshistoriker Wybe Kuitert grundsätzlich den Zen-Inhalt der sogenannten Zen-Gärten und schreibt, daß erst im 20. Jahrhundert die Auseinandersetzung um «Zen in japanischen Gärten» einsetzte.[9] Der weiter oben geschilderte Disput um den Garten des Tenryûji widerlegt dies, ebenso wie einige spätere Berichte über einzelne Mönche und ihre Aktivitäten als Gartengestalter.

Die Diskussion um Zen-Inhalte in Gärten ist genauso kompliziert und vielschichtig wie das Problem der Zen-Malerei, wo z. B. Darstellungen des Bodhisattva Avalokiteshvara (Kan-

non), ursprünglich eine Erlösergestalt des Amida-Buddhismus, ebenso als Zen-Bilder behandelt werden wie Bilder des Fudô Myôo, gemalt von Zen-Mönchen.[10] Dennoch soll im Folgenden versucht werden, einen Überblick über die gestalterischen Grundprinzipien der sogenannten Zen-Gärten zu geben.

Grundsätzlich kann jeder Garten, der sich innerhalb eines Zen-Tempelkomplexes befindet, als Zen-Garten bezeichnet werden. Diese Gärten wurden meist von Zen-Mönchen angelegt bzw. geplant; es gibt die unterschiedlichsten Formen. Fotoaufnahmen zeigen diese Gärten meist in einem Zustand perfekter Instandhaltung; heute sind hierfür nicht mehr nur die Mönche, sondern auch professionelle Gartengestalter und Gärtner zuständig. Für Europäer ist der Gedanke faszinierend, daß viele dieser Gärten erfolgreich über Jahrhunderte hinweg beinahe identisch erhalten wurden. Zwar sind die Bäume – sofern vorhanden – in sich weitergewachsen und die Stämme und Äste wurden stärker, doch durch sorgfältige Pflege und das Zurechtschneiden und manchmal auch Biegen der Äste in eine einmal vorgegebene, besonders «natürlich» aussehende Form erreicht man, daß das Aussehen der Bäume über Jahrzehnte oder sogar Jahrhunderte weitgehend unverändert bleibt.

Charakteristisch für viele dieser Gärten ist ihr Konzept als Trockengarten (*karesansui*) mit Sand anstelle von Wasser und Felsen als Inseln der Unsterblichen im Ostmeer oder als verkleinerte Wiedergabe berühmter Berge und Landschaften oder als (ursprünglich taoistische) Paradiesgrotten, die dem Eingang zu einem verwunschenen Land entsprechen. Oft können diese Anlagen nur von außen, d. h. vom Tempelgebäude aus, betrachtet werden (Ryôanji, Daisenin).[11] Andere dagegen sind als begehbare Gärten konzipiert, z. B. der Garten des Saihôji (Koke-dera); dieser war ursprünglich als Amida-Paradies angelegt und wurde nach der Umwandlung des Tempels in einen Zen-Tempel von Musô Soseki umgestaltet. Im Saihôji-Garten sind die Wasserläufe aus der ursprünglichen Paradiesgartenanlage übernommen; dasselbe gilt für den Garten des Tenryûji, der auf dem Terrain eines kaiserlichen Villengartens entstand und ebenfalls in weiten Teilen begehbar ist. Aus historischen Berichten kennt man aber auch eine Reihe von Gartenanlagen in Zen-Tempeln, die von Anfang an mit Teichen und darin gelegenen Inseln konzipiert wurden. Man stellt also fest, daß die Lage der Zen-Gärten in einem Zen-Tempel keinesfalls dagegen sprach, im Garten selbst Elemente z. B. der ursprünglich taoistischen Paradiesgärten – deren Bedeutung man kannte – zu übernehmen.

Eine Weiterentwicklung erfuhren die sogenannten Zen-Gärten in den späteren Tee-Gärten. Diese entstanden ursprünglich bei der Umgestaltung eines bestimmten Tem-

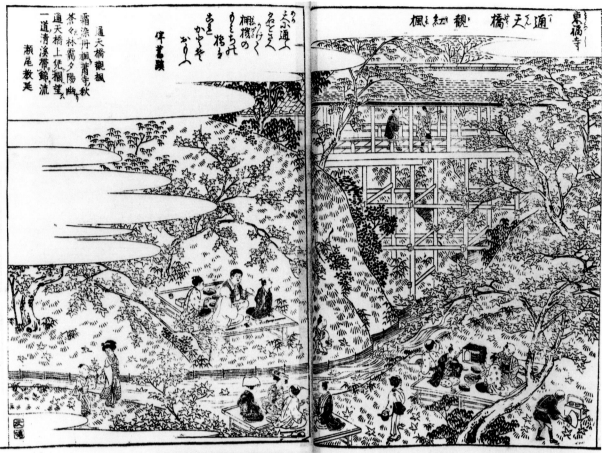

Picknick an der Himmelsbrücke im Garten des Rinzai-Tempels Tôfukuji in Kyôto. Der im Südosten Kyôtos gelegene Tôfukuji ist bis heute berühmt für seine sich im Herbst rot verfärbenden Ahornbäume.

Aus: Miyako meisho zue (Illustrierte Beschreibung von Sehenswertem in und um Kyôto), Akizato Ritô (Verf.), Takehara Shunchôsai (Ill.), Kyôto 1780. Staatsbibliothek Berlin PK, (Sign. 1a Libri japon 9)

pelraumes zum Teeraum: bei entsprechendem Wetter konnte dann der Garten auch in den Verlauf einer Teegesellschaft mit einbezogen werden. Befindet sich der Teeraum in oder bei einem Privathaus, so ist der Teegarten ein meist relativ kleiner, abgeschlossener Bereich, durch den ein Gast zum etwas abgelegen vom Haus errichteten Teeraum (*chashitsu*) geht. Einzelne Elemente der zen-typischen Tempelgärten treten auch hier wieder in Erscheinung.

Zitate aus den Zen-, Tee- und allen anderen klassischen Gartentypen finden sich sowohl in zeitgenössischen Privatgärten als auch bei solchen Gärten, die als gestalterische Akzente in neuen Museums- oder Kaufhauskomplexen oder sogar im Eingangsbereich von Restaurants und Gasthäusern angelegt werden.

Zahlreiche Zen-Tempel sind heute nicht nur wegen ihrer Architektur und Innenausstattung, wie den von bekannten Künstlern aus verschiedenen Epochen gestalteten Malereien auf Schiebetüren (*fusuma*), sondern gerade auch wegen ihrer Zen-Gärten berühmte Touristenattraktionen und bringen den Tempeln stattliche Einnahmen an Eintrittsgeldern. Der Gedanke an meditative Stille vergeht dem Besucher allerdings spätestens dann, wenn er auf Knopfdruck von einer schrillen Lautsprecher-Tonbandstimme auf die Schönheit einzelner Gartenelemente hingewiesen wird. Hinzu kommt, daß oft Hunderte weiterer Besucher, Japaner wie Ausländer, dem Einzelnen den beschaulichen Platz auf der Veranda streitig machen, von dem aus er versuchen möchte, wenigstens ein wenig vom Zen-Geist dieses Gartens einzufangen.

Anmerkungen

1 Eine moderne kommentierte Ausgabe wurde 1991 von Satô
Taishun unter dem Titel *Muchû Mondô* in Tôkyô herausgegeben.

2 Tengan Ekô: *Tôkishû* (Sammlung: Rückkehr nach Osten), in :
Uemura Kankô (Hrsg.): *Gozan bungaku zenshû* 1. Kyôto:
Kaibara Shoin, 1906. Kokan Shiren: *Saihokushû* (Sammlung
des Saihoku-Studios), ibid. Betsungen Enshi: *Tôkishû* (Sammlung:
Rückkehr nach Osten), ibid.

3 Am ausführlichsten bei Lothar Ledderose: P'eng-Lai and Jôdo:
Some Paradise Compounds in China and Japan, in: *Internatio-
nal Symposium on the Conservation and Restauration of Cultural
Property: Inter-Regional Influences in East Asian Art History.*
Tôkyô: National Research Institute of Cultural Property, 1982,
S. 105-122 und: The Earthly Paradise: Religious Elements in
Chinese Landscape Art, in: Christian F. Murck (Hrsg.) *Theories
on the Arts in China*, Princeton 1983.

4 Vgl. z. B. die Beschreibung von Herbert Butz zu Kat. Nr. 11:
Erkundungen des Weges zum Pfirsichblütenquell in: Lothar
Ledderose (Hrsg.): *Im Schatten Hoher Bäume.* Baden-
Baden/Köln, 1985. Hier ist auch die Übersetzung der *Sage
vom Pfirsichblütenquell* von Richard Wilhelm (1922) wiederge-
geben.

5 Vgl. Rolf Stein: *Le jardin en miniature.* Paris 1987.

6 Eine größere Publikation des Autors zu diesem Thema (in japanischer Sprache) ist in Vorbereitung und erscheint voraussichtlich
1993/4 in *Zôen Zasshi*, der Zeitschrift des Japanese Institute of
Landscape Architecture (Tôkyô).

7 Tsuji Zennosuke: *Nihon bukkyô shi*, Vol. 4. Tôkyô 1970. S.
130-138. Das Original war im Besitz des Myôshinji in Kyôto;
eine Kopie dieses Textes ist in der Bibliothek der Tôkyô-
Universität; eine andere Version mit leicht abweichendem Text
befindet sich in der Bibliothek der Otani-Universität in Kyôto,
eine weitere im Tenryûji selbst.

8 In: *Zatsuzatsu kenbunshû* 15. Diese Übersetzung unterscheidet
sich von der Interpretation Wybe Kuiterts, der sich auf die Arbeit
von Karl Hennig (S. 99) beruft. Hennig wiederum fußt auf den
Ausführungen von Nakane Kinsaku, die auf einer falschen
Interpretation des Originaltextes beruhen. Vgl. Nakane Kinsaku:
Niwa. Ôsaka 1973, S. 222.

9 Wybe Kuitert: S.150-160.

10 Eine allgemeine Einführung dazu findet sich u. a. in der
Diskussion zwischen Yoshiaki Shimizu ‹Zen Art› und Dietrich
Seckel, ‹Zen Art› in H. Brinker, R. P. Kramers, C. Ouwehand
(Hrsg.): *ZEN in China, Japan and East Asian Art.* Bern/Frankfurt
a. M./New York 1985; sowie Helmut Brinker: Gemalt aus
Vertrauen auf Fudô Myôô: Serienbilder der Zen-Mönche Ryûshû
Shûtaku (1308-1388) und Chûan Bonshi (1346-nach 1437),
in: *Asiatische Studien* XLIV,2, 1990, S. 268-348.

11 Das *Miyako rinsen meisho zue* einige Abbildungen, in denen
jeweils eine oder mehrere Personen sich tatsächlich innerhalb
der Sandfläche verschiedener Trockengärten aufhalten (vgl.
Abb. S. 53).

Literaturauswahl

Hennig, Karl: *Der Karesansui-Garten als Ausdruck der Kultur der
Muromachi-Zeit.* Hamburg 1982.

Hennig, Karl: *Japanische Gartenkunst.* Köln 1980.

Keswick, Maggie: *Chinesische Gärten: Geschichte, Kunst und
Architektur.* Stuttgart 1989.

Kuck, Loraine: *The World of the Japanese Garden.* Tôkyô/New
York 1968[1], 1984[4].

Kuitert, Wybe: *Themes, Scenes and Taste in the History of Japanese
Garden Art.* Amsterdam 1988.

Nitschke, Günter: *Gartenarchitektur in Japan: Rechter Winkel und
natürliche Form.* Köln 1991.

Schaarschmidt-Richter, Irmtraut: *Der japanische Garten – ein
Kunstwerk.* Würzburg 1979.

Stein, Rolf: *Le jardin en miniature.* Paris 1987; engl. Übers. *The
World in Miniature: Container Gardens and Dwellings in Far
Eastern Religious Thought.* Stanford 1990.

Wiese, Konrad: *Gartenkunst und Landschaftsgestaltung in Japan.
Technik, Kunst und Zen.* Tübingen 1982, 1984[2].

Zen-Buddhismus und Blumen-Weg

Die japanische Blumenkunst Ikebana ist auch bei uns im Westen bekannt und beliebt. Sie zählt zu jenen «Kunst-Wegen» (geidô), die im 15. Jahrhundert als künstlerische Schulungswege entstanden und stark vom Zen-Buddhismus inspiriert waren. So ist ebenfalls für den Blumen-Weg das Zen-Gedankengut prägend gewesen, auch wenn es auf den ersten Blick nicht so stark wie bei der Teekunst ins Auge springt.

Die Blumenkunst entwickelte sich ebenso wie die Teekunst am Hof der Militärregenten. Unter deren vielseitig begabten künstlerischen Beratern widmeten sich einige besonders dem Blumenarrangement und schufen für die Bildnische des aus den Zen-Klöstern übernommenen «Studierzimmers» (shoin) ihre Werke. Viele Ashikaga-Militärregenten wie Yoshimitsu (1358-1408) oder Yoshimasa (1436-90) waren Anhänger des Zen, das auf die Schwertadligen insgesamt eine starke Anziehungskraft ausübte.

Japanische Zen-Mönche brachten die Liebe der Chinesen zu Blumenarrangements im sogenannten Stil der Literaten in ihre Heimat zurück. Dieser Stil bevorzugte einen reizvollen Zweig, der so, wie er gewachsen war, in eine Vase gestellt wurde. Derartige Arrangements werden in vielen Gedichten von japanischen Zen-Mönchen, beispielsweise Gidô Shûshin (1326-89), dem Zen-Lehrer von Ashikaga Yoshimitsu, besungen. Gidô Shûshin weilte in einem Tempel direkt neben dem berühmten Rokkakudô (Chôbôji) in Kyôto, in dem sich die Klause der Ikenobô-Mönche, die dort als Tempeldiener wirkten, befand. Die Ikenobô-Mönche widmeten sich besonders dem Blumenschmuck für den Altar. Aus ihrer tradierten Kunstfertigkeit entstand später mit Ikenobô Senkei (tätig um 1462) die älteste, bis heute bestehende Ikebana-Schule: die Ikenobô-Schule. Obwohl historisch nicht belegt, ist es doch höchst wahrscheinlich, daß die Ikenobô-Mönche mit Gidô Shûshin Kontakt hatten, sie damit Kenntnis des von den Zen-Mönchen besungenen «Blumenstils der Literaten» erlangten und dieser auf ihre eigenen Arrangements Einfluß auszuüben begann.

Seit dem 14. Jahrhundert setzte sich allgemein eine neue, vom Zen ausgehende Naturanschauung immer mehr durch. Hatte man bis dahin die umgebende Natur in Poesie, Malerei oder Blumenkunst mehr zur Darstellung bzw. Ausschmückung der eigenen subjektiv-lyrischen Stimmungen benutzt, verstanden die Zen-Mönche jeden Naturgegenstand als Ausdruck der allumfassenden Buddha-Natur, als essentiellen Teil des ganzen Universums. Der Anblick beispielsweise eines Gartens läutert für den Zen-Adepten den Geist und führt den inneren Blick zu dem ungeteilten Quellgrund alles Seins, dem seinem Wesen nach Gestaltlosen, Unsichtbaren, Unausdrückbaren. Dieses Formlose kann sich paradoxerweise aber nur durch sichtbare Formen manifestieren.

Dialog zwischen Yao-shan und Li-ao. Unbekannter Maler. Südliche Sung-Zeit, 13. Jh. Hängerolle, Tusche und leichte Farben auf Seide, Ausschnitt. 115,9 x 48,5 cm (gesamt). Nanzenji, Kyôto.

In diesem Sinne weist auch das Blumenarrangement auf die absolute Buddha-Natur hinter den objektiv gegebenen Naturerscheinungen. Gleichzeitig wird die Begegnung mit dem wahren Wesen der Natur zur Begegnung mit dem wahren Wesen des eigenen Selbst und die Blumenkunst selbst zu einem künstlerisch-spirituellen Schulungsweg, dem «Blumen-Weg».

Unter «Blumen» sind nun allerdings nicht mehr nur Blumen oder Blütenzweige im eigentlichen Wortsinne zu verstehen. Die 1542 niedergeschriebene Ikebana-Geheimüberlieferung Mündlich tradierte Überlieferungen von Ikenobô Sen'ô beginnt mit mit den Worten: «Es heißt, daß die Menschen schon seit alten Zeiten Blumen in Vasen stellten. Aber sie schätzten nur schöne Blumen, die sie einfach in Vasen steckten, während sie für die Schönheit von Gräsern und (Laub-)Zweigen keinen Sinn hatten. Diese Schule (d. h. die Ikenobô-Schule) dagegen zeigt in ihren Arrangements

Ikebana-Arrangements der Ikenobô-Schule. Aus: Ikkyû shokoku monogatari zue (Illustrierte Aufzeichnungen über die Pilgerreisen des Mönches Ikkyû), Hirata Shisui (Komp.), Hishikawa Kiyoharu (Ill.), Ôsaka 1865. Staatsbibliothek Berlin PK. (Sign. 1a - 36 566 R-OA)

im Wohnraum die natürliche Gestalt von Flur, Berg und Uferlandschaft.» Der Begriff Blumenkunst umfaßt also nicht nur Blumen, sondern auch Zweige, Gräser, Blätter, Wurzelstöcke, bemooste Baumrinden, getrocknete Pflanzen und vieles mehr.

Die japanischen Zen-Mönche hatten auch die chinesische Tuschmalerei nach Japan eingeführt. Die Maler-Mönche schufen Bilder, die – chinesischem Vorbild folgend – die ausgesparte Fläche (*yohaku*) und die asymmetrische, meist diagonale Komposition als neue malerische Stilmittel betonten. Die Asymmetrie und der leere, ausgesparte Raum der Tuschmalerei wurden als Gestaltungselemente in die Blumenkunst übernommen. In den *Mündlich tradierten Überlieferungen von Ikenobô Sen'ô* finden sich folgende Anweisungen: «Ist in der Vase ein grüner Zweig lang herausragend, soll der andere kurz sein. Als letzteren verwende man einen üppig belaubten Zweig. Weist der eine Zweig eine sich öffnende Geste auf, zeige der andere eine umschließende. Ist der eine Zweig hoch, sei der andere niedrig …»

Der ausgesparte Raum ist bis heute charakteristisch für viele Ikebana-Schöpfungen. Dabei sind einerseits die Pflanzen so gesteckt, daß sie das Gefäß nicht ausfüllen, sondern viel Raum frei lassen; andererseits werden einzelne Zweige oder Stiele so geformt, daß sie nicht die Masse, sondern nur den Umriß einer Gestalt, z. B. eines Berges, andeuten.

Manche Arrangements haben überdies einen kreisförmigen Umriß: der Kreis als Zen-Symbol der Erleuchtung und des ganzen Universums.

Innerhalb der Blumenkunst entstand im 16. Jahrhundert eine Richtung, die ganz dem Geist des Zen verpflichtet

war und der wegen ihrer großen Wirkung auf die anderen Ikebana-Schulen eine besondere Betrachtung gebührt: der Blumenstil der Tee-Kunst (*chabana*).

Die großen Teemeister Murata Jukô, Takeno Jôô und Sen no Rikyû schufen einen speziellen Blumenstil für die Bildnische (*tokonoma*) im Teeraum. Diese Blumen sollten wirken, als blühten sie in der Natur, d. h. die natürliche Form der Blüten, Zweige und Gräser durfte nicht durch die mannigfaltigen Techniken, wie sie für die damaligen Blumenarrangements üblich waren, verändert werden. Die Blumen sollten überdies so frisch sein, als ob noch der Morgentau auf ihnen läge.

Steinlaterne, Schwertständer und Kamm in dem von Sen no Rikyû bevorzugten Stil. Aus: Sen no Rikyû dai-jiten, Tôkyô 1989, S. 730.

Bereits Murata Jukô hatte in seinen fünf Verhaltensregeln gefordert: «Die Blumen sollen leicht und in Harmonie mit dem Teeraum sein.» Leicht bedeutet, sie sehr sparsam und in einem freien Stil zu arrangieren; eine Forderung, die für die «Teeblumen» bis heute gilt. In den *Aufzeichnungen des Mönchs Nambô* heißt es dazu: «Die Blumengestecke für den kleinen Teeraum sollten höchstens aus ein oder zwei Stielen derselben Sorte bestehen und ganz schlicht arrangiert werden. Natürlich gibt es Ausnahmen; je nach Blumenart dürfen sie auch einmal verschwenderisch in dichten Büscheln angeordnet sein. In unserer Teekunst lehnen

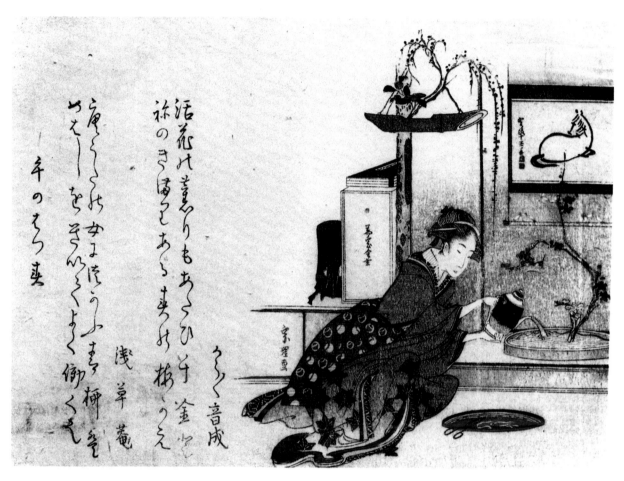

Ikebana. Katsushika Hokusai (1760-1849). Glückwunschblatt (surimono), 13,7 x 18,5 cm, dat. 1798.
«Eine junge Frau hat in einer bootsförmigen Bambushängevase Weidenzweige und Kamelien sowie in einer flachen Schale in der Bildnische (tokonoma) Pflaumenzweige und Adonisröschen arrangiert. Nun füllt sie Wasser dazu. Neben der Bildnische stehen eine Büchertruhe ... und eine mit einem Tuch abgedeckte Trommel... Auf dem Rollbild in der Bildnische ist ein Pferd dargestellt, auf dem die langen Monate dieses Pferdejahres verzeichnet sind. Die Schriftzeichen der Zahlen bilden die Kontur des Pferdes, es handelt sich also um ein sogenanntes moji-e, ‹Schriftzeichen-Bild›. Der rote Bindegürtel (obi) der jungen Frau ist mit dem Symbol des von Asakusa-an geleiteten Dichterzirkels Ko-gawa gemustert.» (Eiko Kondô, aus: Heiteres Treiben in der vergänglichen Welt. Japanische Holzschnitte des 17. bis 19. Jahrhunderts. Ausstellungskatalog Köln 1991, S. 152, Übers. Franziska Ehmcke).

wir es jedoch grundsätzlich ab, nur die Blütenpracht genießen zu wollen. Wenn der Teeraum viereinhalb Matten (tatami) groß ist, ist es auch erlaubt, je nach Art der Blumen, zwei verschiedene zu kombinieren.» Der Anspruch aller Zen-Künste, mit sparsamsten Mitteln das Wesen des Ganzen – zum Beispiel mit wenigen, spontanen Pinselstrichen eine weite Landschaft – auszudrücken, findet sich im Ikebana hier am reinsten vertreten. Rikyû liebte es, ein Gedicht von Fujiwara Ietaka (1158-1237) zu zitieren, um sein Ideal der wabi-Ästhetik in allen Bereichen der Teekunst, und damit auch der «Teeblumen», zu veranschaulichen: «Denen, die nur Kirschblüten / sehnsüchtig erwarten, / wie gern würd' ich ihnen zeigen / mitten im Schnee das sprossende Grün / im Bergdorf zur Frühlingszeit!»

Neben den Blumen spielen die Gefäße, in denen sie angeordnet werden, eine wichtige Rolle. Im Gegensatz zu den anderen Richtungen, die für ihre prächtigen Gestecke kostbare chinesische Vasen aus Bronze oder Seladon-Keramik bevorzugten, sind von Rikyû in den *Aufzeichnungen des Mönchs Nambô* die folgenden Anweisungen

Bambuskorb für Blumenarrangements in dem von Sen no Rikyû bevorzugten Stil. Aus: Sen no Rikyû dai-jiten, Tôkyô 1989, S. 278

Der Einsiedler Liu Ho-ching beim Betrachten eines Zweiges. Tôshun (geb. um 1510). Tusche und Farben auf Papier, mit anderen Malereien auf einem sechsteiligen Stellschirmpaar montiert, Ausschnitt: 46,1 x 35 cm. Frühes 16. Jh. Slg. Sogoro Yahumoto, Ôsaka.

überliefert: «Die geeigneten Gefäße für das Blumenarrangement im kleinen Teeraum sind Vasen aus Bambusrohr, Bambuskörbe und Flaschenkürbisse. Blumengefäße aus Metall sind im allgemeinen eher für Teeräume von viereinhalb Matten angebracht.» Die Verwendung von Bambusrohren oder geflochtenen Bambuskörben als Gefäß für die «Teeblumen» soll Rikyû eingeführt haben. Diese neben schlichten Metallvasen oder Vasen aus japanischer volkstümlicher Keramik besonders geschätzten Blumengefäße – andere Teemeister verwendeten auch Fischreusen, Zikadenkörbe, Holzstücke, Baumstümpfe, schiffförmige Bambus-Hängevasen – standen ganz im Geiste der wabi-Ästhetik der Teekunst. Die Vielfalt hat sich bis heute in allen Ikebana-Stilen erhalten und trägt dazu bei, die Pflanzen in unterschiedlichster Weise arrangieren zu können.

Aus den Blumenarrangements der Teemeister im Geiste des Zen entwickelte sich gegen Ende des 17. Jahrhunderts im Ikebana ein neuer, schlichter Stil ohne feste Regeln: der

nage'ire-Stil, «Stil der hineingeworfenen Blumen». Diese Richtung ordnet die Pflanzen in Vasen oder anderen schlanken, hohen Gefäßen ungekünstelt-natürlich an. Über den nage'ire-Stil fand die «Teeblumenkunst» auch Eingang in den seika-Stil, «Stil der Lebenden Blumen», der sich um 1730 herausbildete. Selbst der älteste Ikebana-Stil, der aufwendig und prächtig arrangierte rikka-Stil, «Aufgestellte Blumen», nahm Einflüsse der «Teeblumen» auf und schuf ein einfacheres Arrangement, das aus einfarbigen Pflanzen nur einer Sorte besteht (isshiki-mono).

Eine gleichermaßen unmittelbare Verbundenheit mit dem Zen-Buddhismus wie bei den Begründern des Tee-Wegs und vieler heutiger Teemeister, die Zen praktizierten bzw. praktizieren, gibt es beim Blumen-Weg zwar nicht. Dennoch war die Ausstrahlungskraft des Zen so mächtig, daß seine Anschauungen auch in die Blumenkunst über die Zen-Poesie, Tuschmalerei und die «Teeblumen» ihren Einzug hielten und dort unübersehbare Spuren hinterließen. Insofern stellt gerade Ikebana ein beredtes Beispiel für die kulturschaffende Kraft des japanischen Zen-Buddhismus dar.

Literaturauswahl

Graefe, Ayako: Das Ikebana-Buch. Stuttgart 1982.
Herrigel, Gustie Luise: Der Blumenweg. München 1964.
Mittwer, Henry: The Art of Chambana. Tôkyô 1974.
Wittig, Hildegard Hôka und Horst E.: Ikebana. Japanische Blumenkunst. Oldenburg-Wiefelstede 1990.

Zen-Buddhismus und Tee-Weg

In Japan existiert eine einzigartige Kunstform: der Tee-Weg. Im Westen wird sie manchmal als «Teezeremonie» bezeichnet. Dieser Ausdruck ist jedoch unglücklich gewählt, denn weder ist die Teekunst ein religiöses Ritual oder gesellschaftliches Zeremoniell, noch ist sie auf den bloßen Aspekt der Aktion beschränkt. Wir verwenden daher den japanischen Begriff «Tee-Weg».

An der Entwicklung dieses spirituellen und künstlerischen Schulungsweges waren viele Faktoren beteiligt. Eine Hauptrolle spielte hierbei der Zen-Buddhismus.

Schon in China hatte der Ch'an (Zen)-Meister Pai-chang Huai-hai (749-814) eigens Regeln für das Teetrinken in seine Klosterordnung aufgenommen. So wurde es als Stimulans für lange Meditationsstunden oder als Trank in rituellen Zeremonien zu einem festen Bestandteil im Leben der Ch'an (Zen)-Mönche. Dôgen (1200-1253) brachte im Jahre 1227 von einer Chinareise die Sôtô-Zen-Schule nach Japan mit zurück. Für sein eigenes Zen-Kloster übernahm er großenteils die Teeregeln des Pai-chang Huai-hai, die er in China kennengelernt hatte.

Durch nachfolgende japanische Zen-Meister entwickelte sich auch die zen-buddhistische Teezeremonie (sarei) weiter. Sie wurde an Gedenktagen für den legendären Begründer des Zen-Buddhismus in China, Bodhidharma (gest. zwischen 528 und 534) oder des jeweiligen Tempelgründungsabtes sowie bei der feierlichen Einsetzung eines Abtes durchgeführt.

Dieser im wahren Sinne als Teezeremonie zu bezeichnende religiöse Akt mit seinen festen Regeln der Teezubereitung und des Teetrinkens sowie seiner andächtig-ruhigen Atmosphäre bildete eines der Elemente, die zur Ausformung des Tee-Wegs beitrugen.

Ein weiterer, eher äußerlicher Einfluß aus dem Zen-Bereich stellt die Übernahme des Wohnraumes dar, den ein Abt im Zen-Kloster bewohnte. Dieser «Studierzimmer» (shoin) genannte Raum war mit einem Erker versehen, der ein Fenster aufwies und einen Schreibtisch barg. In einer Art Altarnische stand eine Statue des Bodhidharma. Die Schwertadligen übernahmen diesen Raum im 14. Jahrhundert in ihren Wohnkomplex, wobei sich die Altarnische zur Bildnische, tokonoma, wandelte. Sie veranstalteten ihre Teezusammenkünfte bevorzugt in diesem «Studierzimmer».

Für die Ausformung des «Teestils des Studierzimmers» (shoin no cha) war der vielseitig begabte Künstler Nôami (1394-1471) von großer Bedeutung, der als künstlerischer Berater in Diensten der Ashikaga-Militärregenten stand. Er schuf spezielle Regeln hinsichtlich der Einrichtung des Studierzimmers und der Verwendung bestimmter Gegenstände und Teeutensilien. In der tokonoma hingen Rollbilder, davor stellte man ein Räuchergefäß, eine Vase mit Blumen und einen Ker-

zenleuchter auf. Diese drei Elemente stammen aus der Tradition des buddhistischen Altarschmucks. Speziell aus dem Zen-Kloster entlehnt war das von Nôami erstmals im profanen Bereich verwendete tragbare Regal daisu, das aus einer Ober- und einer Unterplatte besteht. Die verwendeten Teeutensilien waren sehr kostbar; viele stammten aus China. Man genoß in ruhiger Atmosphäre den Tee und erfreute sich an den Kunstgegenständen.

Nôami stellte außerdem Vorschriften für die Etikette im Teeraum auf, die dem Schwertadel gemäß waren, regelte doch das gesamte Leben der Krieger, der samurai, ein strenger Verhaltenskodex. Dieser war von den Klosterregeln des Zen-Mönchs Dôgen mit ihrer einfachen und disziplinierten Lebensweise geprägt.

Nôamis «Tee im Stil des Studierzimmers» war bereits hochstilisierte Teekunst, aber noch nicht im Sinne des Tee-Wegs, der Schulungsweg und Gesamtkunstwerk zugleich darstellt.

Dazu sollte er sich erst durch die drei Teemeister Murata Jukô (Shukô, 1422-1502), Takeno Jôô (1502-1555) und Sen no Rikyû (1521-1591) entwickeln, die dem Zen-Buddhismus eng verbunden waren. Ihre Erkenntnis, daß auch in den kleinsten Begebenheiten des Alltagslebens, wie die Zubereitung und der Genuß von Tee, die Möglichkeit höherer Seinserfahrung liegt, war vor allem von zwei großen Zen-Mönchen inspiriert: Dôgen und Ikkyû Sôjun (1394-1481).

Nach Dôgens Lehre ist die Erscheinung das Absolute. Der allumfassende Buddha-Geist schwebt nicht hierarchisch über der Welt der Erscheinungen, vielmehr sind beide wesensmäßig eins: Steine, Pflanzen, Tiere, Menschen, Erde und Weltall sind nichts anderes als die Buddha-Natur.

Garten mit Teehäusern der Oribe- und Rikyû-Schulen und dazugehörigen Anlagen (Warteraum, Toilette, Trittsteine, Steinlaternen, Brunnen usw.). Staatliches Museum für Völkerkunde München. (Inv. Nr. S. 1110a, Slg. Siebold)

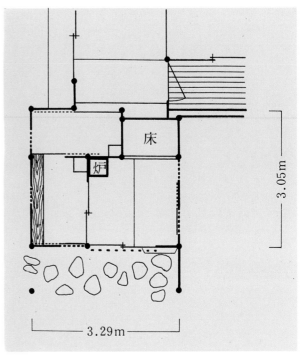

Grundriß des Teehauses Taien. In der Mitte ist die Herdstelle eingezeichnet, die im Photo in der linken unteren Ecke zu erkennen ist. Rechts davon die mit einer Tatami ausgelegte Bildnische (tokonoma).

Eingang zu Rikyûs berühmtem Teehaus Taien im Myôkian, Kyôto. 2. H. 16./1. H. 17. Jh.

Alles ist dabei in ständigem Wandel begriffen. Dôgen betont deshalb die Wichtigkeit eines jeden Augenblicks, ist doch in jedem Seinsmoment der Erscheinung die Buddha-Natur gegenwärtig. In diesem Sinne ist für die Teemeister jede Teezusammenkunft kostbar, weil einmalig und unwiederholbar. Wenn aber jeder Augenblick wichtig ist, so muß es auch denen, die mitten im Alltagsleben stehen, möglich sein, den von Buddha gewiesenen Weg zu gehen. Dôgen lehrte: «Glaube nicht, daß das alltägliche Tun ein Hindernis ist; es gibt keinen Buddhismus außerhalb des tagtäglichen Lebens.» Die Erleuchtung im Alltäglichen, das Erkennen des Absoluten in der rastlos werdenden und vergehenden Welt war Dôgens Schulungsziel.

Ikkyû ging noch einen Schritt weiter. Der Abgeschiedenheit hinter Klostermauern zog er ein Leben als Wandermönch vor. Er lebte mit dem Volk, aß Fleisch und Fisch, war dem Reiswein zugetan und liebte die Frauen – ein radikaler Bruch mit allen gewohnten Zen-Konventionen. Für Ikkyû war jeder Lebensbereich «so, wie er ist» (*sono mama*) gleich mit der Buddha Natur. Alle Menschen, welchen Standes auch immer, galten ihm gleich. Ihm ging es darum, möglichst viele in ihrem Streben nach Erleuchtung zu bestärken – eben an dem Ort, an den sie das Leben gestellt hatte.

Der Teemeister Murata Jukô war selbst Zen-Mönch geworden und studierte Rinzai-Zen unter Ikkyû. Damit begann die Lehre des Zen eine zentrale Rolle für die Teekunst zu spielen. Jukô, mit Nôami befreundet, beherrschte dessen «Teestil des Studierzimmers». Sein eigenes Konzept der Teekunst unterschied sich jedoch entscheidend von dem seiner Vorgänger. Er verkleinerte den Teeraum und damit die Anzahl der Teilnehmer an einer Teezusammenkunft und dekorierte ihn sparsamer. Jukô war es auch, der als erster die

Bildnische *tokonoma* mit einer Zen-Kalligraphie schmückte, die er von Ikkyû als Anerkennung für seine Fortschritte im Zen anstelle des üblichen Erleuchtungssiegels empfangen hatte. Zwar verwendete er noch vorwiegend Teegeräte chinesischer Herkunft, entwickelte aber zunehmend eine Vorliebe für nicht vollkommene, etwas gröber gearbeitete japanische Keramiken. Daß es bei ihm nicht mehr darum ging, die erlesene Schönheit der eleganten, symmetrischen und farbenfrohen chinesischen Kostbarkeiten zu goutieren, bezeugen die fünf Verhaltensregeln, die er in einem Brief an einen Schüler darlegte. Die letzten beiden lauten: «4) Die Teegeräte sollen sich danach richten, ob es sich um junge oder alte Menschen handelt. 5) Wenn man in den Teeraum einkehrt, sollen die Herzen von Gast und Gastgeber ganz ruhig werden und sich keinesfalls durch andere Gedanken ablenken lassen. Das ist das wichtigste, in seinem Herzen zu verweilen und nichts Äußerliches in Anspruch zu nehmen.»

Unversehens hatte sich die Teekunst zu einem künstlerisch-spirituellen Schulungsweg außerhalb der Klostermauern gewandelt: dem Tee-Weg. In einem anderen Brief Jukôs heißt es dazu:

Bildnische (tokonoma) des Teehauses Ennan, Kyôto. 1. H. 17. Jh., verlagert 1831.

«Das Schlimmste auf diesem Weg sind Hochmut und Selbstsucht des Herzens. Ebenso verwerflich ist es, den erfahrenen Meister zu beneiden und auf den Anfänger verächtlich herabzusehen. Mit dem erfahrenen Meister soll man engen Umgang pflegen und um seine Unterweisung bitten, dem Anfänger jedoch soll man in jeder erdenklichen Weise zur Entfaltung seiner Möglichkeiten verhelfen. Für diesen Weg ist es wichtig, die Grenzen zwischen Japanischem und Chinesischem zu verwischen; darauf ist unbedingt achtzugeben. Weiterhin ist es unverzeihlich, wenn die Anfänger heutzutage Teegefäße aus Bizen- und Shigaraki-Keramik benutzen, dabei vom ‹Kühl-Verdorrten› sprechen und diese Gefäße sehr schätzen, auch wenn andere sie nicht anerkennen. ‹Verdorrtes› bedeutet, gute Teeutensilien zu besitzen, sie genau zu kennen und aus tiefstem Herzensgrund zu würdigen; so werden sie auch in Zukunft ‹kühl-abgezehrt› und reizvoll bleiben. Das ist zwar wahr, aber ein Mensch, der das nicht vermag, sollte möglichst nicht an Teeutensilien haften. Es ist wichtig, daß auch ein noch so großer Meister in Demut seine Unzulänglichkeiten beklagt. Es ist schlecht, wenn man nur von sich eingenommen ist. Aber andererseits ist Selbstvertrauen auf diesem Weg ebenfalls notwendig. In einem weisen Spruch heißt es: ‹Werde Herr deiner Gesinnung und laß nicht deine Gesinnung Herr über dich werden!›»

Wer seinen Geist nicht in der rechten Weise geläutert hat, das heißt, durch unablässige Schulung alle Egoismen, Begierden und alles Verhaftetsein hat «abkühlen und verdorren» lassen, der folgt nur äußerlich einer Mode und macht sich lächerlich.

Auf Jukô gehen auch die vier Ziele der geistigen Schulung zurück, die zu Grundpfeilern des Tee-Wegs werden sollten. Das erste Ziel ist die Besonnenheit, das heißt, allen Wesen und Dingen die ihnen gebührende Beachtung zu gewähren. Sen no Rikyû wandelte später den Begriff der Besonnenheit in den der Harmonie ab. Das zweite Ziel ist die Ehrfurcht oder Ehrerbietung, die allen anderen Menschen gilt und auf einer demütigen Haltung beruht. Das dritte Ziel ist die Reinheit; dieser Begriff schließt äußerliche und innerliche Vorstellungen ein: Wie sich der «Teemensch» äußerlich zeremoniell Hände und Mund vor dem Betreten des Teeraumes reinigt, so muß er sich auch einer inneren, geistigen Reinigung unterziehen. Das vierte Ziel ist die Stille, die ebenfalls einen Doppelaspekt besitzt: die äußere Stille des Teeraumes und die Stille der Herzen der Teilnehmer.

Jukô hatte die Ausstattung des Teeraumes so vereinfacht, daß man seinen Teestil als «Tee der Einsiedlerhütte» (*sôan no cha*) bezeichnete. Takeno Jôô, der die zweite Stufe der Vollendung des Tee-Wegs markiert, ließ dann wirklich eine Teehütte errichten, zu der man durch einen Garten gelangte. Diesen Garten nannte man *roji*; dieser Ausdruck bedeutete ursprünglich «auf dem Wege» oder «Gasse». Übrigens ersetzte man ihn erst gegen Ende des 17. Jahrhunderts durch

einen anderen, gleichlautenden Begriff aus der buddhistischen Terminologie, der «taubedeckter Pfad» bedeutet. Seit
Jôô bezeichnet der Gartenpfad den Übergang von der alltäglichen, äußerlichen Welt zu einem «geheiligten Ort», dem
Teeraum. Die Beziehung zum Zen besteht auch hier nicht
von ungefähr, widmete sich doch Jôô, ein wohlhabender
Kaufmann aus Sakai, intensiv dem Zen-Studium. Jôôs Schüler
und der dritte in der Folge der großen Teemeister, Sen no
Rikyû – er studierte ebenfalls sein Leben lang Zen – benutzte
später zur Charakterisierung des Gartens einen Zen-Ausdruck
für den Zustand der Erleuchtung: «Diesen Garten bezeichnen die buddhistischen Mönche als Durchgangsort, der den
Zustand kundtut, in dem ursprünglich kein einziges Ding existiert.»

Die enge Verbindung von Teekunst und Zen-Lehren geht
auch aus den Jôô zugeschriebenen *Regeln für die Schüler
von Jôô* hervor; dort heißt es zum Beispiel: «Wer ein Tee-
Liebhaber ist, der sollte vor allem nach der *wabi*-Gesinnung
eines Einsiedlers streben, dazu den Sinn der Buddha-Leh-
re verstehen und ein Gespür für die Stimmung von Gedichten
besitzen. Einsamkeit ist angemessen und entspricht diesem
Weg.»

*Der Teemeister Sen no Rikyû. Holzskulptur mit Farbfassung.
Daitokuji, Kyôto.*

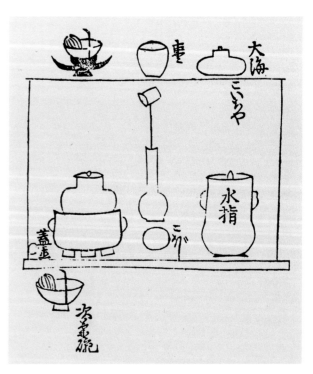

*Zwei Beispiele von Anordnungen des Teegeräts für eine Teezeremo-
nie von Sen no Rikyû. Aus: Sen no Rikyû dai-jiten, Tôkyô 1989,
S. 589 und 631.*

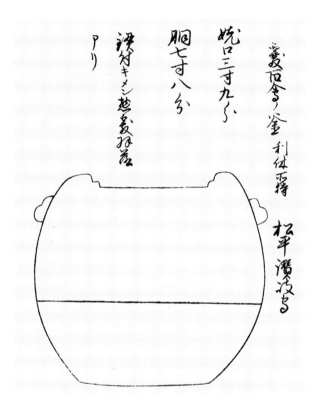

Teekessel (chagama), Gußeisen, H: 22,4 cm. Im Besitz der Matsudaira-Familie. Aus: Sen no Rikyû dai-jiten, Tôkyô 1989, S. 284.

Teekessel (chagama), in dem von Sen no Rikyû bevorzugten Typus Arare hyaku-kai gama. Besitz von Matsudaira Sanuki-no-kami. Aus: Kokon meibutsu ruijû (Sachbuch für Teegerätschaften des 16.-18. Jh.), Matsudaira Fumai (Verf.), 22,3 x 17,5 cm. Edo 1791, Bd. 14. Kunstbibliothek Berlin PK. (Sign. B 11-DA 8599)

In dem hier verwendeten Begriff *wabi* konzentriert sich das Ideal der von Jôô und Rikyû vertretenen Teekunst. *Wabi* meinte ursprünglich einen Zustand des Mangels, Verlustes oder Verlorenseins. Später wandelte es sich zu der Erfahrung der Schönheit des Flüchtig-Vergänglichen, Ärmlichen und Einsamen. Es wurde zu einem ethisch-ästhetischen Ideal, zum Ausdruck der menschlichen Existenz, die zugleich immer auch künstlerisch gedacht war. In diesem Sinne nannte man den «Teestil der Einsiedlerhütte» auch «*wabi*-Teestil» (*wabicha*). Jôô schrieb über *wabi* in einem Brief an Rikyû: «Der Ausdruck *wabi* wurde schon von den Menschen vergangener Zeiten auf vielerlei Weise in ihren Gedichten besungen, aber heutzutage bedeutet *wabi* eine Haltung der Aufrichtigkeit, strenger Selbstbeherrschung und Anspruchslosigkeit.» Daß es beim «*wabi*-Teestil» nicht auf Äußerlichkeiten ankam, bezeugte Rikyû, der Vollender des Tee-Wegs, in einem seiner Gedichte über kostbares Teegerät: «Ist es vorhanden: gut, / gibt es keins: dann nicht; / handeln wir

gerade so, / wie es ist, / dann ist es wahre Teekunst.» Hier folgt Rikyû der Lehre des Zen-Meisters Ikkyû, daß alles «so, wie es ist», die Möglichkeit zur Verwirklichung der Erleuchtung in sich birgt.

Rikyû entwickelte auch den niedrigen Eingang *nijiriguchi* zum Teeraum, durch den Hoch und Niedrig gleichermaßen gebückt eintreten mußten. Alle Teilnehmer befanden sich zumindest für die Zeit der Teezusammenkunft auf einer Stufe, so wie vor Buddha alle Menschen gleich sind. Jôô und noch stärker Rikyû liebten das Einfach-Schlichte: Deckeluntersetzer, Teelöffel und Vasen aus Bambus, unregelmäßige Keramiken mit rauher Oberflächenstruktur und bäuerlich wirkende Teehäuschen mit Lehmwänden und Schilfgrasdach, die allerdings von raffiniertem Understatement geprägt waren, denn die unscheinbar wirkenden Materialien waren sorgfältig ausgesucht und keineswegs billig.

In den *Aufzeichnungen des Mönchs Nambô,* die Rikyûs grundlegende Gedanken zum Tee-Weg überliefern, heißt

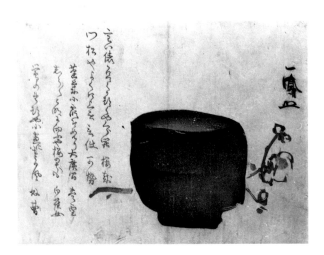

*Teeschale. Ippô (1798-1871). Farbholzschnitt, Glückwunschblatt
(surimono), 18,3 x 25 cm. Museum für Ostasiatische Kunst SMB
(Inv. Nr. 6265-03.597).*
*Ein sog. Neujahrs-Surimono, das eine schwarze Teeschale vor
einem Pflaumenblütenzweig zeigt. Das Erkennen der Pflaumenblüten
im Lichte des langsam heller werden Morgenhimmels gehört zu den
Topoi der charakteristischen Neujahrsereignisse. Teeschalen
wie diese wurden bei Teezusammenkünften benutzt und galten seit alters
als besondere Kostbarkeiten. (Vgl. Steffi Schmidt; Setsuko Kuwabara: Surimono. Dietrich Reimer Verlag: Berlin 1990, S. 120)*

*«Is das und trink Tee!». Sengai Gibou (1750-1838). Tusche auf
Papier, 26 x 42 cm. Idemitsu Sammlung, Tôkyô.*

es: «Die Teekunst im Stil des kleinen Teeraums ist vor allem eine Schulung und Verwirklichung des Weges im Geiste des Buddhismus.» Zahlreiche andere Passagen zeigen den Zen-Einfluß deutlich, darunter die folgenden: «Unter dem Zubehör für die Teekunst ist nichts wichtiger als das Hängerollbild. Es ist der Gegenstand, durch den sowohl Gast als auch Gastgeber, nachdem sie ihren Geist ganz gesammelt und alle alltäglichen Gedanken abgestreift haben, sich ganz auf die Kunst des Tees konzentrieren und so den Weg verwirklichen. Dazu ist die Kalligraphie eines Zen-Meisters am besten geeignet.» Oder: «Darüberhinaus ist es auch für Gastgeber und Gäste von größter Wichtigkeit, reinen, klaren Geistes zu sein. Aber es geht eben nicht darum, nur während einer bestimmten Teegesellschaft seinen Geist rein und klar zu halten. Denn der Tee-Weg selbst ist seinem Wesen und seiner wahren Bedeutung nach ein Weg der spirituellen Erweckung und Verwirklichung, der von Menschen, die sich nicht geläutert und von irdischen Verhaftungen befreit haben, nur schwer zu begehen ist.» Das erste Kapitel schließt mit den Worten: «Das, was wie die bloße Lehre des Tee-Wegs erscheinen mag, ist in Wirklichkeit der erleuchtete Weg Buddhas und der großen buddhistischen Patriarchen. Seien sie gepriesen!»

Auch viele spätere Teemeister, beispielsweise Furuta Oribe (1544-1615), Kobori Enshû (1579-1647) oder Sen no Sôtan (1578-1658), waren Anhänger des Zen und bis heute sind unzählige Teemeister dem Zen verbunden.

So gewannen im Teestil des *wabicha* die Zen-Lehren im Geiste von Dôgen und Ikkyû ihre künstlerische Gestalt: Inmitten des alltäglichen Lebens entsteht durch einen Gartenpfad, eine bäuerliche Hütte, das Feuermachen, Teekochen und Teetrinken ein «geheiligter Ort der Erleuchtung». Das menschliche Sein «so, wie es ist» vollzieht sich in der Teezusammenkunft auf künstlerische Weise und vereint dabei das Profane und das Heilige.

Literaturauswahl

Ehmcke, Franziska: *Der japanische Tee-Weg*. Bewußtseinsschulung und Gesamtkunstwerk. Köln 1991.
Hammitzsch, Horst: *Zen in der Kunst der Teezeremonie*. Bern, München, Wien 1980.
Izutsu, Toshihiko und Toyo: *Die Theorie des Schönen in Japan. Beiträge zur klassischen japanischen Ästhetik*. Hrsg. und übers. von Franziska Ehmcke. Köln 1988.
Okakura, Kakuzo: *Das Buch vom Tee*. Übers. von Horst Hammitzsch. Frankfurt/Main 1979.

Ein Mönch bereitet den Tee vor für die Priester nach dem Sûtrenrezitieren am 15. jeden Monats. Tenryûji, Kyôto.

Servieren von Tee für die Priester nach dem Sûtrenrezitieren. Tenryûji, Kyôto.

Zen-Buddhismus und Nô

In wissenschaftlichen Werken über das Nô in westlichen Sprachen wird häufig der transzendentale, rational nicht faßbare Charakter dieser Theaterform betont. Die Titel und Werke von Oscar Benl[1] und René Sieffert[2] mögen stellvertretend für die Sehweise vieler westlicher Autoren stehen.

Nicht nur bei den als künstlerisches Familienerbe tradierten theoretischen Schriften aus der ersten Hochzeit des Nô, sondern auch bei der Behandlung der materiellen Zeugnisse, vor allem der Masken, steht das angeblich so Unergründliche im Vordergrund westlichen und auch japanischen Interesses.[3] Dieses Erstaunen, diese Ehrfurcht vor dem Geheimnisvollen, aber auch die Tatsache, daß das Nô fast genau zu der Zeit zu einer ersten Blüte gelangte, als der Zen-Buddhismus zum dominierenden ästhetischen Prinzip der japanischen Hochkultur schlechthin wurde, lassen es gerechtfertigt erscheinen, sich mit dem Einfluß des Zen auf das Nô näher zu befassen.

Die dramaturgische Grundstruktur

Die dramaturgische Grundstruktur fast aller rund 250 Stücke, die sich noch heute im Repertoire der vier großen Richtungen Kanze, Ôkura, Hôshô und Kongo befinden, zielt auf größtmögliche Schlichtheit ab: Ein nicht maskierter Deuteragonist[4] (*waki*), oft in der Rolle eines buddhistischen Mönches, tritt auf, nennt seinen Namen, den Ort und den Anlaß der Handlung und bereitet dergestalt den Auftritt des Protagonisten, des *shite*, vor. In vielen Fällen handelt es sich bei der Rolle des *shite* um eine bereits verstorbene Person, deren Seele noch mit einem seelischen Problem, etwa brennender Leidenschaft, Eifersucht, Rachedurst, unerfüllter Liebe o.ä. behaftet ist, deshalb keine Ruhe findet und nicht ins Nirvâna eingehen kann. Dem Zyklus der Wiedergeburt unterworfen erscheint sie dem *waki* als Mensch dieser Welt. Durch stilles Zuhören beziehungsweise Zuschauen bei einem ersten Tanz oder durch Zureden gelingt es dem *waki*, seinen Gegenspieler aus der Reserve zu locken, damit dieser schließlich seine wahre Identität preisgeben kann. Danach zieht sich der Protagonist kurz zurück. Die so entstandene Pause wird entweder durch Gesang und Rezitation des meist achtköpfigen Chores oder durch umgangssprachliche Erklärungen eines *ai-kyôgen*-Spielers überbrückt – Sprache und Rezitation der Hauptspieler und des Chores waren bereits zur Zeit der Entstehung des Nô bis hin zur Unverständlichkeit stilisiert und überhöht.

Inzwischen hat sich der Darsteller des *shite* umgezogen und erscheint nun in der wahren Gestalt der Figur. Sinn des nun folgenden Tanzes ist, in der Maske der Leidenschaft dem *waki* gegenüber die Erregung nach außen zu kehren

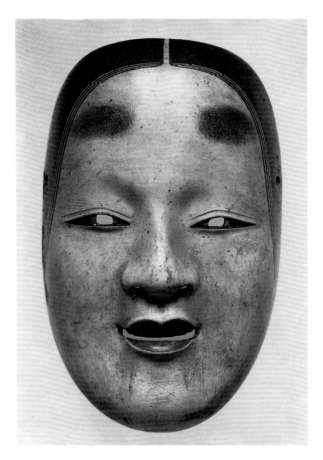

Nô-Maske (Typus Ko-omote). Holz mit Leimfarben auf Kreidegrund. Japan, Edo-Zeit, 17. Jh. (?). H: 20,6 cm. Ehem. Slg. Hayashi. Museum für Ostasiatische Kunst SMB (Inv. Nr. 917).
Das wohl am intensivsten von der europäischen Kultur rezipierte Element des Nô ist das der Maske, die man als Inbegriff der japanischen Kultur des ausgehenden Mittelalters bezeichnen muß. Ein geschickter Schnitzer wird der Maske eine Seele, einen geheimnisvoll-gelassenen oder überirdisch erregten Gesichtsausdruck mitgeben. Der Nô-Schauspieler haucht ihr Leben ein, indem er, durch Heben oder Senken des Gesichts, ihren Ausdruck verändert und durch das Vorhalten der Hand die Maske gar zum «Weinen» bringen kann. Die hier abgebildete Maske Ko-omote versinnbildlicht eine junge Frau. Dem Schönheitsideal des 14. und 15. Jahrhunderts entsprechend sind die Augenbrauen sehr hoch angesetzt und die Zähne schwarz gefärbt. Ko-omote-Masken tragen zum Beispiel die Geister im Stück Momijigari (Ahorn-Jagd, vgl. Abb. S. 76), die als junge Frauen erscheinen, um den Krieger Taira Koremochi zu umgarnen, der gekommen ist, um das bunte Herbstlaub zu bewundern. (TL)

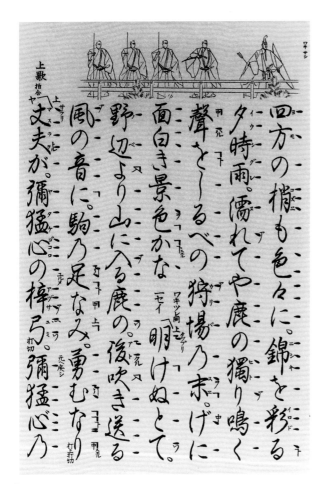

Die Eröffnungsszene des Stückes Kosode Soga (Die Gewänder der Soga-Brüder).
Der Vater der Soga-Brüder ist schon vor langer Zeit ermordet worden. Zwar haben seine Söhne Jûrô und Gorô stets auf Rache gesonnen, sich aber bis jetzt immer den Anweisungen ihrer Mutter gebeugt. Anläßlich einer Treibjagd bei Hofe bietet sich nun die Gelegenheit, den Mörder endlich zu stellen. Die Mutter ist jedoch nicht damit einverstanden, daß der jüngere Sohn zu diesem Zweck sein Mönchtum aufgibt und sich in den Laienstand zurückversetzen läßt.
Das Stück beginnt mit dem Auftritt der Mutter und der Amme, die sich am Wakibashira (siehe Abb. S. 78) niederlassen. Dann treten Jûrô als Hauptdarsteller (shite) und Gorô als Begleiter (tsure) mit ihren jeweiligen Gefolgsleuten Danzaburô (rechts) und Oniô über den Hashigakari auf. (TL)
Aus Hôshô Kurô: Hôshôryû tokusei (Regieanweisungen der Hôshô-Schule), 1. Band. Tôkyô 1961, S. 1.

Die Sprache des Nô, das Idiom des Schwert- und Hofadels des 15. Jahrhunderts, wird auch von gebildeten Japanern heute nicht mehr verstanden, zumal der Text voller Anspielungen auf chinesische und japanische Lyrik steckt. Dies gilt besonders für die Utai-Rezitation des Chores. Die einzelnen Nô-Schulen geben deshalb Regie-Bücher heraus, mit denen nicht nur der Text, sondern in einer Kopfleiste auch die entsprechenden Positionen bzw. Tanzschrittabläufe mitverfolgt werden können. (TL)
Regieanweisung zum Nô-Stück Momijigari (Ahorn-Jagd) von Kanze Nobumitsu (1435-1516). Rev. Ausgabe von Kanze Sakon. Tôkyô 1965.

– die Nähe zur psychotherapeutischen Bewegungstherapie ist unverkennbar! Schließlich kann die Seele beschwichtigt werden und findet endlich Ruhe. Während des Tanzes hat der Chor die Worte des *shite* übernommen. Große Trommel (*taiko*), große und kleine Handtrommel (*ôtsuzumi* bzw. *kotsuzumi*) und manchmal eine schrill klingende Flöte (*nôkan*) geben den Tanzrhythmus vor. René Sieffert[5] hat das Nô deshalb als «langes gesungenes und dargestelltes Gedicht mit orchestraler Begleitung, das im allgemeinen durch einen Tanz oder mehrere Tänze unterbrochen wird, die jedoch in keinem Zusammenhang mit dem Sujet (der Handlung) zu stehen brauchen», zu definieren versucht.

Die Nô-Bühne

Die Handlung findet auf einer quadratischen Bühne statt, die nach (vom Zuschauer aus gesehen) rechts und hinten erweitert ist. Dort haben der Chor bzw. die Musiker ihren Platz. Die Bühne ist überdacht, das mit Reisstroh gedeckte Giebeldach wird von vier Pfeilern getragen, die dem durch die Maske in seinem Gesichtsfeld eingeengten *shite* als Orientierungshilfen dienen. Ein weiteres wesentliches Merkmal der Nô-Bühne ist der *hashigakari*, ein brückenartiger Auftrittssteg, der in stumpfem Winkel auf die linke hintere Ecke der Hauptbühne zuläuft. Auch er ist überdacht; das Dach wird von Pfeilern getragen, die als Positionsmarkierungen dienen und ist durch ein niedriges Geländer gesichert. Drei

恩
顔
を
拜
せ
ね
ば

Die Mutter weigert sich zunächst, den jüngeren Sohn überhaupt zu empfangen, da er gegen ihren Willen verstoßen hat. Der ältere Sohn versucht, sie umzustimmen: Die Aufgabe, den Mörder zu überführen und Rache zu üben, sei so groß und schwierig, daß er unbedingt der Hilfe seines Bruders bedürfe. Wenn sie darauf bestünde, ihn, Jûrô, allein ziehen zu lassen, bedeute dies, daß sie

ihn nicht liebe und die Rache nicht wirklich aus vollem Herzen bejahe. Beide Söhne verneigen sich vor der Mutter und erwarten ihr Urteil. (TL)
Aus Hôshô Kurô: Hôshôryû tokusei (Regieanweisungen der Hôshô-Schule), 1. Band. Tôkyô 1961, S. 19.

Kiefern, die jeweils zwischen den dem Zuschauer zugewandten Pfeilern stehen, helfen dem maskierten *shite*, seine Position auf der Brücke ziemlich exakt feststellen zu können.

Wichtig ist noch, daß die Bühne bis auf eine große auf die geschlossene Rückwand gemalte Kiefer (*matsu*) dekorationslos bleibt. Ganz selten schieben Bühnengehilfen abstrahierte Versatzstücke, ein Boot, einen Torbogen als Symbol eines Palastes oder ähnliche Gegenstände auf die Bühne. Die Schauspieler agieren lediglich mit dem Fächer, der Gegenstände wie Schwert, Schöpfkelle etc. symbolisiert, gleichzeitig aber auch die Tanzbewegungen größer erscheinen läßt.

Der Tanz selbst ist – im Unterschied etwa zum europäischen Ballett – stets zum Erdmittelpunkt hingerichtet: nicht der Sprung, sondern das Aufstampfen und das Gleiten mit leicht gewinkelten Knien über den polierten Boden gelten als ästhetische Maxime.

Die Entstehung des Nô

Nach innen gerichtet, zentripetal, «klassisch» hat Kawatake Toshio das Nô klassifiziert[6], Kriterien, die – oft unreflektiert – auch für die Beschreibung des Zen in Anspruch genommen werden. Der hohe Grad von Stilisierung und Abstraktion kann aber nicht der einzige Grund für die Apostrophierung von Einflüssen des Zen auf das Nô sein.

Zum besseren Verständnis müssen wir in die Zeit der Entstehung des Nô zurückgehen. Die Elemente, aus denen die auf uns gekommene Theaterform im 14. und 15. Jahrhundert raffiniert wurde, stammen teils aus beim Reispflanzen getanzten Volkstänzen und der Unterhaltung, die sich daraus entwickelte (*dengaku*), teils aus professionellem zirzensischem «Entertainment» (*sarugaku*), teils aus vom niederen buddhistischen Klerus bei Festbanketten erst nur in Dialogform gesprochenen, später auch tänzerisch-pantomimisch vorgeführten Lehrsätzen des Buddhismus (*ennen*).

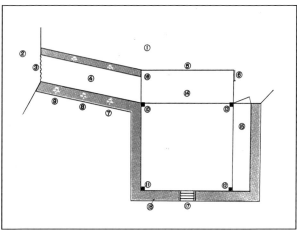

Von soviel Engagement und Bruderliebe gerührt, stimmt die Mutter
endlich zu, verzeiht ihrem jüngeren Sohn Gorô und läßt die beiden
Brüder ziehen, die zunächst vor Freude weinen und dann, trunken
vor Glück, einen Tanz – angedeutet durch die choreographischen
Angaben links im Bild – aufführen. (TL)
Aus Hôshô Kurô: Hôshôryû tokusei (Regieanweisungen der Hôshô-
Schule), 1. Band. Tôkyô 1961, S. 21.

Schematische Darstellung der Nô-Bühne
    1. Garderobe (gakuya).
    2. «Spiegelzimmer» (kagami no ma), in dem sich der Hauptdar-
steller ankleidet und die Maske aufsetzt.
    3. «Hebevorhang» (agemaku), der das Spiegelzimmer und die
Auftrittsbrücke trennt.
    4. Auftrittsbrücke (hashigakura).
    5. «Spiegelbrett» (kagami ita); die mit einer japanischen Kiefer
(matsu) geschmückte Rückwand. Von der Kiefer aus schauen die
Götter dem Spiel zu.
    6. Eingang (kirido guchi); niedriger, mit einer Bambusdarstellung
geschmückter Eingang, durch den die Chormitglieder bei Auftritt
und Abgang schlüpfen.
    7. Erste Kiefer (ichi no matsu); eines von drei Kiefernbäumchen, die
als Orientierungshilfe für den Hauptdarsteller dienen, der wegen der
kleinen Sehschlitze in der Maske in seinem Gesichtsfeld behindert ist.
    8. Zweite Kiefer (ni no matsu).
    9. Dritte Kiefer (san no matsu).
    10. Pfeiler des Shite (shite bashira), an dem der Hauptdarsteller
nach seinem Auftritt zunächst verharrt.
    11. Fixpunkt-Pfeiler (metsuke bashira), Orientierungshilfe für den
Hauptdarsteller auf der Hauptbühne, besonders beim Tanz.
    12. Waki-Pfeiler (waki bashira), an dem sich der Nebendarsteller
niederläßt.
    13. Pfeiler des Flötenspielers (fue bashira), in dessen Nähe der
Flötenspieler des Hayashi-Orchesters sitzt.
    14. Platz für das Orchester (hayashi-za), d. h. drei Trommel- und
(nicht immer) ein Flötenspieler.
    15. Platz für den meist aus acht Sängern bestehenden Chor (jiutai
za).
    16. Platz für den Bühnengehilfen bzw. einen älteren Shite, der das
Nô-Spiel zu Ende führt, falls dem Hauptdarsteller etwas zustößt
(kôken za).
    17. Dreistufige Treppe (kizahashi), die auf die Hauptbühne führt,
aber niemals benutzt wird.
    18. Kieselsteine (shirasu), die am Bühnenrand verstreut sind, um
weiches Tageslicht auf die Bühne zu reflektieren. (TL)

In der ersten Blütezeit des Nô im frühen 15. Jahrhundert war das Spiel ganz auf den Fürsten bzw. Mäzen der Aufführung ausgerichtet. Die Schauspieler traten von der Hinterseite der Bühne über den dort befindlichen Hashigakari auf.

Der Prototyp der Nô-Bühne mit seitlichem Hashigakari, der auch heute noch verwendet wird, stand zunächst im Palast des Heerführers Toyotomi Hideyoshi (1536-1598), der als politischer Einiger Japans nach einer mehr als 150 Jahre währenden Phase innerer Unruhen berühmt ist. Hideyoshi gilt auch als einer der größten Förderer des Nô. Nach seinem Tode wurde die Bühne in den Nishi Honganji-Tempel in Kyôto transferiert.

Die Bühnen der großen Nô-Schulen und auch das Nô-Nationaltheater befinden sich heute in modernen Gebäuden westlichen Stils, haben aber ihre Gestalt nicht mehr verändert. (TL)

(Weitere Elemente können und brauchen hier nicht berücksichtigt zu werden.) Die Tänzer, zunächst Laien, später fast ausschließlich Professionelle, hatten sich im 13. Jahrhundert zu Schulen zusammengeschlossen und im Umkreis großer Tempel niedergelassen. Zum einen waren sie in diesen sogenannten Tempelsondersiedlungen weitestgehend von Steuern befreit, zum anderen boten die zahlreichen Tempelfeste genügend Gelegenheit, durch Aufführungen für den Lebensunterhalt der Truppen zu sorgen.

Kan'ami und Zeami

Zu dieser Schicht von Künstlern gehörten auch Kan'ami Kiyotsugu (1333–1384) und sein Sohn Motokiyo (1363–1443). Inzwischen hatten sich die Künste etabliert, verfestigt, kanonisiert und waren mit dem Suffix nô versehen worden, das ursprünglich soviel wie «Können», «Fähigkeit» bedeutet hatte. Kan'ami soll besonders zur musikalischen Vervollkommnung des Sarugaku beigetragen haben, während Motokiyo, der in der Darstellungskunst wie auch in den theoretischen Grundlagen erfahren war, als Vollender der Nô-Kunst schlechthin gilt. Im Jahr 1374 tanzten er und sein Vater in einem Tempel nahe der Hauptstadt Kyôto. Der Shôgun Ashikaga Yoshimitsu (1358–1408), wohl der größte Förderer der Künste seiner Zeit, holte den Elfjährigen an seinen Hof und verlieh ihm den Künstlernamen Zeami. Die Silbe ami weist auf eine Künstlergemeinschaft hin, die am Hof Yoshimitsus wirkte und sich nach Art der Jôdo-Schule des Amida-Buddhismus als Mönche kleidete. Hier findet sich ein erster Hinweis auf Zeamis Affinität zum Zen-Buddhismus, denn Yoshimitsu hatte sich mit den berühmtesten Künstlern seiner Zeit, etwa dem Poeten Nijô Yoshimoto (1319?–1388) umgeben. «Wie keine andere religiöse Bewegung hat das Zen einen tiefgreifenden Einfluß auf die japanische Kultur ausgeübt. ... Das breite Spektrum der vom Zen inspirierten sogenannten «Wege» (dô) reicht von der Teezeremonie über Dichtung, Malerei und Kalligraphie, Gartenbau und Blumenstecken bis zu Bogenschießen und Schwertfechten.»[7] In dieser geistigen, vom Zen-Buddhismus geprägten Atmosphäre am Hof des Ashikaga-Shôguns wuchs Zeami also heran

Der Krieger Minamoto no Yorimasa (siehe auch Abb. links) als Hauptdarsteller im Dialog mit dem Nebendarsteller, einem buddhistischen Priester; rechts der Chor. Auf der Auftrittsbrücke verharrt ein Ai-kyôgen-Spieler in formellem Kimono, der in manchen Stücken – so auch hier – während eines Zwischenspiels Erklärungen in der Umgangssprache der damaligen Zeit gibt oder durch Einwürfe und Handreichungen die Handlung vorwärtstreibt. (TL)

In der Kagami no ma (Spiegelzimmer) genannten Garderobe wird der Hauptdarsteller (shite) angekleidet. Das Bild zeigt Komparu Kintarô in der Rolle des Yorimasa. Das gleichnamige Stück handelt von einem Krieger, der die Macht des gegnerischen Clans durch einen Entscheidungskampf zu brechen sucht, schließlich aber, von der feindlichen Übermacht bedrängt, den Freitod wählt. Im ersten Teil des Stückes erscheint Yorimasa in der Verkleidung eines Bauern.
Die Gewandung des Nô ist stets edel; fast immer wird kostbarer Seidenbrokat verwendet. Ist die Rolle in niederen Schichten angesiedelt, wird dies mit nur sparsamsten Mitteln, hier einer Perücke, angedeutet, um den Gesamteindruck von Pracht und Adel nicht zu stören. (TL)

und pflegte den Kontakt zu Zen-Priestern. Thomas B. Hare weist auf Dokumente hin, die das bestätigen[8]. Auch das Register, das den Tod Zeamis verzeichnet, wurde von einem Zen-Tempel geführt, zumal Zeami 1422 die Tonsur genommen und sich als Laienmönch der Sôtô-Schule des Zen angeschlossen hatte.

Zeami als Theoretiker

Zeami hat nicht nur einen beträchtlichen Teil der Stücke des Nô-Repertoires geschaffen – wobei er sowohl von seiner Erfahrung als Schauspieler und Tänzer als auch seiner Bildung im Umkreis des Shôgun profitieren konnte – er

verfaßte auch zahlreiche theoretische Schriften[9]. Darin wird seine Nähe zum Zen-Buddhismus deutlich spürbar: Nicht nur, daß er sich, wie viele maßgebliche Künstler seiner Zeit, der Diktion und des Vokabulars des Zen bediente, Aufbau und Aussage der Schriften ähneln in ihrer Paradoxität an vielen Stellen den Zen-Rätseln (kôan). Drei Termini und die damit verbundenen Auffassungen sind dabei von besonderer Bedeutung: monomane (Handlung, Imitation, Darstellung) entstammt den oben erwähnten Volkskünsten. Diesen steht diametral, aber auch komplementär yûgen gegenüber. Der Begriff ist im Grunde nicht übersetzbar: «vornehme Eleganz, Anmut, die aus dem Herzen kommt», mag als verbale Annäherung an dieses Konzept dienen. Beide, in ideale Balance gebracht, sollen den Darstellern zu hana, der vollen Blüte, dem natürlichen Verströmen der Kunst verhelfen. Im Nikyoku santai ezu, der Bebilderten Schrift über die zwei Spielweisen und die drei Typen (das heißt alter Mann, Frau, Krieger) von 1421 schreibt Zeami zum Beispiel über die Darstellung der Frauengestalt: «Das Wesentliche ist das Herz, die Kraft stelle man hintan. Bei der Darstellung einer Frauengestalt achte man gut auf die Regel: Man betrachte das Herz und tue alle Kraft ab. Dies ist bei der Darstellung das

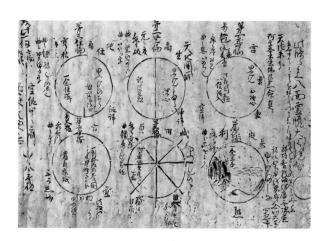

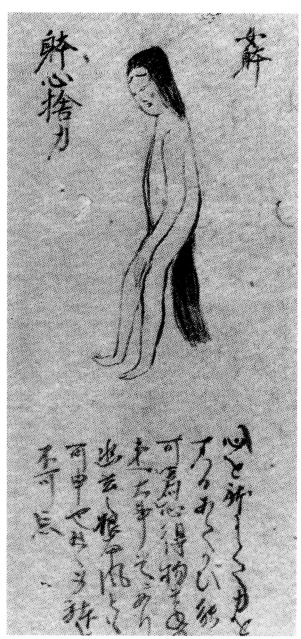

Nachdem Zeami am Hof der Shôgune in Ungnade gefallen war,
widmete er sich ganz seinen theoretischen Überlegungen und der
künstlerischen Erziehung seines Sohnes Motomasa (?-1432), dem er
– gegen den Willen des Shôgun – die Geheimlehre seiner Kunst
übertragen wollte. Den frühen Tod Motomasas hat Zeami nie ganz
verwinden können. «Wem, wenn nicht ihm, soll ich sie zeigen, die
Pflaumenblüte?» heißt es in einem Trauergedicht.
Gezwungenermaßen setzte Zeami seinen Schwiegersohn Komparu
Zenchiku (1405-ca.1468) als künstlerischen Erben ein. Auch ihn
scheint er sehr geschätzt zu haben, denn er war für seine Ausbildung verantwortlich und gewährte ihm auch Einblick in seine
geheimen Schriften, ein deutlicher Beweis des Vertrauens in
Zenchikus Fähigkeiten.
Im Gegensatz zu Zeami, der aus seiner Erfahrung als Schauspieler
schöpfte und seine Kunst aus archaischen Formen herleitete, ist
Zenchiku eher der gebildete Theoretiker, der zum Beispiel in enger
Verbindung zum Zen-Meister Ikkyû (1394-1481) stand. Unter
Zeamis und Ikkyûs Einfluß formulierte er seine Auffassung des Nô in
der «Theorie der sechs Kreise und einem Schwert» (Rokurin Ichirô).
«Der Weg der Sarugaku-Kunst» [i.e. der Nô-Kunst] besteht darin,
den Körper so schön wie möglich zu bewegen und die Stimme wie
ein Muster zu modellieren. Deswegen muß man die Tanzbewegungen der Hände und den Takt der Füße erlernen...»
Das Original dieser Schrift wird im Hôzanji-Tempel in Kyôto
aufbewahrt. (Vergl. Ortolani, Benito: Komparu Zenchiku: Ugetsu
und die Metaphysik der Nô-Schaukunst. In: Maske und Kothurn,
10. Jg., Heft 3/4, 1964, S. 676-691). (TL)

Zenchikus eigenhändige Kopie von Zeamis Nikyoku santai ezu (Die
zwei Spielweisen und drei Typen). Das Bild, das die korrekte
Darstellung der Frau dokumentiert, zeigt deutlich die Basiskörperhal-
tung des Nô-Schauspielers mit leicht nach vorn geneigtem Oberkör-
per, nach unten gedrücktem Gesäß und leicht angewinkelten Knien.
Diese Körperhaltung bewirkt, trotz ihrer Gerichtetheit auf den
Erdmittelpunkt, die für das Nô charakteristischen «schwebenden»
Tanzschritte. (TL)

Wichtigste. Man kann diesen Typ als den allem zugrunde liegenden Yûgen-Stil bezeichnen. Ich wiederhole: Man vergesse auf keinen Fall, im Herzen das Wesentliche zu sehen.»[10] Reduzierung auf das Minimale, Verleugnung der Kraft, Abstraktion: Diese Anweisung entsprechen so ganz der Diktion des Zen.

In den *Kyûi shidai* (undatiert), der *Folge der neun Stufen* (zur wahren Schauspielkunst) beschreibt Zeami die «Art der liebenswerten, tiefinnerlichen Blüte» folgendermaßen: «‹Der Schnee bedeckt tausend Berge. Wie kommt es, daß nur ein einziger Gipfel nicht weiß ist?› Die Alten sagten: ‹Weil der Fuji-Berg hoch ist, schmilzt der Schnee nicht.› Dies haben die Chinesen kritisiert, und sie sollen gesagt haben: ‹Der Fuji-Berg ist tief (und daher schmilzt der Schnee nicht).› Etwas sehr Hohes ist tief. Die Höhe hat Grenzen. Die Tiefe kann nicht gemessen werden. Entspricht daher nicht der tiefe Anblick, wenn auf tausend Bergen Schnee liegt, aber nur ein einziger Gipfel nicht wiß ist, der Art der liebenswerten tiefinnerlichen Blüte?»[11]

Zur Darstellung eines alten Mannes gibt er im *Fûshi kaden* (*Übertragung der Blüte der Form* aus dem Jahr 1400) folgende Hinweise: «… Das Geheimnis, einen alten Mann darzustellen, einerseits alt zu erscheinen, andererseits die dramatische Darstellung zu voller Blüte zu bringen, ist wie folgt: Erstens darf man seinen Sinn auf keinen Fall auf die Gebrechlichkeit des Alters richten. Normalerweise tanzt man im Nô sowohl elegante als auch kraftvoll-energische Tänze zum Rhythmus der Musik. Der Darsteller bewegt seine Füße, streckt seine Arme aus, zieht sie zurück und spielt (dergestalt) die darzustellenden Handlungen analog zum Takt (der Musik). Wenn hingegen ein alter Mann tanzt, bewegt er seine Füße und Arme ein wenig versetzt, das heißt, *nach* (Hervorhebung durch den Autor) dem Schlag der *taiko*-Trommel, dem Gesang und den Schlagfolgen der *tsuzumi*-Trommeln. Eigentlich möchte er alles so ausführen, als ob er ein junger Mann wäre. Daß er aus dem Takt kommt, ist unvermeidlich. … Seine Art zu spielen, gleicht einer Blüte an einem alten Baum.»[12]

Zusammenfassung

Die Beziehung von Zen und Nô müssen also recht differenziert gesehen werden: Diktion, ästhetische Nomenklatur und kulturelle Parameter sind sicherlich eng mit dem Zen verbunden. Kato Shûichi stellt klar, daß das Zen «im Gegensatz zum ‹leichten› Weg (*igyô*) der Erlösung durch Amida (*tariki*) der Jôdo-Shinshû (-Schule) den ‹schwierigen› Weg (*nangyô*) der Erlösung durch eigenes Bemühen»[13] lehrt. Nô und das Erreichen des Idealzustandes *hana*, mit dem der

Schauspieler eine «interessierte, erwartungsvolle Teilnahme bei den Zuschauern erwecken soll»[14], gehören ganz bestimmt zum «schwierigen Weg», den jeder Darsteller selbst zu finden, zu erarbeiten hat. «Ohne den Buddhismus, eine … transzendentale Weltsicht also, lassen sich die … Merkmale des Nô-Theaters nicht begreifen. … Da zur Zeit Zeamis der Buddhismus bereits säkularisiert war, kann man wohl nicht von einem Einfluß der Religion auf die Kunst sprechen, vielmehr hat Zeami in seinem Werk die Religion selbst zu Kunst transformiert. Anders ausgedrückt, das Transzendentale des Buddhismus wurde im Japan des 13. Jahrhunderts als Religion, im 15. Jahrhundert als Kunst erfahren und schöpferisch gewendet.»[15]

Anmerkungen

1 Oscar Benl: *Die geheime Überlieferung des Nô. Aufgezeichnet von Meister Seami*. Frankfurt am Main 1986[2]. In der älteren Sekundärliteratur taucht häufig noch die Schreibung ‹Seami› auf, die jedoch nach neueren Forschungen als inkorrekt angesehen werden muß.

2 René Sieffert: *Zeami. La tradition secrète du nô. Suivi de «Une journée de nô»*. Paris 1960.

3 Shirasu Masako: *Nô men* (Nô-Masken). Tôkyô 1975, S. 110: «Die *ko-omote* Maske ist es, die mir die Augen geöffnet hat».

4 Begriff aus dem altgriechischen Drama: der zweite Schauspieler (erster Schauspieler: Protagonist).

5 Shirasu (s. Anm. 3), S. 15.

6 Kawatake Toshito: *Zoku hikaku engeki gaku* (Vergleichende Theaterwissenschaft Bd. 2), Tôkyô 1974. S. 157.

7 Heinrich Dumolin, Stichwort «Zen», in: Host Hammitzsch (Hg.): *Japan-Handbuch*. Wiesbaden und Stuttgart 1984, Spalte 1677.

8 Thomas Blenman Hare: *Zeami's Style*. Stanford 1986, S. 31.

9 Erika de Poorter: *Zeami's Talks on Sarugaku*. Amsterdam 1986, nennt und datiert in Appendix I, S. 242-249 insgesamt 21 auf uns gekommene Schriften. Ihrer Datierung wird hier gefolgt.

10 Benl (s. Anm. 1), S. 131.

11 Benl (s. Anm. 1), S. 145.

12 Hare (s. Anm. 8), S. 65.

13 Shuichi Kato: *Geschichte der japanischen Literatur*. Darmstadt 1990, S. 211.

14 Kato (s. Anm. 13).

15 Kato (s. Anm. 13), S. 239.

Sieh doch das Spiel
Der hölzernen Puppen auf der Bühne,
Sie springen und tanzen nach dem Manne
Der dahinter steht.
(Lin-chi, gest. 866)

Puppenspieler. Taikan Monju (1766-1842). Hängerolle, leichte
Farben und Tusche auf Seide. Slg. Belinda Sweet.
Aufgeführt wird eine Geschichte aus der klassischen konfuzianischen Sammlung von beispielhafter Kindesliebe: Ein armes
chinesisches Bauernpaar läßt lieber seinen Sohn verhungern als die
alte Mutter. Beim Ausheben des Grabes finden sie einen Gold-
schatz, durch den sie reich und glücklich werden. Die Moral der
Geschichte am Schluß des an den Rand geschriebenen Textes
lautet: «Alle sollten dem Buddha dankbar sein, daß er uns den
großen Wert von Eltern in dieser Welt des Leidens lehrte.» In die
nicht ausgemalten Gesichter der Zuschauer sollen sich vermutlich
die Betrachter des Bildes hineinversetzen. (John Stevens, The
Appreciation of Zen Art. In: Arts of Asia, September-Oktober 1986,
S. 72 f.)
Walter Liebenthal zieht von der Metapher der «Welt als Bühne»
Verbindungen zum traditionellen chinesischen Verständnis des Tao:
«Wir alle sind im Puppenspiel des Lebens (samsâra) Rollenträger,
die scheinbar selbständig agieren, während sie doch nur von der
Hand des Spielmeisters bewegt werden. Dieses auch im Meditati-
onsbuddhismus gebrauchte Bild reicht jedoch nicht aus, um die
ganze Tiefe des Gedankens zu symbolisieren, weil in ihm die
Vorstellung der Verschiedenheit von Meister (Buddha) und seinem
Werk (dem einzelnen Ding) noch erhalten ist. Alles Einzelne ist
Buddha und doch auch von ihm verschieden. Vielleicht taucht hier
die uralte chinesische Vorstellung von dem Weltenschicksal wieder
auf, von Seng-chao (384-414) als ‹Allwissenheit, die von nichts
weiß, Allmacht, die in nichts eingreift› beschrieben.»
(W. Liebenthal: Das Wu-men kuan, Zutritt nur durch die Wand.
Heidelberg 1977, S. 83).

Ikkyû Sôjun (1394–1481). Unbekannter Künstler. Holz mit farbiger
Fassung. Shûoan-Tempel.
Die etwa lebensgroße Statue wurde ·10 Jahre nach dem Tod Ikkyûs
angefertigt. Den Shûoan-Tempel («Klause für Erkenntlichkeit
erwiesener Wohltaten», zwischen Kyôto und Nara gelegen) hatte
Ikkyû 1455 restaurieren lassen. Dort verbrachte er die letzten Jahre
seines Lebens und ließ sich auch begraben. Solchen individuali-
stisch gestalteten Statuen kommt im Rinzai-Zen besondere Bedeutung
zu, da sich in ihnen die Buddha-Natur, die der Dargestellte erlangt
hat, manifestiert. Diese meist lebensgroßen Statuen bezeichnet man
als Mokuzo, «aus Holz gefertigt».

Marionetten

Auf der Marionettenbühne / Erscheint / Ein Körper, / Wandelt
sich / Zu König, Fürst / Oder gewöhnlichem Mann – / Macht uns
vergessen, / Daß da in Wirklichkeit / Nur eine Holzpuppe ist. /
Narren nehmen diese / Für den Wahren Menschen.
(Ikkyû Sôjun, 1394-1481)
Übers. von Shuichi Kato und Eva Thom. (Aus Ikkyû Sôjun: Im Garten
der schönen Shin. Düsseldorf 1979, S. 52 f.)

Räume mit Schiebetüren für die Bewirtung der Gäste mit Tee. Tenryûji, Kyôto. Im Hintergrund Hängerolle mit dem Bildnis Darumas von
Bekuô Seki, Abt des Tenryûji bis 1990.

Daruma

Der aus Indien stammende Mönch Bodhidharma (skt., chin. P'u-t'i-ta-mo, jap. Bodai Daruma oder Daruma) hat Anfang des 6. Jahrhunderts den Zen-Buddhismus in China eingeführt. Überall in Ostasien, wo diese Form des Buddhismus Verbreitung gefunden hat, wird er verehrt, doch in Japan hat er eine Popularität erreicht, wie nirgends sonst: Er scheint überall präsent zu sein, im Alltag in Restaurants und Geschäften, Hotels, Kneipen, in Museen und in den Wohnungen der Menschen, in Tempeln (vor allem natürlich in zen-buddhistischen), aber auch in Shintô-Schreinen. Er dient als Spielzeug, Glücksbringer, als Schutzpatron der Kungfu-Kämpfer, als Objekt der Verehrung, der Meditation und wird in der Kunst und in der Volkskunst dargestellt. Seine Züge sind so stark stilisiert und typisiert, daß er sofort zu erkennen ist, wenn man ihn einmal gesehen hat; zugleich sind seine Erscheinungsformen und Funktionen so vielseitig, daß es schwierig ist, sie auch nur aufzuzählen.

Historischer Daruma und Legenden

Unzweifelhaft ist Daruma eine historische Person und nach chinesischen Quellen um 534 n. Chr. gestorben. Die meisten Details jedoch, die aus seinem Leben berichtet werden, haben anekdotischen Charakter oder sind legendär und dienen der Erklärung von bestimmten Traditionen im Zen-Buddhismus oder von populärem Brauchtum. Als Patriarch des Zen, aber auch in den Volkstraditionen spielt er eine wichtige Rolle, die jedoch eher beispielhaft und symbolisch denn persönlich zu verstehen ist.

Daruma wurde im 5. Jahrhundert n. Chr. in Indien als Mitglied einer Familie aus der Oberschicht, vielleicht sogar des herrschenden Adels, geboren. Er war Schüler des buddhistischen Meisters Prajñâtara, der ihn schließlich als seinen Nachfolger wählte. Damit wurde Daruma der 28. und letzte indische Patriarch in Folge nach Buddha Shâkyamuni (gest. um 483 v. Chr.). Im Alter von über 100 Jahren soll er nach China gereist sein. In einem berühmten, ihm zugeschriebenen Vierzeiler – der in dieser Form vermutlich aus späterer Zeit, nämlich der T'ang-Periode (618-906), stammt – hat er den Kern seiner Lehre zusammengefaßt:

«Eine besondere Überlieferung außerhalb der Schriften,
unabhängig von Wort und Schriftzeichen:
Unmittelbar des Menschen Herz zeigen. –
die (eigene) Natur schauen und Buddha werden.»

Auf seiner Reise durch Südchina traf Daruma mit dem Kaiser Wu-ti (reg. 502-549), dem Begründer der Liang-Dynastie, zusammen, dem er vorhielt, daß all seine frommen Hand-

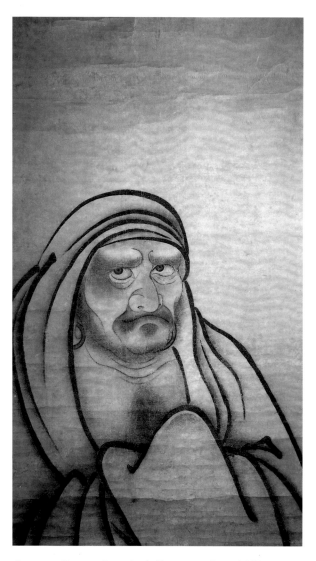

Porträt von Daruma. Fûgai (auch Ekun genannt), um 1650, Gedichtaufschrift von Ryokugan, Abt des Eiheiji, dat. 1693. Hängerolle, Tusche auf Papier, 72,5 x 25,5 cm. Museum für Ostasiatische Kunst SMB (Inv. Nr. 242).

Porträt von Daruma. Illustration zu Ikkyû Sôjun: Gaikotsu (Skelette). 1457 wurde Ikkyû von einem Laien nach seiner Sicht des Todes befragt. Als Antwort verfaßte er ein kleines Drama über Skelette, eine Art Totentanz im Nô-Stil: Ikkyû selbst tritt auf, in einem kleinen Landtempel einen Schlafplatz suchend. Ein Skelett spricht ihn an, und es ergibt sich, daß rund um Ikkyû eine Gruppe von Skeletten ihren Alltagsbeschäftigungen nachgehen: Sie spielen Flöte, tanzen, bringen Geschenke dar, gehen miteinander ins Bett, rasieren einem Mönch den Schädel, trinken Wein, stecken Blumen, reisen, vollziehen ärztliche Untersuchungen und tragen sogar ein Skelett zu Grabe. Kurz: Die Skelette verhalten sich wie lebende Menschen. Unsterblichkeit ist die Hoffnung von Narren, da alle Wesen mit den Skeletten der Vergangenheit, der Gegenwart und der Zukunft verbunden sind. Ikkyû schließt: «Alles vergeht, Körper und Geist und die Buddhas alle auch. Alle Sûtren und Dogmen sind ebenfalls leer. Selbst dies hier zu schreiben und der Nachwelt zu hinterlassen ist ein Akt in einem Traum. Wenn man erst erleuchtet ist, weiß man, daß es keine realen Menschen gibt, die das lesen.» Gleichsam als Motto setzt Ikkyû ein Porträt Bodhidharmas und schreibt: «Neun Jahre Zazen zu ertragen ist eine verdammt harte Sache. Dieser Körper verwandelt sich ja sowieso nur zu Erde und Leerheit!» (Vgl. Jon Covell: Unraveling Zen's Red Thread. Elizabeth, N. J. 1980. S. 132-137).

lungen im Hinblick auf jenseitige Verdienste nutzlos seien. Daraufhin zog er weiter nordwärts, überquerte den Yangtse (nach der Überlieferung auf einem Schilfblatt) und trat in das Shaolin-Kloster (jap. Shôrinji) in der Nähe von Loyang ein, wo er neun Jahre lang meditierte.

Diese Zeit spielt in allen späteren Legenden über Daruma eine besondere Rolle, denn hier ereignete sich vieles, was Daruma für den Zen-Buddhismus, aber auch für die Volksüberlieferung zu einer so wichtigen Figur macht. Die neun Jahre dauernden Meditationsübungen sind das Vorbild für Zazen (im Sitzen geübte Versenkung). Daß Daruma in Form eines Stehaufmännchens (*okiagari-daruma*) dargestellt wird, wird damit erklärt, daß ihm während der langen Zeit der Meditation die Beine abgefault sind. Auch die Erschaffung des Teestrauches wird Daruma zugeschrieben: Da er während der Meditation immer wieder einzunicken drohte, schnitt er sich die Augenlider ab und warf sie weg – daraus wuchsen die ersten Teesträucher, aus deren Blättern dieses belebende Getränk hergestellt wird. Ebenso geht seine Verehrung als Begründer und Schutzpatron der Kunst der Selbstverteidigung auf diese Zeit zurück, lehrte er doch die Mönche des Shaolin-Klosters Kungfu.

Nachdem er gestorben war, soll er in Hsiang Erh in Nordchina begraben worden sein. Ein Mönch jedoch, der vom Tod Darumas nichts gehört hatte, berichtete, daß er ihm auf dem Weg von Indien nach China – «mit einem Schuh an den Füßen» – begegnet sei. Als man daraufhin sein Grab öffnete, fand man darin nur noch die andere Sandale.

Daruma in der Malerei

Der Buddhismus gelangte in der Mitte des 6. Jahrhunderts über Korea nach Japan. Zen als eigene Schule und Daruma als sein Begründer wurden dort jedoch erst im 13. Jahrhundert populär; die spartanische Disziplin und Einfachheit des Zen-Buddhismus entsprachen der Ideologie des damals herrschenden Kriegeradels, der ihn zur Grundlage seiner religiösen Weltanschauung machte und sich so auch vom Hofadel in Kyôto absetzte. Damit wird nun auch Daruma populär – als Patriarch des Zen und etwas später auch in den Volksüberlieferungen. Entsprechend wird er von da an häufig dargestellt – in der Zen-Malerei und -Skulptur, in der Volkskunst und später auch in der profanen Kunst, hier meist mit satirischem Einschlag. Fast in jedem Zen-Tempel gibt es ein Bild oder eine Skulptur Darumas, denn «Daruma ist Zen», – wobei der Umkehrschluß, «Zen ist Daruma», nicht gilt (McFarland 1987: 51).

In der Zen-Malerei wird Daruma vor allem in vier Posen dargestellt: Daruma mit einer Sandale – da die andere in seinem Grab zurückgeblieben ist –, Daruma stehend auf einem Schilfrohr oder Schilfblatt bei der Überquerung des Yang-tse (nach anderer Tradition bei der Überquerung des Meeres auf seiner Reise von Indien nach China), Daruma mit Hui-k'o (jap. Enka), seinem Schüler und Nachfolger, der sich den Unterarm abgehackt hat, um ihn Daruma als Kopfkissen anzubieten. Daneben existieren viele Darstellungen, die Daruma meist im Dreiviertel-Profil, manchmal auch direkt von vorne zeigen. Seine Gesichtszüge sind zumeist grob – mit großen Augen, dicker Nase und buschigen Augenbrauen, nach chinesischer und japanischer Betrachtungsweise typisch «barbarische» Elemente. Nach der Ankunft der Portugiesen in Japan im 15. Jahrhundert nimmt er gelegentlich auch die Züge eines europäischen Mönches an. Am häufigsten und berühmtesten im Zen sind seine Darstellungen in Tuschmalerei – bis hin zur fast abstrakten Reduktion, Daruma mit einem einzigen Pinselstrich zu malen (*ippitsu-daruma*), was immer weiter reduziert werden kann, bis schließlich nur noch der Zen-Kreis (*ensô*) übrigbleibt.

Daruma als Glücksbringer

Überall in Japan kann man Daruma als Stehaufmännchen finden (*okiagari-kobôshi* – der kleine Mönch, der sich aufstellt oder *okiagari-daruma* – Daruma, der sich aufstellt): Aus Papiermaché gefertigt, leuchtend rot bemalt und mit Gold verziert (rot wie der *dhoti*, das Wickelgewand eines indischen Priesters), ohne Beine, die ihm während der neun Jahre dauernden Meditation abgefault sind, die Arme in der Kutte versteckt. An der Basis wird ein Ring aus gebranntem Ton eingefügt, so daß sich die Figur immer wieder aufrichtet, wenn man sie umstößt. Diese Figuren sind nicht nur ein Spielzeug, sondern sie gelten vor allem als Glücksbringer und sind ein Symbol dafür, niemals aufzugeben. In dem Gesicht mit den für Daruma typischen Zügen sind die Augen nicht ausgemalt. Wenn jemand einen Wunsch hat, kauft er eine Daruma-Figur und malt ein Auge schwarz aus (es gibt unterschiedliche Traditionen, ob zuerst das rechte oder das linke Auge ausgemalt wird), und wenn der Wunsch sich erfüllt hat, wird das zweite Auge ausgemalt. Man kann das Auge Darumas auch in einem der für diesen Dienst bekannten Tempel von einem Mönch «öffnen» lassen, wodurch sich vermutlich die Wirksamkeit des Ritus noch verstärken soll.

   Im allgemeinen erwirbt man die Figur auf einem der Daruma-Märkte (*daruma ichi*), die während der ersten drei Monate vor allem in Mittel- und Nordjapan veranstaltet werden. Auf ihnen finden sich die Bauern ein und verkaufen Daruma-Figuren, die sie während des Winters, wenn das

Daruma als Stehaufmännchen. Papiermaché, bemalt. H: 19,3 cm; auf dem Bauch das Schriftzeichen für Glück (fuku). Museum für Völkerkunde SMB (Inv. Nr. ID 40116).

ganze Land im Schnee versinkt und landwirschaftliche Arbeit nicht möglich ist, herstellen. Nach einem Jahr soll die Figur verbrannt werden, egal ob sich der Wunsch erfüllt hat oder nicht. Manche Zen-Tempel halten dafür eigene Zeremonien ab, wobei diese Feierlichkeiten erst nach dem Zweiten Weltkrieg wirklich populär geworden sind. Sicher hat das auch damit zu tun, daß die Mönche seit dieser Zeit darauf angewiesen sind, für ihren Unterhalt selbst zu sorgen.

   Wann Daruma in dieser Form und Funktion populär geworden ist, weiß man nicht genau. Jedenfalls ist seine volkstümliche Verehrung bereits zu Beginn der Edo-Zeit (1603-1868) bezeugt, als er als Talisman zum Schutz gegen Pocken galt, wohl auch deswegen, weil Rot die Lieblingsfarbe der Pockengottheit war und nach traditioneller Vorstellung Pocken absorbieren soll. Bauern baten Daruma um Hilfe für eine gute Ernte, und bis heute ist er in Gebieten mit Seidenraupenzucht besonders beliebt. Dieser Zusammenhang ist allerdings nicht ganz eindeutig herzustellen: Vielleicht hat es damit zu tun, daß die *okiagari-daruma*

*Daruma als Netsuke. Holz, Knochen. H: 3,8 cm. Auf der Basis
Einlegeblättchen, darunter Phallus und Vulva in Elfenbein eingeritzt.
Museum für Völkerkunde SMB (Inv. Nr. ID 38979).
Daruma als Netsuke. Holz. H: 4,3 cm. Auf der Basis unter
Plättchenverschluß Ritzzeichnung eines Liebespaares. Museum für
Völkerkunde SMB (Inv. Nr. ID 38978).*

*Sog. Oyako-Daruma (Eltern-und-Kind-Daruma). Papiermaché,
bemalt. H: 13,1 cm. Museum für Völkerkunde SMB (Inv. Nr. ID
40190).*

immer schon vor allem in Gegenden mit Seidenraupenzucht,
also in Nordjapan, produziert werden; vielleicht hängt es
aber auch mit der Form des Kokons zusammen: bemalt mit
dem Gesicht von Daruma und an der Basis beschwert stellt
auch er ein kleines Daruma-Stehaufmännchen dar. Aus diesen agrarischen Ursprüngen ist er zu einem Glücksbringer
geworden, der für die Erfüllung fast aller Wünsche hilfreich
sein kann, z. B. für eine gute Ehe, leichte Geburt, Gene-
sung, Erfolg im Beruf oder für einen Wahlsieg.

Seit den 70er Jahren unseres Jahrhunderts wird Daruma
auch benutzt, um die Zukunft vorauszusagen. Dazu wählt
der Kunde eines aus hunderten von *omikuji-daruma*-Figür-
chen (Wahrsage-Daruma) aus, die aus einem Stück Holz
gedreht und bemalt sind. Sie sind von unten her hohl und
enthalten ein Zettelchen, auf dem die Wahrsagung steht.
Wenn man sie gelesen hat, kann man das Zettelchen an
einen Baum binden, damit sich eine gute Weissagung er-
fülle, vor allem aber auch, damit sich eine schlechte nicht
erfüllen möge.

Der *okiagari-daruma* wird auch mit dem Sprichwort *na-
na korobi ya oki* (siebenmal hinfallen, achtmal aufstehen)
assoziiert und gilt daher als Symbol unermüdlichen, hart-
näckigen Strebens. Es enthält aber auch ein Bild des Lebens schlechthin, mit seinen Höhen und Tiefen, seinen Erfolgen und Mißerfolgen. In diesem Zusammenhang wird
übrigens auch die Herkunft der Bezeichnung Daruma für

eine Prostituierte erklärt, und zwar ganz banal: «Eine Prostituierte ist glücklich, sich immer wieder hinlegen zu können, ihr Kunde ist glücklich (oder voll Hoffnung), immer wieder einen hochzukriegen.» (McFarland 1986: 171). Heute ist diese Bezeichnung für Prostituierte allerdings nicht mehr
üblich.

Daruma als Spielzeug

Während heutzutage die Kinder in Japan als erstes Spielzeug im allgemeinen eine Snoopy- oder Kitty-Puppe geschenkt
bekommen, erhielten sie früher als erstes zumeist einen *okiagari-daruma*. Durch seine leuchtende Farbe, die klare Form
und seine Bewegungsmöglichkeit ist er ein ideales Spielzeug für Kleinkinder. Doch nicht nur als Stehaufmännchen
erscheint Daruma, häufig sind auch Drachen mit seinem ein-
drucksvollen Gesicht bemalt, und selbst vom Bauch der
Kokeshi-Puppen (gedrehte und bemalte Holzpuppen, die
vor allem in Nordjapan hergestellt werden) starren einen

«Stielaugen»-Daruma. Holz mit Elfenbein. H: 3,4 cm. Museum für Völkerkunde SMB (Inv. Nr. 37551).

seine unverwechselbaren Züge an. Ein weiteres auf der Drehbank hergestelltes Holzspielzeug ist *daruma-otoshi (otosu – entfernen, wegstippen)*. Es besteht aus fünf dicken, aufeinandergelegten Scheiben, auf deren oberster Daruma steht. Dazu gibt es eine Art Kricketschläger, mit dem die jeweils unterste Scheibe so weggeschlagen werden soll, daß der Turm dabei nicht umfällt. Wenn man geschickt ist, bleibt zum Schluß Daruma alleine aufrecht stehen.

Daruma und die Frauen

Obwohl das Erscheinungsbild Darumas in der Kunst und Volkskunst betont männlich ist, gibt es doch relativ häufig Motive, die Daruma mit einer Frau, Daruma in Frauenkleidern oder Daruma als Frau zeigen. Diese Darstellungen tauchten während der Edo-Zeit (1603-1868) auf und waren Ausdruck der Kultur der städtischen Kaufleute, die während dieser Zeit eine immer größere wirtschaftliche Rolle spielten, aber keine direkte politische Macht und gesellschaftliche Sicherheit erwerben konnten. Ihre Kultur war deshalb in manchen Aspekten eine Gegenbewegung zur Kultur der herrschenden Militärschicht, unter deren Ägide der Zen-Buddhismus und dessen Begründer eine bedeutende Stellung einnahmen.

Wie kommt Daruma dazu, als Frau dargestellt zu werden? Als Ursprung für dieses Motiv gilt eine Anekdote von

Kurtisane als Daruma. Toyokuni Utagawa (1769-1825). Farbholzschnitt, ôban-Format, 33 x 24,9 cm. Museum für Ostasiatische Kunst SMB (Inv. Nr. 6169-09.3).
Brustbild eines Mädchens im roten Gewand des Daruma, das kapuzenartig den Kopf bedeckt. In seiner Inschrift parodiert Shikitei Samba (1776-1822) die Daruma-Legende und Begriffe des Zen-Buddhismus, indem er Vergleiche zum Leben der Kurtisane zieht. (Vgl. Steffi Schmidt: Katalog der chinesischen und japanischen Holzschnitte im Museum für Ostasiatische Kunst Berlin. Bruno Hessling Verlag: Berlin 1971, S. 209, Nr. 506).

Han Tayû, eine berühmte Kurtisane der Edo-Zeit: «Eines Tages hörte sie die Geschichte von Daruma, der neun Jahre dagesessen und eine Wand angestarrt hat. Lachend erwiderte sie: ‹So eine großartige Sache ist das nun auch wieder nicht. Unsereins muß jeden Tag und jede Nacht dasitzen und nach Kunden Ausschau halten. – Wir starren zwar nicht auf eine Wand, aber durch die Fenster auf die Straße. Nach zehn Jahren in dieser Welt des Elends habe ich Daruma nun schon ein Jahr voraus.›» (McFarland 1987: 82)

Bodhidharma, einen Schuh haltend. Unbekannter Meister, Kamaku-
ra-Zeit, 13. Jh., Inschrift von Nampo Jômyô (1235-1317).
Hängerolle, Tusche und leichte Farben auf Seide, 99,4 x 50,5 cm.
Nationalmuseum Tôkyô.

Der Schuh des Bodhidharma.

Der meistverehrte Lehrer des Zen ist sein Gründer und erster Patriarch
Bodhidharma (jap. Daruma, gest. vor 534 in China), dessen Statue
wie die des Bodhisattva der Weisheit, Manjushrî, in der Meditationshalle steht und den Mönchen als Leitbild auf dem Weg zur Erleuchtung
dient. Bodhidharmas Leben bleibt zwar größtenteils vom Dunkel der
Legende verhüllt, ist aber umso reicher an außergewöhnlichen
Ereignissen und übernatürlichen Handlungen, die zu einem umfängli-
chen ikonographischen Kanon in der darstellenden Kunst und der
Volksreligion führten. Weit verbreitet ist die Darstellung Bodhidharmas
mit einem Schuh, den er am Fuß oder in der Hand trägt oder der von
seinem geschulterten Pilgerstab (chin. ch'an-tzu, eigentlich ein
«Spatenstock» zum Vergraben umherliegender Knochen) baumelt.
Diese Einschuhigkeit Bodhidharmas wird auf verschiedene Weise
begründet: So soll er drei Jahre nach seinem Tod auf dem Wege nach
dem «Westen», nur eine Sandale tragend, gesichtet worden sein (die
andere fand sich später in seinem ansonsten leeren Grab); nach einer
anderen Überlieferung kam sie ihm bei der wunderbaren Yangtse-
Überquerung auf einem Schilfrohr abhanden und wurde später als
Reliquie verehrt.
Es geht also offenkundig nicht um eine legendenhafte, mehr oder
weniger variierte Geschichte, sondern um die auffallende einzelne
Fußbekleidung. In einer historisch und räumlich weit ausholenden
Studie hat László Vajda (Der Monosandalos-Formenkreis, in: Baessler-
Archiv N.F., Bd. 37, 1989, S. 131-170) die ausgedehnte Verbrei-
tung des Motivs vorgestellt und auf die Schwierigkeit seiner stringenten
Deutung hingewiesen. Dennoch lassen sich nach Meinung des Autors
zwei Leitideen herausschälen (ohne daß diese «als ursprünglicher Sinn
der Einschuhigkeit apostrophiert» werden könnten): Zum einen der
Bezug zur Grenzsituation, zum Übergang im weiteren Sinne, und zum
anderen kosmologisch-astronomische Affinitäten.
Das bemerkenswert reichhaltige Monosandalos-Material Ostasiens –
und hier wiederum die Beispiele aus dem Umkreis des Zen – unterstützt
vor allem die erste Deutung und bestätigt darüber hinaus die häufig
betonte, maßgebliche Rolle des Taoismus in der frühen Verbreitung des
Ch'an in China: «Der aus dem Westen» oder «von jenseits des
Meeres» gekommene Bodhidharma, der «letzte» indische und «erste»
chinesische Ch'an-Patriarch, «überquert» auf magische Weise den
großen, Nord- und Südchina trennenden Fluß. Nach seinem Tode (?),
gleichsam «mit einem Bein» im Grab stehend, wo er eine Sandale
hinterläßt, kehrt er «über den Pamir nach Westen» zurück. Ähnliches
widerfährt den sog. taoistischen Heiligen, die nach ihrem Tode
begraben werden und deren Gräber sich dann – häufig bis auf einen
verbliebenen Schuh – als leer erweisen. Als Zeichen dafür, daß sie die
Grenze vom irdischen Diesseits zur jenseitigen Unsterblichkeit
überschritten haben, und damit als nunmehr Unsterbliche in beiden,
«gegensätzlichen» Welten beheimatet sind. Bodhidharma ist im Sinne
einer interpretatio sinica den taoistischen Unsterblichen gleichgestellt
worden, ähnlich wie manche frühe Taoisten im Buddha Shâkyamuni
eine Manifestation des im Alter «nach Westen» gezogenen Lao-tzu
gesehen haben.
Bei strenger ikonographischer Auslegung dürfte Bodhidharma
allerdings gar keine Schuhe tragen: Im allgemeinen werden in
Ostasien Buddhas und Bodhisattvas, häufig auch Arhats und Mahâ-

siddhas (Große Lehrer) ohne jegliche Fußbekleidung dargestellt und
unterscheiden sich durch diese im Grunde «barbarische», indische
Sitte von chinesischen und japanischen Gottheiten und religiösen
Lehrern. (Ungeachtet des Einzelschuh-Motivs kommt der Fußbekleidung
allgemein in der buddhistischen Kunst und Überlieferung ein durchaus
augenfälliges Gewicht zu. So werden z. B. auf den meisten traditionellen Porträts Arhats und buddhistische Äbte ohne Schuhe an den Füßen
gezeigt, die zumeist ordentlich abgelegt neben der Meditationsmatte
oder vor dem Abtstuhl stehen.)
Der Schuh des Bodhidharma zieht also noch zusätzlich die Aufmerksamkeit des Betrachters auf sich. Zwar gibt es m. W. in den Schriften
keine gezielte Aussage über die Bedeutung dieses Motivs, doch lassen
es manche Hinweise plausibel erscheinen, im einzelnen Schuh die
buddhistische Lehre zu sehen, im besonderen das Symbol ihrer
Weitergabe an einen Nachfolger.
Diese Entsprechung wird unmittelbar in einem späten tibetischen Text
des 15. Jh. ausgedrückt. Ein Yogin erklärt dem Schuster Cimaripa,
einer der 84 Mahâsiddhas der tibetisch-buddhistischen Tradition, daß
auch ihm trotz seines verachteten Berufes der Weg zur Erleuchtung
offenstehe, und fordert ihn auf: «Meditiere über die Herstellung des
wunderbaren Schuhs des Dharma-Körpers, indem du das Leder mit
dem Faden deiner eigenen Erfahrung und der Unterweisung durch den
Lehrer nähst.» Eine ähnliche Analogie ist aus einer Legende im Umkreis
des chinesischen Mönches Ho-shang Mo-ho-yen ableitbar, der am
berühmten Konzil von Lhasa (792-794) teilgenommen hatte. Nachdem
er mit seiner Verteidigung der Ch'an-These von der plötzlichen
Erleuchtung seinem indischen Kontrahenten und Vertreter der stufenwei-
sen Erleuchtung, Kamalashîla, unterlegen war, kehrte er nach China
zurück. Bei seinem Aufbruch verkündete er, daß wohl dennoch einige
Anhänger seiner Lehre in Tibet bleiben würden, da er — more tibetico
– «einen Stiefel hinterlassen» habe. Weniger wohlwollende Überlieferungen behaupten hingegen, er sei so überstürzt geflohen, daß er
«einen Schuh verloren» oder diesen gar voll Zorn gegen die Wand
geworfen habe.
Mehrfach finden sich in der Zen-Literatur Hinweise auf den Zusammenhang von Schuh und Lehre – zu denen die verbreitete chinesische
Metapher vom Schuh als Boot und Mittel der magischen Fortbewe-
gung zu ergänzen ist –, die manche als nur exzentrisch qualifizierte
Handlungen in einem klareren Licht erscheinen lassen. Vermutlich spielt
hierbei auch das sog. Inka-System eine Rolle, die spezifische Form der
offiziellen Nachfolgebestätigung von Zen-Äbten durch die Übergabe
des Gewandes und der Almosenschale. Zwar werden hier die Schuhe
explizit nicht erwähnt, doch gehören zur rituellen Bestätigung der ersten
Nachfolger Bodhidharmas neben dem Gewand, das dem Dharma
gleichgesetzt wird, auch andere Insignien wie das Dharma-Siegel. Die
literarische Überlieferung des Zen berichtet z. B. vom 5. chinesischen
Patriarchen, der das an die Wand geschriebene Gedicht seines
künftigen Nachfolgers Hui-neng mit dem Schuh abwischt, oder von
Dôgens chinesischem Lehrmeister Ju-ching, der die beim Meditieren
eingeschlafenen Mönche mit dem Schuh anstelle des Schlagstocks
«aufweckte».

Zen-Mönch, einen Schuh anstarrend. Unbekannter Maler. Japan,
18. Jh. Hängerolle, Tusche auf Papier, 28 x 87 cm. Staatliches
Museum für Völkerkunde München. (Inv. Nr. S. 1854, Slg.
Siebold).

Von da an wurde Daruma immer wieder in der *ukiyo*-Malerei (*ukiyo* – die «fließende Welt»; japanische Farbholzschnitte) als Frau, meist als Prostituierte dargestellt. In der Volkskunst gibt es auch weibliche *okiagari-daruma* – einfache Puppen aus Papiermaché oder prächtige, die mit Brokat bezogen sind. Diese Stehauf«weibchen» sind ebenfalls Glücksbringer und helfen, Wünsche zu erfüllen. Häufig sind sie aber auch einfach ein Zimmerschmuck.

Ein weiteres beliebtes Motiv der *ukiyo*-Malerei zeigt Daruma zusammen mit einer Kurtisane, wobei die Frau ruhig und gefaßt, manchmal auch ein klein wenig amüsiert wirkt, während Daruma immer mehr oder weniger irritiert aussieht, vielleicht ein Hinweis darauf, daß selbst in diesem entrückten und stoischen Mönch menschliche Gefühle stecken. In manchen Darstellungen ist das Motiv Daruma und Prostituierte nur noch angedeutet, z. B. indem die Frau einen Fächer hält, der mit einem Daruma-Bild bemalt ist.

Gelegentlich wird das satirische Moment noch verstärkt, indem Daruma mit dem Kimono und dem Gürtel der Kurtisane bekleidet ist, während diese seine Robe trägt. Einerseits könnte dieses Motiv auf das Kabuki-Theater verweisen, wo weibliche Rollen von Männern gespielt werden. Doch diese Motive zeigen andererseits auch eine sehr alte und weitverbreitete Neigung der Japaner, die ehelosen buddhistischen Mönche zu parodieren. Allgemeine Achtung vor heiligen Regeln hat auch eine Kehrseite – den Verdacht, daß die Dinge vielleicht doch nicht ganz so sind, wie sie zu sein scheinen.

Schluß

Daruma ist so stark in das Alltagsleben der Japaner eingebunden, daß seine Rolle als Gründer des Zen-Buddhismus fast in den Hintergrund gerückt ist. Wenn man zu Japanern von Daruma als Zen-Mönch spricht, bekommt man oft zu hören: «Ja stimmt ja, eigentlich ..., aber ich kenne ihn vor allem als *okiagari-daruma* oder als Spielzeug oder ...». Er ist so gegenwärtig, daß alles, was nur annähernd die Form eines Daruma hat, seinen Namen bekommt, z. B. *daruma-gaeshi*, eine Frisur, wie Frauen sie im 19. Jahrhundert getragen haben, oder *daruma-sutobu*, der Daruma-Ofen, eine Art Kanonenofen. Auch ein früher beliebtes Spiel, bei dem die Kinder sich in die Augen starren und versuchen, sich durch Grimassenschneiden gegenseitig zum Lachen zu bringen, ist nach Daruma benannt. Dabei singen sie:

Daruma san daruma san niramekko shimashô	Daruma, Daruma, Komm, wir wollen «in die Augen schauen» spielen.
warau to make yo	Wenn du lachst, hast du verloren.
a pu pu	A pu pu.

Literaturauswahl

Brinker, Helmut: *Zen in der Kunst des Malens.* Bern, München, Wien 1985.

Dumoulin, Heinrich: *Geschichte des Zen-Buddhismus*, 2 Bände, Bern, München 1985.

McFarland, H. Neill: Feminine Motifs in Bodhidharma Symbology in Japan. In: *Asian Folklore Studies* 45.2, 1986, S.147-191.

McFarland, H. Neill: *Daruma - The Founder of Zen in Japanese Art and Popular Culture.* Tokyo, New York 1987.

Punsmann, Henry: Daruma, a Symbol of Luck. In: *Folklore Studies*, 21, 1962, S. 241-246.

Zen-Buddhismus und Tiefenpsychologie

*Die Erreichung der Ganzheit
fordert
den Einsatz des Ganzen*
C. G. Jung

Fragen nach der Kunst des Lebens beschäftigten uns Menschen seit Urzeiten. Gerade weil wir wissen, daß wir sterblich sind, hegen wir den Wunsch, ein möglichst erfülltes Leben zu führen. Verbunden mit der Suche nach dem rechten Leben ist auch die Frage, wie wir mit dem Leid umgehen; oft ist eine leidvolle Erfahrung der Ausgangspunkt für unsere Suche. Im Verlaufe der Geschichte wurden verschiedene Methoden und Systeme entwickelt, die den Weg zu einem freien Menschen weisen. Zwei der empirischen Wege, obwohl verschieden in ihrem Alter, sind der Zen-Buddhismus und die analytische Psychologie C. G. Jungs. Im folgenden soll versucht werden, ob und wie Erfahrungen im Zen von einem westlichen psychologischen Standpunkt aus interpretiert werden können.

Veränderung von Bewußtsein

Eine Gemeinsamkeit zwischen westlicher Psychotherapie und dem östlichen Befreiungsweg des Zen ist ihr Anliegen, menschliches Bewußtsein zu verändern, Bewußtsein zu erweitern.

Spätestens seit Sigmund Freud verbreitet sich die Einsicht, daß unser bewußtes Ich nicht der alleinige Herrscher ist, sondern daß wir noch von anderen, von uns nicht kontrollierbaren Kräften beeinflußt werden. Freud nannte diese unsere andere Seite das Unbewußte. Seiner Ansicht nach besteht das Unbewußte hauptsächlich aus unangenehmen, verdrängten frühen Lebenserfahrungen. Durch die analytische Arbeit (freies Assoziieren, Träumen) findet der Patient Zugang zum Verdrängten, erlebt es noch einmal und kann es ins Bewußtsein integrieren. Das Unbwußte ist bei Freud noch ein unbequemer Gegenspieler, den es auszuschalten gilt, um die Herrschaft des Ich wiederherzustellen.

Für den Freud-Schüler C. G. Jung war die Konzeption des Unbewußten seines Lehrers zu eng: neben dem persönlichen Unbewußtsein postulierte er einen transpersonalen, allgemein-menschlichen Anteil, den er das kollektive Unbewußte nannte. Das Unbewußte ist nicht mehr ein zu bekämpfender Störenfried, sondern kann sich zum Freund und Helfer entwickeln, wenn man mit ihm umzugehen weiß. Auch neurotische Symptome sind meist Hinweise auf fehlende Seiten in unserem Leben. Die Therapie soll ein Anstoß sein, die eigene Persönlichkeit zu entwickeln: durch die Aufgabe der starren Ichhaftigkeit wird man durchlässiger für Meldungen aus dem Unbewußten. Das Unbewußte verhält sich oft kompensatorisch zu unserem bewußten Standpunkt, d. h. es zeigt Seiten auf, die wir geneigt sind, in unserer bewußten Betrachtung auszulassen. Nach dem Aufarbeiten des eigenen Schattens, d. h. der persönlichen Anteile am Unbewußten, ist dieses lebendige Bezogensein auf das Unbewußte eines der Hauptziele einer Jungschen Psychotherapie.

Zen: die eigene Natur sehen

Zen setzt sich zum Ziel, die lebendige Erfahrung des Buddha weiterzugeben. Nicht durch das Studium der heiligen Schriften soll dies erreicht werden, sondern durch die eigene Erfahrung in der Meditation (Zen bedeutet ja Meditation).

Zen wendet sich insbesondere gegen den Seziertisch des Verstandes, gegen den logischen Dualismus, da dieser der lebendigen Erfahrung im Wege steht. Ziel aller Zen-Übungen ist es, mit der lebendigen Wirklichkeit in uns in Berührung zu kommen, ja in jedem Augenblick des Lebens mit ihr verbunden zu sein.

Bodhidharma, der legendäre Gründer des Zen in China, sagt: «Zen ist, die eigene Natur zu sehen … An nichts zu denken, ist Zen … Alles, was du tust, ist Zen.»

Jeder Mensch hat nach Zen die Möglichkeit, *satori* zu erlangen, wie man die Erleuchtungserfahrung im Japanischen nennt. Doch ist es nicht leicht, die übliche Art des Erkennens, die uns in langen Jahren der Sozialisation beigebracht worden ist, beiseite zu legen. Deshalb hat man im Zen-Buddhismus spezielle Schulungsmethoden entwickelt, um diesen neuen Blickpunkt zu erreichen. In der Rinzai-Schule des Zen war es vor allem Meister Hakuin (1685-1768), der diese «Anti-Schulung» der Zen-Adepten neu belebte und organisierte: durch paradoxe Meditationsaufgaben (*kôan*) und Perioden intensiver Meditation (*sesshin*).

Kôan: induzierte Neurosen

Das Zen-Training fordert den ganzen Menschen. Bereits beim Eintritt ins Kloster wird der angehende Mönch einer Belastungsprobe unterzogen: fünf volle Tage muß er auf der Eingangstreppe kauernd und in einem kleinen Zimmer in Meditationshaltung hockend verbringen. Nach der Aufnahme in die Gemeinschaft bekommt er vom Zen-Meister (*rôshi*) sein erstes Kôan. Ein Kôan ist ein Paradoxon (griech.: jenseits des Denkens), das sich mit dem logischen Denken nicht lösen läßt, z. B. «Zeig mir den Laut der einen Hand!» oder «Zeig mir dein ursprüngliches Gesicht, das du hattest, bevor du geboren wurdest.»

Die rastlos-ängstliche Suche des Hirten nach dem verschwundenen Büffel (Aus der Verkennung der wahren Natur der Welt entsteht Begierde und Furcht).

Mit dieser Prüfungsaufgabe wird der Mönch alleingelassen. Was soll er damit anfangen? Während der Arbeit im Kloster und während der Stunden der Meditation (*zazen*) versucht er eine Antwort auf sein Kôan zu finden. Seine innere Spannung und Unruhe wächst, das Kôan wird zum «glühenden Eisenball im Mund», denn regelmäßig muß der Schüler vor dem Meister erscheinen und Zeugnis von seinem Erkenntnisstand ablegen. Ist die Antwort zu oberflächlich, wird er vom Meister hinausgeschmissen. Was er auch macht und sich ausdenkt, scheint falsch zu sein: die innere Spannung und der Zweifel nehmen zu, mitunter muß der Schüler von seinen Kollegen mit Gewalt erneut zum Meister gebracht werden. Oder er läuft mit offenen Augen in Pfosten, nimmt die Umwelt nicht mehr richtig wahr, bewegt sich wie in Trance, so sehr ist er mit seinem Problem beschäftigt, so sehr leidet er an seinem inneren Zwiespalt.

In diesem Zustand äußerster Anspannung und Absorption durch das Kôan kann ein unscheinbares Ereignis wie das Zwitschern eines Vogels oder das Schlagen der Tempelglocke den Umschlag bringen: der Durchbruch ist da, der Zwiespalt verschwunden und Satori, die Ganzheitserfahrung, erreicht. Nun ist der Schüler imstande, dem Meister eine eigene, spontane Antwort auf das Kôan aus seiner Mitte (jap. *hara*, Bauch) heraus vorzubringen.

Die Entdeckung der Büffelspuren (Beginn der Einsicht durch das Studium der Lehre, so daß der Mensch der Wahrheit wenigstens von ferne auf die Spur kommt).

Der Ochse und sein Hirte. Shûbun zugeschrieben (tätig zweites Viertel des 15. Jh.). Serie von 10 Rundbildern, Tusche und leichte Farben auf Seide, als Querrolle montiert, 32,8 x 186,7 cm. Shôkokuji, Kyôto.
Im Gegensatz zu der in China populären Zehn-Ochsenserie von P'u-ming (vgl. Abb. S. 40-45) wurde in Japan vor allem eine leicht veränderte Version geschätzt, die auf Kuo-an (um 1150) als Verfasser und Illustrator zurückging und eher den Gedanken einer plötzlichen Erleuchtung vertrat. Seine Serie wurde in Japan im 14. und 15. Jh. mehrfach nachgedruckt, doch scheinen gemalte Darstellungen – von denen die hier abgebildete die älteste erhaltene ist – ziemlich selten gewesen zu sein. Die Erläuterungen zu den einzelnen Bildern sind aus Dietrich Seckel: Buddhistische Kunst Ostasiens, Stuttgart 1957, S. 241 entnommen (vgl. auch Helmut Brinker: Zen in der Kunst des Malens, Otto Wilhelm Barth Verlag, Bern, München, Wien 1985, S.120-122, und Jan Fontein; Money L. Hickman: Zen – Painting and Calligraphy, Museum of Fine Arts: Boston 1970, S. 113-118).

Das Erblicken des Büffels (Einsicht in das Wesen der Dinge und des eigenen Selbst, die beide im Grunde nicht-verschieden sind).

Das Einfangen des Büffels (Die widerspenstige Macht der Phäno-menwelt muß gebändigt werden).

Stationen der Erleuchtung

Im 12. Jahrhundert hat ein chinesischer Meister den Zen-Weg in allegorischen Bildern vom Hirten und seinem Was-serbüffel dargestellt. Diese Bilderserie ist später in Japan sehr populär und dort unter dem Namen «Die zehn Ochsenbil-der» (*jûgyûzu*) bekannt geworden. Sie umfaßt in der Regel folgende Bilder:

1. *Die Suche nach dem Wasserbüffel.* Der Mensch (Hirte) fühlt sich unbefriedigt und merkt, daß ihm etwas fehlt. Er macht sich auf die Suche.

2. *Erblicken der Spuren.* In Büchern und alten Überlieferungen entdeckt er Spuren des Gesuchten. Er weiß noch nicht ge-nau, was er sucht, er erahnt es nur.

3. *Erblicken des Wasserbüffels.* Zum erstenmal erblickt er das Gesuchte, einen Wasserbüffel. Der Wasserbüffel ist in Südchina noch heute das Arbeitstier *par excellence*; er lie-fert auch Fleisch und Leder. In erster Linie steht der Was-serbüffel jedoch für Arbeitskraft

Das Hüten und Führen des Büffels am Strick (Die nun sicher gewonnene Wahrheit kann durch keinerlei Verblendung mehr verlorengehen).

Der Heimritt der singenden und Flöte spielenden Hirten auf dem Rücken des folgsamen Büffels (Sichere, freudige Ruhe der Einsicht, alles ergibt sich wie von selbst).

Der Büffel ist verschwunden, allein bleibt der Mensch (Eine ausdrücklich-bewußte «Einsicht» ist jetzt überflüssig, da der erstrebte Wesensstand erreicht, die ontische Wandlung gelungen ist).

4. Einfangen des Wasserbüffels. Mit einer Leine hat der Hirt den Wasserbüffel eingefangen; dieser wehrt sich noch heftig. Ein erster, noch sehr unsicherer Kontakt zu den Kräften des Unbewußten ist hergestellt.

5. Zähmen des Wasserbüffels. Der Kontakt vertieft sich, ist jedoch immer noch ein Kampf, bei dem einmal der Hirt (Ich-Bewußtsein), dann wieder der Wasserbüffel (die Kräfte des Unbewußten) stärker sind.

6. Heimritt auf dem Wasserbüffel. Nun ist die Beziehung kein Kampf mehr, die Machtspiele haben aufgehört, die Energien des Unbewußten tragen den Menschen. Wer führt wen?

7. Der Wasserbüffel ist vergessen, der Mensch bleibt. Der Hirte ist wieder allein. Aber ist er noch der gleiche? Er hat seine inneres Wesen erkannt, die Sehnsucht danach ist nicht mehr notwendig, die Kämpfe der Zweiheit vorbei.

8. Wasserbüffel und Mensch sind vergessen. Nun hat der Hirte auch sich selbst vergessen können. Es herrscht nichts als wache Offenheit. Der leere Kreis (*ensô*) ist im Zen das Symbol für die Ganzheitserfahrung, die Erleuchtung (*satori*). Nun ist der Mensch frei und offen, auf das einzugehen, was der Augenblick bringt.

9. Zum Ursprung zurückgekehrt. Die Natur hat sich nicht verändert. Und der Mensch? Nach langem Bemühen hat er seine Selbstentfremdung überwunden und ist zu seiner ursprünglichen Natur zurückgekehrt. Die Bäume blühen gleich wie zuvor, doch jetzt steht der Mensch nicht mehr im Gegensatz zur Natur, sondern ist ein lebendiger Teil davon.

10. Betreten des Marktes mit offenen Händen. Der Weg geht wieder zurück in die normale Alltagswelt mit ihren Wirrungen. Kein Heiliger kommt zurück, sondern ein ganz normaler Mensch mit seinen Schwächen, die er jedoch kennt und mit Gelöstheit und Humor trägt. Dieser letzte entscheidende Schritt weg vom einzelgängerischen Asketen hin zum Sich-Einsetzen für die Gemeinschaft zeigt, daß Zen doch zum Mahâyâna-Buddhismus (großes Fahrzeug) gehört, der das Ideal des helfenden Erleuchteten (Bodhisattva) besonders betont.

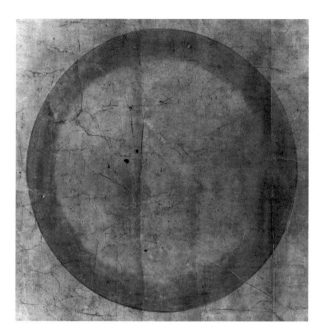

Büffel und Mensch sind verschwunden: ein leerer Kreis (Aller Dualismus ist in der letzten Klarheit aufgelöst; «alles ist leer»).

Die Rückkehr zum Fundamentalen, zum Ursprung: die «Drei Reinen» – Bambus, Pflaumenblüten und Felsen (Das einfache Dasein der Dinge, über deren Wesen nicht mehr spekuliert zu werden braucht).

Durchlässig werden

Wie wir gesehen haben, leidet der Übende im Rinzai-Zen an einem ihm von außen aufgegebenen Problem, das ihn in einen inneren Zwiespalt führt. Eine Lösung dieses leidvollen und unbefriedigenden Zustandes ergibt sich dann, wenn es dem Zen-Schüler gelingt, die Welt der Zweiheit loszulassen, um für etwas Grundlegenderes offen zu werden.

Der Zen-Weg ist sehr verpflichtend und setzt einen körperlich und psychisch gesunden Menschen mit großem Durchhaltevermögen voraus. Normalerweise wird ein junger Mann für sein ganzes Leben Mönch: etwa die Hälfte führen später den Tempel ihres Vaters fort, die anderen haben den Zen-Weg aus eigenem Antrieb gewählt.

Eine Psychotherapie nimmt man oft erst unter einem ziemlichen Leidensdruck in Angriff. In einer Jungschen Therapie

Der Gang in die Stadt mit herabhängenden Armen (In der unscheinbaren Gestalt Pu-tais, bedürfnislos, heiter und weltüberlegen, seine Weisheit nicht zur Schau tragend, geht der erleuchtete Mensch unters Volk, und alle gelangen zur Buddhaschaft).

versucht man nicht, ein neurotisches Symptom wegzutrai-
nieren, sondern man setzt in erster Linie auf Persönlich-
keitswachstum durch mitmenschliche Bezogenheit und gleichzeitig ein Bezogensein auf das Unbewußte: das Ziel ist offene Wandlung. Je mehr die einseitige Ichhaftigkeit ver-
schwindet, desto durchlässiger werden wir für Botschaften
aus dem Unbewußten. Erst durch dieses lebendige Bezogensein auch auf unser Unbewußtes finden wir zu einem
freieren und schöpferischen Lebensstil. Wobei zu erwähnen ist, daß in einer Psychotherapie ein bewußtes Ich manchmal erst erarbeitet werden muß.

*Holztafel über dem Eingang zur Meditationshalle des Tenryûji-
Klosters. Die in Flachrelief ausgeführte kalligraphische Inschrift «Die
Höhle des Löwen» stammt vom Gründer des Tenryûji, Musô Soseki
(1275–1351).*

Durch regelmäßiges Meditieren (*zazen*), im Sôtô-Zen ohne Kôan, wird das Bewußtsein des Übenden mit der Zeit
hellwach, offen und ungerichtet, mit anderen Worten durch-
lässig für das Unbewußte. So gesehen kann man den psychischen Prozeß, der sich in einem Zen-Adepten abspielt,
durchaus im Sinne der Tiefenpsychologie interpretieren, wo
diese «bewußt unbewußte» oder «unbewußt bewußte» Haltung (z. B. im Traum und beim Imaginieren) ebenfalls gesucht wird. Abgesehen von den anderen, den ganzen Menschen einbeziehenden Methoden ist der Zen-Buddhismus
jedoch auch in der Zielsetzung weit radikaler als die Tiefenpsychologie: Will Zen doch die angestrebte Haltung bei
jeder Alltagshandlung, in jedem Augenblick des Lebens erreichen.

Jede Psychotherapie sollte Hilfe zur Selbsthilfe sein. Die
Idee, daß wir im Grunde unsere eigenen Lehrer werden
müssen, ist auch bei uns im Westen nicht ganz fremd.
D. T. Suzuki drückt es für den Zen-Buddhismus so aus: «Werde ich also gefragt, was Zen lehrt, so muß ich anworten,
daß Zen nichts lehrt. Was immer für Lehren es im Zen gibt,
sie kommen aus dem eigenen Inneren jedes einzelnen. Wir
sind selbst unsere Lehrer; Zen weist nur den Weg.»

Literaturauswahl

Suzuki, Daisetz Teitaro: *Die große Befreiung*. Leipzig 1939.
Fromm, Erich; Suzuki, Daisetz Teitaro; De Martina, Richard: *Zen-
    Buddhismus und Psychoanalyse*. Frankfurt/Main ⁵1976.
Watts, Allan: *Psychotherapie und östliche Befreiungswege*.
    München 1986.

Zen und japanisches Management
Zur Dynamik der Zen-Schulungen in japanischen Firmen

Eine beachtliche Zahl japanischer Unternehmen veranstaltet gegenwärtig für Arbeitnehmer und Angestellte sowie für Angehörige des mittleren Managements sogenannte Zazen-Schulungen (*zazen-kenshû*). Fachleute in Japan schätzen den Anteil der beteiligten Firmen auf 10–50%, unabhängig davon, ob es sich um kleine oder mittelgroße Firmen oder um die großen Konzerne[1] handelt.

Man darf sich fragen: Unter welchen Bedingungen finden diese Schulungen statt. Welche Ziele und welche Ergebnisse haben sie?

Die weitergehende Frage nach der Anwendung oder Integration des Zen (und allgemein: meditativer Praktiken) im Alltag sollte in diesem Zusammenhang allerdings sehr nüchtern und differenziert betrachtet werden: Ich beschränke mich darauf, zentrale Gesichtspunkte einer mehrjährigen weitgehend religionssoziologisch orientierten Forschungsarbeit, die ich mit Unterstützung des japanischen Kultusministeriums von 1986 bis 1988 direkt vor Ort durchzuführen vermochte, kurz vorzustellen.[2]

Die zunächst zu thematisierende relative Unbekanntheit oder auch «Unpopularität» des Zen dient gerade als Ansatzpunkt für eine unternehmenskulturelle Anpassung und Ausbeutung. Weiterhin ist die Bereitschaft der Zen-Tempel, mit dem Management der Firmen gemeinsame Sache zu machen, auf das nach dem 2. Weltkrieg sehr geschwundene Interesse der japanischen Bevölkerung an traditioneller buddhistischer Religiosität zurückzuführen.

Die Meinung der japanischen Arbeitnehmer und Angestellten, denen, wie es meist geschieht, solche Schulungen oft unvermittelt und unter Zwang zugemutet werden, muß deshalb um so aufmerksamer beachtet werden. Die Tatsache, daß so viele Firmen derartiges veranstalten, bedeutet keineswegs, daß die Arbeitnehmer von sich aus zum Zen-Buddhismus neigen. Gerade das Gegenteil ist der Fall.

Allgemeine statistische Untersuchungen zur gegenwärtigen gesellschaftlichen Bedeutung der zen-buddhistischen Schulen sowie der sogenannten Laienpraxis

Man sollte sich zunächst vor Augen halten, daß von 120 Millionen Japanern gegenwärtig nur etwa 10 Millionen – das ist nicht einmal ein Zehntel – der Zen-Schule angehören. Nach einer vom japanischen Kultusministerium herausgegebenen Statistik[3] hatten (1984) die Sôtô-Schule 6,9 Millionen, die Rinzai-Schule 1,64 Millionen und die Ôbaku-Schule 0,35 Millionen Anhänger bzw. Mitglieder.

Aber auch diese Zahlen sind in gewisser Weise trügerisch. Die wichtigste soziale Funktion der buddhistischen Tempel ist in Japan – fast unabhängig von den besonderen Glaubenslehren der einzelnen Schulen – die Organisation und

Morgendliche Sûtrenrezitation in einem Betrieb.

Abhaltung von Bestattungszeremonien und Totenfeiern. Auch in den Zen-Schulen spielt demgegenüber die eigentliche Zen-Lehre und Meditationspraxis nur eine sehr untergeordnete Rolle. Hierzu einige Daten:

Während die Zahl der «Anhänger» (*danshinto*) z. B. im Falle der Sôtô-Schule mit 6,9 Millionen angegeben wird, beziffert sich die Zahl der «Gläubigen» (*shinto*) – gemäß einer von der Schule selbst veröffentlichten Statistik – auf (1985) lediglich 287.135 Individuen.[4]

Aus einer anderen äußerst aufschlußreichen Untersuchung der Sôtô-Schule geht dann z. B. hervor, daß
1. 1986 nur knapp die Hälfte (49%) der befragten «Anhänger» (*danshinto*) überhaupt wußte, welcher Schule ihr Haustempel eigentlich angehörte,
2. 61,2% der Befragten angaben, den Tempel nur im Falle einer Beerdigungs- oder Totenfeier zu besuchen, 17% kein einziges Mal hingingen und nur 3,6% den Tempel aufsuchten, um eine Unterweisung in den Lehren des Buddhismus zu erhalten, und
3. nur 15,5% der befragten «Anhänger» des Sôtô-Zen überhaupt schon einmal Zazen geübt hatten, 83,7% dagegen noch nie.[5]

Die eigentliche Zen-Lehre und -Praxis, die vor allem über die Methode der «sitzenden Meditation» (*zazen*) die Buddhaschaft zu verwirklichen sucht, ist traditionell und allgemein im Bewußtsein des Volkes noch heute weitgehend den Mönchen vorbehalten. Man kann davon ausgehen, daß die Laienpraxis nie wirklich verbreitet war.

Vergleicht man einmal einige die Laienpraxis betreffende Zahlen, so fällt auf, daß
1. nur ein Bruchteil der Zen-Tempel und Klöster überhaupt Zen-Übungen für Nicht-Mönche anbietet, und

Betriebsangehörige bei der Meditation. Im Hintergrund der Mönch mit dem Schlagstock (keisako).

Meditation vor der Wand.

2. diese Möglichkeiten weniger von Individuen als vielmehr von Institutionen (wie Kindergärten, Schulen, Universitäten und – offenbar gegenwärtig mit einem Löwenanteil – von Firmen) genutzt werden.

Im Sôjiji in Yokohama, einem der beiden großen Haupttempel der Sôtô-Schule, kamen beispielsweise im Jahre 1986 1.000 Einzelteilnehmer zu dem in diesem Tempel üblicherweise am Sonntagnachmittag stattfindenden allgemeinen Zazen-Treffen. In Gruppen kamen dagegen für eine meist mehrtägige Zen-Schulung im gleichen Zeitraum mehr als 3.000 Schüler und über 6.000 Firmenangestellte.[6]

Die Zen-Schulung für die Firmen ist also paradoxerweise zunächst auf dem Hintergrund einer relativen Unpopularität bzw. überhaupt Unbekanntheit der eigentlichen Zen-Lehre und Praxis zu begreifen. Keineswegs versteht sich das Gros der Übenden aus den Firmengruppen selbst als überzeugte Zen-Buddhisten oder als Anhänger dieser oder jener Schule.

Obgleich eine große Zahl der Unternehmen tatsächlich Zen-Übungen in den Arbeitsablauf integriert, geschieht dies doch in den seltensten Fällen für alle Mitarbeiter. Häufiger ist eine periodische oder nur einmalige Schulung einer Abteilung oder Filiale oder für eine Gruppe von Angestellten am Anfang oder zu bestimmten Wendepunkten ihrer Beschäftigung oder Karriere.

Während also einige Unternehmen mehr oder weniger regelmäßig Zen-Sitzungen (teilweise sogar in eigens dazu reservierten Übungsräumen) innerhalb der Firma selbst organisieren, schicken doch die meisten der Unternehmen bestimmte Gruppen von Angestellten in die Zen-Klöster: Die Schulungskurse dort dauern in der Regel zwischen ein bis sieben Tage, und die Teilnehmer sind verpflichtet, sich während dieser ganzen Zeit am Schulungsort aufzuhalten. Das Programm umfaßt ohne Unterbrechung Tag und Nacht

volle 24, 48, 72, 96 ... Stunden. Die Teilnahme wird üblicherweise vom Management angeordnet und ist meist für die betreffende Gruppe von Arbeitnehmern «als Teil der Arbeit» verbindlich.

Das Programm der Zen-Schulungskurse, das teilweise von den Firmen, teilweise auch ganz von den Tempeln aus organisiert wird, umfaßt nun im einzelnen neben der Zazen-Übung die sehr strenge und genaue Routine des Klosterlebens, buddhistische Zeremonien, Sûtrenrezitationen, Abschreiben von Sûtrentexten, *samu* (Dienst in Form der körperlichen Arbeit im Zen-Kloster), Predigten der Zen-Priester (*hôwa*) – sowie gegebenenfalls auch einige Programmpunkte (wie Diskussionen, Sport, «Gruppenencounter», Vorträge von leitenden Managern), die ausschließlich von der Firma selbst getragen werden.

Welche Ziele verfolgt das Management der Firmen mit den Zen-Übungen?

Ich zitiere aus einer von einer führenden Arbeitgeberorganisation im Jahre 1961 herausgegebenen Untersuchung, in der die Zen-Schulung erstmals Erwähnung findet: «Aus der Unsicherheit der Unternehmen gegenüber einer Schicht junger Arbeitnehmer, die keine Anstalten machten, die Vorkriegsmoral zu übernehmen, bemühte man sich – auch in den Klein- und Mittelbetrieben – zunehmend um eine Erziehung zur Disziplin.»[7]

Die Zazen-Schulung wurde in diesem Zusammenhang als eine der häufigsten Maßnahmen angeführt – daneben unter anderem «ideelle Belehrung» (*shisôkunwa*), «Besuch eines Shintô-Schreines» (*jinja sanpai*) oder «rituelle Morgenbegrüßung» (*chôrei*).

Erziehung zur Disziplin im Sinne der Vorkriegsmoral –
also jener soldatischen Tugend oder Samurai-Ethik von Selbst-
aufopferung und absoluter Loyalität gegenüber der Autorität
und den Führern – ist genau das, was sich das Management auch in den von mir befragten Firmen am meisten von
der Zen-Schulung erhofft.

Neben dem Gesichtspunkt, daß die Zen-Meditation auch
der Streß-Therapie dienen könnte, und ganz allgemein durch
«Samadhi-Power»[8] die psychophysiologische Fitneß der An-
gestellten gefördert würde, besitzt offenbar der Aspekt der
Gesinnungs- und Verhaltensschulung im Zen-Kloster für die
Unternehmer die größte Attraktivität.

Durch strenge Hierarchie und Gehorsam, «Nicht-Denken»
sowie eine bestimmte Etikette «guter Manieren» und «Höf-
lichkeiten», die das Zusammenleben der «Gemeinschaft» in
einem äußerst strengen Schema normiert, dazu das Ertragen körperlicher Schmerzen sowohl durch die (ungewohnte) Zazen-Übung wie durch die knapp bemessene Nah-
rungsmenge und Erholungszeit soll zumindest für die jüngeren
Firmenangestellten ein Kontrast zu einer im Nachkriegsja-
pan relativ liberalen und freizügigen Erziehung an Schule
und Universität geschaffen werden.

Es handelt sich dabei offensichtlich um eine ganz bewußte Strategie des Managements, das auf diesem Wege autonome Interessenartikulationen der Arbeitnehmer –
auch im Sinne einer vom Management und der jeweiligen
Firma unabhängigen Gewerkschaftsbewegung – zu ver-
hindern und vorbeugend zu unterdrücken sucht. Ziel ist also, ein im Sinne der Arbeitgeberseite positives, effektives
Betriebsklima zu fördern. Das heißt noch einmal: straffe Durch-
organisierung des Unternehmens von oben nach unten, Ver-
stärkung der Disziplin, Firmenloyalität und Einsatzbereitschaft.

Die Schulung im Zen-Kloster hat man sich tendenziell sehr
ähnlich derjenigen beim Militär vorzustellen. Und ein Teil
der Firmen veranstaltet statt oder zusätzlich zu den Zen-Übungen in der Tat auch mehrtägige Schulungskurse bei der japanischen Armee, den sogenannten Selbstverteidigungs-
streitkräften (jieitai). Es nimmt auch kaum wunder, daß in
der Beschreibung japanischer Betriebsorganisationen mar-
tialische Töne anklingen, wenn diese etwa mit militärischer
Ausbildung verglichen oder in Analogie zu ihr gesetzt werden. Die japanische Geschäftswelt begreift sich in ihrem
Selbstverständnis durchaus militaristisch: Begriffe wie Firmen-
Soldaten (kigyô no senshi) oder Busineß-Soldaten (bijines-
su sen-shi) sind sehr geläufig und werden auch im Zusammenhang mit der Zen-Schulung immer wieder gebraucht.

Gemeinsames Essen der Betriebsangehörigen im Zen-Kloster.

Welche Motive für die Zen-Schulung bestehen auf der Seite der Zen-Institution?

Die zur Firmenschulung befragten Zen-Priester gaben dazu
recht unterschiedliche Stellungnahmen ab. Eine sozusagen
offizielle Linie war für mich nicht zu erkennen.

1. Die Firmen-Schulung sei als Nebenarbeit (arubeito) bzw.
als eine gute Verdienstmöglichkeit der Tempel und Priester zu
betrachten. Die Kurse hätten mit der Religion nichts zu tun.

2. Andere der befragten Zen-Priester erhofften sich dagegen schon einen gewissen Effekt auf die Mission und Hilfen für die Gesellschaft: Viele Leute erhielten auf diesem-
Wege einen Eindruck vom Zen, und es könnte ihnen vielleicht helfen, Schwierigkeiten im Arbeitsleben besser zu
ertragen.

3. Einige Priester identifizieren sich ganz explizit mit den
Zielen des Managements: Die Arbeitnehmer sollten dazu
erzogen werden, – wie bei der Zazen-Übung – auch bei
der Arbeit ganz in ihrem Tun aufgehen und sich selbst
zu vergessen. Selbst wenn es sich um eine unangenehme
Arbeit handelte, sollten sie ihr Ich-Denken ausschalten und
«ein Gefühl dafür entwickeln, daß selbst die schmutzigste
und sinnloseste Arbeit im gegenwärtigen Moment die al-
lerhöchste und wichtigste Angelegenheit ist». Der einzelne
sollte «sich selbst töten» (jibun wo korosu) – d. h. ganz und
gar mit der Gruppe oder dem Kollektiv verschmelzen und
das Ich-Denken loslassen. Es ginge nicht an, daß jeder einzelne unabhängig seine Meinung hätte, wenn die Richtung
des Vorgehens einmal bestimmt wurde.

4. Scharfe Kritik an der Zen-Schulung der Firmenangestellten übten vor allem Zen-Priester an den Universitäten: Solange man die Leute mit Zwang zum Zazen brächte, seien vom Standpunkt des Zen aus eigentlich nur negative Ergebnisse zu erwarten. Streß würde z. B. bei einer erzwungenen Übung nicht aufgelöst, sondern im Gegenteil noch vermehrt. Weil die meisten der Teilnehmer dieses Training mit Widerwillen absolvierten, hätten sie später erst recht keinen Drang, von sich aus das Zen zu studieren – für eine Mission ein sehr nachteiliger Effekt. Das Zen würde also von den Firmen «in einem schlechten Sinne ausgenutzt»: Die japanischen Firmen funktionieren letztlich – u. a. mit Hilfe der Zen-Schulung – sehr gut als eine Maschine (und profitieren dabei), jedoch sei die Unzufriedenheit der Menschen mit diesem System erheblich. Einwände erhoben diese Priester auch generell gegen die Form der Übung, bei der auf Leute, die aus gesundheitlichen Gründen Schwierigkeiten mit der Zazen-Haltung hätten, zu wenig Rücksicht genommen würde – sowie gegen den teilweise sehr rüden Umgang mit dem Stock (kyôsaku).

Wie ist die Haltung und wie sind die Erfahrungen der Arbeitnehmer und Angestellten?

Die Befragung von Angestellten und Arbeitnehmern sowie die Durchsicht einer Reihe von schriftlichen Erfahrungsberichten der Firmenangestellten, die mir in einigen Unternehmen überlassen wurden, ergeben folgendes Bild:
1. Die Arbeitnehmer erfüllen wohl oder übel die Anforderungen des Managements zur Teilnahme an der Zazen-Übung. Sie tun dies in den seltensten Fällen aus persönlichem Interesse oder aus Überzeugung, sondern um Sanktionen hinsichtlich ihrer Anstellung und ihrer Karriere zu vermeiden.
2. Die Teilnehmer zeigen wenig Neigung (und hätten auch kaum Zeit) außerhalb oder zusätzlich zu dem von der Firma festgesetzten Rahmen noch weiter Zazen zu üben oder die ideellen Lehren des Zen-Buddhismus tiefgehender zu studieren.
3. Zu ihren persönlichen Erfahrungen stellten die Arbeitnehmer und Angestellten u. a. folgendes fest:
In positiver Hinsicht hätte die Zen-Schulung
– beigetragen zum Verständnis des Zen und des Buddhismus,
– bei den Neuangestellten eine schnellere Umstellung auf den geregelten Tagesablauf erleichtert und allgemein die Härten des Berufslebens gemildert,
– bei den zukünftigen Arbeitskollegen Gemeinschaftsgefühl erzeugt,
– durch die Zazen-Übung Geduld und Willenskraft geschult,
– ein Verständnis für die Bedeutung «unegoistischen Handelns» erreicht, was der Arbeit zugutekommt.

Als negativ wurde dagegen erfahren:
– die ungewohnte Härte des Tagesablaufs,
– vorher nicht erahnte «qualvolle Schmerzen» bei der Zazen-Übung,
– Stockschläge und teilweise als ungerechtfertigt empfundene harsche Zurechtweisungen seitens der Zen-Priester,
– daß der Sinn der Übung keineswegs einleuchtete: «Erleuchtung» sei nicht erreicht worden, und auch sonst hätte das ganze nicht viel gebracht und schließlich,
– daß für die Nicht-Buddhisten u.a. die Rezitation der zenbuddhistischen Sûtren eine Nötigung darstellte.
Viele Teilnehmer meinten, daß sie nicht noch einmal eine derartige Erfahrung machen wollten. Eine Arbeitnehmerin erklärte mir am Ende eines Kurses unter Tränen, es sei alles nur schrecklich gewesen. Sie konnte einfach nicht verstehen, daß man sie in der Firma zur Teilnahme gedrängt hatte.
4. Seitens der Gewerkschaften wird die Zen-Schulung meist sehr heftig kritisiert. Widerstand und – teilweise – erfolgreicher Protest richtet sich gegen eine «Gehirnwäsche» (sennôkyôiku) und «Gesinnungserziehung» (seishinteki na kunren) der Arbeitnehmer zum völligen Konsens mit dem Management. Die Zen-Schulung der Firmenangestellten widerspräche dem in der Verfassung geschützten Recht auf Glaubens- und Religionsfreiheit.

Anmerkungen

1 Etwa Matsushita/National/Panasonic, Toyota, Nissan, Fujitsû, Hitachi, Sumitomo, Mitsubishi, Idemitsu, Minolta, Tôshiba, Honda, Olympus, Yamaha, Kenwood, Japanese Railways, Japan Airlines – um nur einige zu nennen.
2 Thomas Frischkorn: ‹Zazen› für die Arbeitnehmer? Zur Symptomatologie zen-buddhistischer Rituale in Japans Wirtschaft. Frankfurt/M.,
New York 1990 (insbes. S. 44 ff. u. 225 ff.).
3 Quelle: Monbushô Bunkachô, Shûkyônenkan 1984, in: Nihon no shakaigaku 19, Tôkyôdaigaku-shuppankai 1986. An diesen Daten dürfte sich bis heute kaum etwas geändert haben.
4 Shôwa-rokujûnen sôtôshû shûsei sôgochôsa hôkokusho, Sôtôshû shûmuchô (Hg.). Tôkyô 1987, S. 129, 137.
5 Shûkyôshûdan no ashita e no kadai, Sôtôshû shûmuchô (Hg.). Tôkyô 1984: Vergl. die Tabellen 18, 19, 20, 23, 27 und 30!
6 Interview des Autors im Sôjiji, 17. 12. 1987.
7 Sangyôkunren-hyakunenshi – nihon no keizaiseichô to sangyôkunren, Nihonsangyôkunrenkyôkai, Tôkyô 1961, S. 578 f.
8 Zustand tiefer Konzentration, in der die Leerheit des Seins erfahren wird.

Der Tenryûji und sein Gründer Musô Soseki (1275–1351)

Der Tenryûji ist der Haupttempel des gleichnamigen Zweiges der Rinzai-Schule des Zen-Buddhismus in Japan. Er liegt malerisch im Westen von Kyôto am Fuße des Berges Arashiyama. Dort stand vordem ein kaiserlicher Sommerpalast, den zuletzt Kameyama Tennô bewohnte. 1339 beschloß der Begründer des Muromachi-Shôgunats, Ashikaga Takauji (1305–1358), dem Rat des einflußreichen Zen-Meisters Musô Soseki (1275–1351) folgend, diesen Tempel zu errichten und dem Gedenken des eben im Exil verstorbenen Go-Daigo Tennô (reg. 1318–1339) zu weihen, den Takauji in wechselvollen Thronkämpfen anfangs unterstützt, später bekämpft und letztlich zur Abdankung gezwungen hatte.

Zur Finanzierung des Tempelbaus schickte Ashikaga Tadayoshi, der mächtige jüngere Bruder des Shôguns, 1341 ein Handelsschiff nach China. Es war nach den Eroberungsversuchen der Mongolen 1274 und 1281 das erste Schiff, das Handel mit dem von den Mongolen regierten China aufnahm und als «Tenryûji-*bune*» (Schiff des Tenryûji) in die Geschichte einging.

Zum Gründer des neuen Zen-Tempels ernannte Shôgun Takauji den noch vor Go-Daigo Tennô aus langjähriger ländlicher Zurückgezogenheit nach Kyôto zurückgerufenen Musô Soseki.

Den Namen soll der Tempel einem Traum des Tadayoshi verdanken: Dieser sah von Süden einen goldenen Drachen vom Fluß her über dem Tempel aufsteigen, daher Tenryûji, «Tempel des Himmelsdrachens». Der Drache gilt in Ostasien als Wolken und Winde regierendes, wohltätig Regen spendendes Fabelwesen.

Der Tenryûji gehört zu den «Fünf Bergen» (*gozan*), einem aus China übernommenen System, durch das die Zen-Tempel der Rinzai-Schule seit Go-Daigo Tennô unter kaiserlichem Schutz und kaiserlicher Kontrolle bürokratisch eingeordnet wurden. Die «Fünf Berge» bildeten in Kyôto und Kamakura die jeweils aus fünf führenden Zen-Tempeln hierarchisch zusammengesetzte Spitze der Rinzai-Tempel Japans. 1386 wurde der Tenryûji in der «Gozan»-Hierarchie in Kyôto an die erste Stelle gesetzt und war im Westteil Kyôtos das größte Kloster.

Im Laufe der Zeit wurde er mehrfach von Feuersbrunst heimgesucht, zuletzt im Jahre 1864. Der Wiederaufbau konnte 1900 abgeschlossen werden. Seit 1972 ist der Zen-Meister Hirata Seikô Abt des Klosters, dem dessen Wiederbelebung zu verdanken ist. Im Jahre 1991 wurde er Vorsteher des bedeutenden Tempels Tenryûji mit seinem großen Einzugsgebiet und weit ausstrahlendem Einfluß.

Musô Soseki ist der berühmteste und einflußreichste Zen-Meister, die herausragende geistige Persönlichkeit der Zeit blutiger Kämpfe, hinterlistiger Intrigen und heimtückischen Verrätertums, die die Spaltung des japanischen Kaiserreiches im 14. Jahrhundert kennzeichnen. Großes Wissen, Klugheit, geistige Stärke und künstlerische Kreativität verbanden sich bei ihm mit Güte, Weitsichtigkeit, Toleranz und Anpassungsfähigkeit. So gelang es ihm, in stetem Bemühen um Vermittlung und Versöhnung zwischen den feindlichen Parteien und auch durch kluge Zurückhaltung Gunst, ja Vertrauen wechselnd auf beiden Seiten zu gewinnen. Seine oft widersprüchlich erscheinende Handlungsweise gibt bis heute Rätsel auf. Dementsprechend zeigt der Verlauf seines Lebens zeitweise Lücken oder bleibt in geheimnisvolles Dunkel gehüllt. Hirata Seikô nennt als Schlüssel zum Verständnis die «allzu große Milde seines Herzens».

Wie berichtet wird, stammt er, ein Nachkomme in 9. Generation des Uda-Tennô (reg. 887–897), aus Ise (heute Präfektur Mie). Er wuchs auf in der eigentümlich stillen Berglandschaft von Kai (heute Präfektur Yamanashi), widmete sich schon früh dem Studium des mystischen Buddhismus, besonders der esoterischen Lehre der Shingon-Schule, und empfing 1292 im Tôdaiji in Nara die Mönchsweihe.

Bereits ein Jahr später wendete er sich, zutiefst ergriffen vom Tode seines Shingon-Lehrmeisters, dem Studium der Zen-Lehre zu. Zwei Träume, so heißt es, gaben Anlaß für den Namen, unter dem er bis heute bekannt ist: In dem einen Traum erschienen ihm zwei berühmte chinesische Zen-Meister der T'ang-Zeit, und er fügte die ersten Schriftzeichen ihrer Namen in der japanischen Aussprache zu *Soseki* zusammen. Im zweiten Traum brach überwältigend die Welt des Zen in ihn ein und, sich öffnend, entstand der Name *Musô* (Traumfenster).

Die Suche nach dem Weg führte ihn aus der Heimat in die Kaiserstadt Kyôto zu dem bekannten Zen-Tempel Kenninji und weiter nach Kamakura, dem Sitz der mächtigen Hôjô-Militärregenten, zu dem dort aus China angekommenen Zen-Meister I-shan I-ning (jap. Issan Ichinei), dessen Schüler er wurde.

Aber es trieb ihn von Kyôto wie von Kamakura, den Zentren des Zen und der Macht, fort nach Norden. Zurückgekehrt nach Kamakura, um den berühmten Zen-Meister Kôhô Kennichi aufzusuchen, zog er sich bald wieder nach Nordostjapan in die Einsamkeit zurück und gelangte auf seinen Wanderungen bis in die Präfektur Iwate. Wieder in Kamakura, gab ihm Kennichi, tief beeindruckt sein Siegel (*inka*) der Bestätigung in der Nachfolge der Lehre. Der Weg zu einer glänzenden Priesterlaufbahn in Kamakura stand ihm offen.

War es die kluge Voraussicht eines bevorstehenden Sturzes des Hauses Hôjô und des Endes der Militärregierung in Kamakura oder war es der bei ihm stark ausgeprägte

Musô Soseki (1275-1351), Gründer des Tenryûji. Sog. Chinsô-Porträt von Mutô Shûi (tätig 1. H. 14. Jh.). Hängerolle, leichte Farben auf Seide. Ausschnitt, 119,4 x 63,9 cm (gesamt). Myôchi'in, Kyôto.

Gemäß Ch'an- und Zen-Tradition erhält der Schüler, der zur Erleuchtung gelangt ist, ein Porträt (chinsô) seines Meisters mit seiner Widmung. Dies ist jedoch nicht als Zertifikat für einen erfolgreichen Abschluß mißzuverstehen, sondern drückt das weiterhin bestehende geistige Band zwischen Schüler und Meister aus. Über dem Porträt hat Musô eigenhändig eine (hier nicht wiedergegebene) Inschrift angebracht: «Die unteren Gliedmaßen von der Hüfte bis zu den Knöcheln können kein Thema der Lehre darlegen. Daher ist im ‹Tor der Aufrichtung und der Wandlung›, Kenkemon, nur die obere Hälfte des Körpers sichtbar.» (Kenkemon heißt der durch provisorische Methoden und Belehrungen erreichbare Zugang zum Zen, H. Brinker).

Zug, über Berge und Täler zu wandern und Verborgenheit zu suchen, daß er aufbrach? – Es vergingen wohl zwanzig Jahre, eine Zeit, in der er, bald hier, bald da, oft in seiner Heimat im Lande Kai, in stillen Klausen meditierte. Erst im Jahre 1325 folgte er nach langem Zögern dem Ruf des Go-Daigo Tennô (reg. 1319–1339) nach Kyôto. Es folgten wechselvolle Jahre, in denen Musô Soseki es vorzog, Kyôto zu verlassen und in denen er sich zeitweilig wieder auf Wunsch der Hôjô in Kamakura aufhielt.

Nach kriegerischen Auseinandersetzungen mußte Go-Daigo Tennô aus Kyôto fliehen. Als Ashikaga Takauji (1305–1358), Befehlshaber einer Armee des Kamakura-Bakufu, auf die Seite Go-Daigo Tennôs überschwenkte, konnte dieser nach Kyôto zurückkehren und berief sofort auch Musô Soseki zurück. Dieser folgte seinem Ruf. Go-Daigo mußte schon bald erneut aus Kyôto fliehen, da sich der machthungrige Ashikaga Takauji nunmehr gegen ihn wandte. Musô Soseki aber verblieb in Kyôto und unterstützte Takauji, der 1338 vom «Gegenkaiser» der Norddynastie zum Shôgun ernannt wurde.

Go-Daigo Tennô, dem nur noch übriggeblieben war, abzudanken, starb 1339. Nun empfahl Musô Soseki dem Shôgun Takauji, den Sommerpalast des Kameyama Tennô in einen Zen-Tempel umzubauen und dem Gedenken des Go-Daigo Tennô zu weihen.

Der Name von Musô Soseki – auch unter dem ihm von Go-Daigo Tennô verliehenen kaiserlichen Titel Musô Kokushi bekannt – verbindet sich mit vielen Tempelgründungen. So wurden u. a. auf seinen Rat hin 1338 in 66 Provinzen und auf zwei Inseln «Tempel zur Befriedung des Landes» (ankokuji) zur Erinnerung an die Gefallenen in den Kämpfen des Go-Daigo Tennô gegen die Hôjô-Regenten in Kamakura errichtet, was dazu beitrug, daß sich die Zen-Lehre über ganz Japan ausbreitete. Von seinen Schülern – ihre Zahl soll in die Tausende gegangen sein – waren die meisten mit den Haupttempeln der Rinzai-Schule, den sogenannten „Fünf Bergen", in Kyôto und Kamakura verbunden, und viele gelangten später zu Einfluß.

Musô Soseki war ein bedeutender Dichter und einer der führenden Autoren der Zen-Literatur der damaligen Zeit. Als sein Hauptwerk gilt das in Frage-und-Antwort-Form verfaßte *Muchû-mondô*. Auch als Meister des *shodô*, der Kunst des Pinselschreibens, erlangte er Berühmtheit. Besonders aber zeigte sich seine künstlerische Gestaltungskraft in der Gartenbaukunst. Die Gärten des Saihôji (volkstümlich bekannt als Kokedera – «Moostempel») und des Tenryûji wirkten, jeder auf seine Weise, inspirierend auf weitere Zen-Gärten.

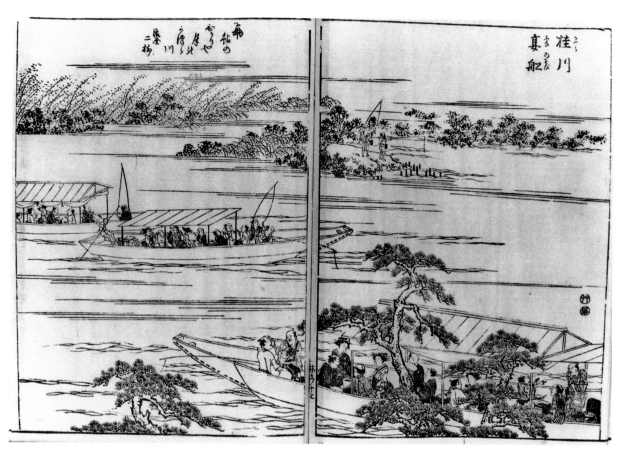

Bootsfahrt auf dem Katsura-Fluß. Aus: Miyako meisho zue (Illustrierte Beschreibung von Sehenswertem in und um Kyôto), Akizato Ritô (Verf.), Takehara Shunchôsai (Ill.), Kyôto 1780, Staatsbibliothek Berlin PK, (Sign. 1a Libri japon 9)

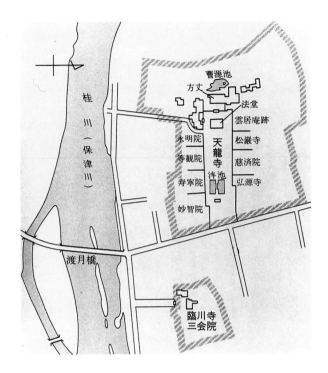

Der Tenryûji-Tempel von Osten gesehen (Mitte des 15. Jh.). Hängerolle, Tusche und leichte Farben auf Papier, 23,8 x 96,8 cm (gesamt). Muromachi-Zeit, dat. 1450. Tenryûji, Kyôto.

Grundriß des Tempel- und Klosterbezirks des Tenryûji (um 1960, Blick von Osten nach Westen). Am westlichen Rand des Areals (hier oben) liegt am Fuß des Arashiyama-«Berges» der Zen-Garten des Tenryûji, der durch einen Teich, den Sôgenchi, beherrscht wird. Dieser Teich ist in der.Form des chinesischen Schriftzeichens für Herz (jap. kokoro) angelegt. Kokoro ist ein zentraler Begriff des Zen und bedeutet das «erleuchtete» Herz, also das ursprüngliche Selbst, die Buddha-Natur des Menschen. Vor dem Teich erstrecken sich die weitläufigen Räumlichkeiten des Haupttempels und Abthauses (hojô). Weiter nach Osten auf der Zentralachse ist in der Skizze deutlich die große rechteckige Dharma-Halle zu erkennen. Südlich der Achse (zum Ôigawa-»Fluß» hin) liegt der Klosterbereich, nördlich eine Reihe von Unter- oder Haustempeln des Tenryûji. Ursprünglich befand sich der sehr viel größere Tempelbereich des Tenryûji weit außerhalb der Stadt Kyôto im unverbauten freien Gelände.   Heute ist er im Osten, Norden und Süden eingezwängt zwischen Wohnareale und von einem nahe gelegenen Untertempel, dem Rinzenji (am unteren Rand der Skizze), durch eine stark befahrene Straße getrennt.

Laut Dietrich Seckel gibt es für die Erklärung des Tempelnamens Tenryûji verschiedene Möglichkeiten: «In der Ikonographie spielt die Gruppe der Tenryûhachibu(shu) eine Rolle: acht Gruppen von Götterwesen als Beschützer Shâkyamunis, zu denen Himmels- und Drachen- (d. h. Wasser-)Götter gehören (die Drachen entsprechen im Buddhismus den indischen Nâgas). Im Zen-Buddhismus geht auf den chinesischen Meister T'ien-lung (Tenryû, Ende der T'ang-Zeit) das sog. Ein-Finger-Zen zurück: T'ien-lung hob auf alle Fragen immer nur einen Finger empor, worauf seinem Gesprächspartner Chü-chih (Gutei), ‹das große Licht aufging›; der übernahm dann diese Methode. Da aber weder zu jener Göttergruppe noch zu dem Meister T'ien-lung eine Beziehung des Tenryûji vorzuliegen scheint, dürfte die dritte Erklärung am ehesten zutreffen (die auch Hirata Seikô vom Tenryûji auf Anfrage bestätigt hat): Musô Soseki riet nach dem Tode des Godaigo-Tennô (1339) dem Ashikaga Takauji, einen Tempel für die ‹Seelenruhe› – oder richtiger: für die Beschwichtigung des beleidigten Totengeistes – des Herrschers zu errichten, dem er so großes Unrecht getan hatte; das Grundstück einer kaiserlichen Villa, Kameyama-dono, wurde benutzt und der neue Tempel zunächst Ryakuôji genannt, nach der damaligen Jahresdevise (nengô, 1338–1342). Etwas später bekam er den Namen Tenryûji, weil Takauji im Traum einen goldenen Drachen am Himmel über dem Tempel gesehen haben soll. Dieser Himmelsdrache dürfte vor allem auch den Kaiser symbolisieren.» (Dietrich Seckel: Buddhistische Tempelnamen in Japan. Franz Steiner Verlag Wiesbaden: Stuttgart 1985, S. 179 f.).

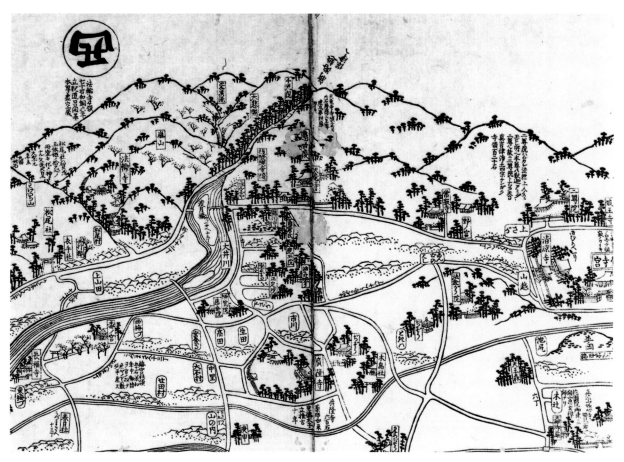

Stadtplan von Kyôto (Ausschnitt). Aus: Miyako machiezu saiken taisei (Großer Stadtplan der Kaiserstadt Kyôto), Ikeda Tôritei (Bearb.), Nakamura Yûrakusai (III.). Faltblatt, 144 x 180 cm (gesamt). Maßstab ca. 1:5000. Kyôto 1831. Im Zentrum des Ausschnitts, über der Querstraße, ist der Tenryûji-Tempel erkennbar, gelegen am Fuße des Arashiyama-«Berges» im Westen der Stadt.

Südlich des Tempels – auf der Karte links – tritt der Ôigawa-«Fluß» (östlich der Togetsu-Brücke Katsura-Fluß genannt) aus den Bergen in die Ebene von Kyôto. In der linken oberen Ecke steht das chinesische Zeichen für Westen (auf dem Kopf). Staatliches Museum für Völkerkunde München (Inv. Nr S. 1135, Slg. Siebold).

Garten des Tenryûji mit bizarrer Steinformation in Löwengestalt. Aus: Miyako meisho zue (s. S. 105).

Garten des Tenryûji. Aus: Miyako meisho zue (s. S. 105)

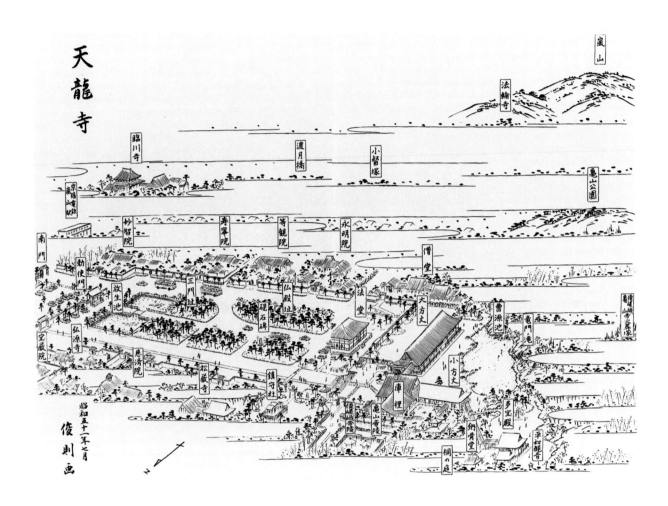

Gesamtanlage des Tenryûji von Nordwesten gesehen. Rechts im Vordergrund der Teich des Tenryûji-Gartens.

Haupttempel des Tenryûji mit kleinem Steingarten.

Giebel des Haupttempels mit dämonenabwehrender Teufelsfratze.

Eingang zum Haupttempel.

Dach des Haupttempels. Auf die Endziegel ist in chinesischen Schriftzeichen «Tenryūji» geprägt.

Dach des Haupttempels.

Umgang des Haupttempels, wo die Mönche nach der regulären Meditation des Tages noch spät am Abend zusätzlich meditieren.

Der Garten des Haupttempels unter einer Schneedecke.

Eine der hohen Holzsäulen in der Buddhahalle (hattô).

Buddhahalle des Tenryûji. Deckengemälde eines Drachen von Suzuki Shônen (1849-1918). Auf dem Altar eine Statue von Buddha Shâkyamuni, davor liturgische Geräte sowie eine Matte, auf der der Abt des Klosters seine dreimalige tägliche Verbeugung vollzieht.

Zum Deckengemälde in der Dharma-Halle des Tenryûji in Kyôto
Hattô tenjô von Suzuki Shônen (1849-1918)

Aufgrund neuester archäologischer Entdeckungen in China darf man dem ostasiatischen Drachen eine rund sechstausendjährige ungebrochene Existenz bescheinigen, auch wenn ihn selten Menschen gesehen haben wollen. Manche sagen, es gebe ihn gar nicht, er sei ein Mythos; andere behaupten, er sei unsichtbar, und doch ist er allgegenwärtig. Sein Lebensraum sind die Wolken, Wogen und Felder. Himmel, Wasser und Erde sind sein Reich. Stets ist er in Bewegung und Wandel begriffen. Keine Schwäche haftet ihm an. Seine Daseinsform unterliegt nicht den Begrenzungen zeitlicher oder räumlicher Verhältnisse des menschlichen Erfahrungsbereichs. Er kennt keine Bindung an diesseitige Dimensionen und kann sich nach Belieben so klein zusammenziehen wie eine Seidenraupe und im nächsten Augenblick so groß werden, daß er den Raum zwischen Himmel und Erde ausfüllt. Man findet den Drachen in der mittelalterlichen Sakralarchitektur Ostasiens beinahe ebenso häufig wie an öffentlichen und privaten Profanbauten, an Toren oder Brücken und in der imperialen Palastarchitektur der Ming- und Ch'ing-Zeit. Vor allem in der Ausschmückung der Gebäude begegnet er einem außen wie innen auf Schritt und Tritt, von den terrassierten Fundamenten bis zu den Akroterien an den Firstenden, vom Säulenschmuck bis zur farbenprächtigen Ausgestaltung der Hallendecken im Palast wie im Kloster.

Lung-men, wörtlich «Drachentor», wo bereits gegen Ende des 5. Jahrhunderts an den Steilufern des Yi-Flusses südlich von Lo-yang in der Provinz Ho-nan einer der bedeutendsten buddhistischen Grottentempel Chinas angelegt wurde, verdankt seinen Namen einer alten Überlieferung. Danach sollen sich an dieser Flußenge, wo der nach Norden dem Gelben Strom zufließende Yi-ho einen Gebirgszug durchschneidet, gewöhnlich viele Karpfen versammelt haben, um die Stromschnellen flußaufwärts zu passieren. Gelang ihnen dies, verwandelten sie sich in Drachen. So wurde das Sprichwort *Li-yü t'iao lung-men*, «Der Karpfen ist durch das Drachentor gesprungen», zu einer Metapher für bestandene, schwierige Examina und schließlich für eine erfolgreiche Karriere im Staatsdienst. Entsprechend verglich man ungewöhnlich begabte Männer von großem Mut, edler Gesinnung und hoher intellektueller Kapazität mit Drachen ebenso wie buddhistische Mönche, denen der Durchbruch zur

Erleuchtung gelungen war. Nicht zufällig führten zahlreiche Zen-Meister das Wort, «Drachen», im Chinesischen *lung*, im Japanischen *ryû* oder *ryô*, in ihrem Klerikernamen, und ebenso häufig begegnet man ihm in den Namen einzelner Gebäude und Klausen, *tatchû*, zen-buddhistischer Klöster. Der Tenryûji in Kyôto ist das «Kloster des Himmlischen Drachens».

Die Mönchshalle, *sôdô*, auch Meditationshalle, *zendô*, genannt, und die Dharma-Halle oder *hattô* bilden den spirituellen Nukleus einer zen-buddhistischen Klosteranlage. Wer sich zum Eintritt in ein Zen-Kloster entschließt, strebt nicht als Einzelgänger in der Isolation einer abgeschiedenen Klosterzelle sein Heilsziel an, sondern hofft im Schoße der Mönchsgemeinschaft den Durchbruch zur Erleuchtung zu schaffen. In der Meditationshalle leben die aus allen Himmelsrichtungen zusammengekommenen Mönche wie dicht «geballte Wolken» beieinander; daraus erklärt sich der gelegentlich anzutreffende Name *undô*, «Wolkenhalle». Eine andere Bezeichnung für die Meditationshalle ist *senbutsujô*, «Ort, an dem die Buddhas [d.h. die zur Erleuchtung gelangten Mönche] ausgewählt werden». Die meist geräumigen Hallen haben eine schlichte architektonische Gestalt, und nicht selten sind ihre Decken mit gewaltigen, in den Wolken sich windenden Drachen ausgemalt. Dies ist auch der Fall in der *hattô* des Tenryûji, wo auf einer Fläche von 18,1 x 16,3 m ein «Bild von Drachen in Wolken», *unryûzu*, den «Himmelsbrunnen», *tenjô*, genannten Deckenspiegel schmückt. Es stammt von dem in Kyôto geborenen und dort tätigen Maler Suzuki Shônen (1849-1918), der seit 1886 an der Malakademie der Präfektur unterrichtete und auch für andere Zen-Klöster der alten Kaiserstadt Werke schuf, darunter Stellschirme mit reizvollen Landschaftsdarstellungen für den zum Daitokuji gehörenden Ryôgen'in, das «Subkloster des Drachenquells». Ohne Frage gemahnten Drachen dieser Art an den Decken der Klosterhallen mit all ihren traditionellen kosmischen und literarischen Assoziationen die Mönche an die schöpferische Macht der fruchtbaren Wandlung. Sie führten ihnen eindringlich die Möglichkeit vor Augen, von einem «kleinen Fisch» zum Drachen zu werden, das heißt von einem unerleuchteten Menschenkind zum «Meister der Meditation», *zenji*, zu reifen und so den Weg der Buddhaschaft zu vollenden.

Drache. Suzuki Shônen (1849–1918), Deckengemälde, ca. 18,1 x 16,3 m, Dharma-Halle, Tenryûji, Kyôto.

Blick aus dem Haupttempel auf den alten Garten, der von Musô Kokushi, dem Gründer des Tenryûji, angelegt worden war.

Blick auf den Garten im Schneegestöber.

Der Teich im Garten des Tenryûji.

Der Teich im Garten des Tenryūji.

Blick vom Garten auf den Haupttempel.

Zen und Klosteralltag*

Über den Ursprung des Zen

Zen ist, wie auch die gebräuchliche Benennung «Zen-Bud-dhismus» zeigt, eine Form des Buddhismus. Wie allgemein bekannt ist, wurde die buddhistische Religion im alten In-dien vom Buddha Shâkyamuni (etwa 563–483 v. Chr.) gegründet. Die Darlegungen des Buddha wurden in Form von Sûtren zunächst in Pâli, später in Sanskrit festgehalten, und diese Texte wurden ab der zweiten Hälfte des zwei-ten nachchristlichen Jahrhunderts in China bekanntgemacht. Es ist überliefert, daß der Mönch An Shih-kao schon um das Jahr 170 n. Chr. Texte des Theravâda-Buddhismus ins Chinesische übersetzte.

In den folgenden 350 Jahren wurden viele weitere Sûtren des Theravâda- und Mahâyâna-Buddhismus ins Chinesische übertragen. Unter den Übersetzern finden sich illustre Na-men wie Kumârajîva (350–409) und Buddhabhadra (gest. 429). In der zwanzigbändigen K'ai-yüan-Liste buddhistischer Texte aus dem Jahre 730 sind nicht weniger als 5048 bud-dhistische Schriften aufgeführt.

Viele dieser ins Chinesische übertragenen buddhistischen Schriften wurden unter den Gebildeten Chinas bekannt. Die-se versuchten, die aus Indien stammenden Schriften aufgrund ihrer eigenen taoistischen und konfuzianischen Traditionen zu verstehen. So ergab es sich, daß der indische Bud-dhismus mit dem traditionellen chinesischen Gedankengut verschmolz und sich eine neue, typisch chinesisch-buddhi-stische Denktradition formte. Diese neue, eindeutig chine-sische Form des Buddhismus wurde auf dem Festland bald sehr einflußreich, und um das sechste Jahrhundert entstand die Bewegung, die wir Zen-Buddhismus nennen. In der T'ang-Zeit (618–906) entfaltete der Zen-Buddhismus seine größ-te Kraft.

Die chinesischen Zen-Texte berichten, daß der Gründer des Zen ebenfalls aus Indien gekommen sei und Bodhi-dharma geheißen habe. Es gibt auch Gelehrte, die die Ge-schichtlichkeit dieser Person in Zweifel ziehen. Auch ist der genaue Zeitpunkt der Ankunft von Bodhidharma unklar, doch wird in diesem Zusammenhang oft die erste Hälfte des sech-sten Jahrhunderts genannt. Im Gefolge des Sechsten Patri-archen des Zen, Hui-neng (638–713), hat sich Zen in Chi-na als eine Form des Buddhismus etabliert. Gegen Ende der T'ang-Zeit erschienen viele berühmte Zen-Meister wie zum Beispiel Chao-chou (jap. Jôshû; 778–897), Lin-chi (jap. Rinzai; gest. 866), Tung-shan (jap. Tôzan; 807–869) und

*Übersetzt aus dem Japanischen von Urs Abt.

Yün-men (jap. Ummon; 864–949). Durch sie verbreiteten sich die Lehren des Zen in ganz China.

In Japan waren es vor allem die japanischen Mönche Eisai Myôan (1141–1251) und Dôgen Kigen (1200–1253) sowie aus China geflohene chinesische Mönche, welche Zen bekanntmachten. In der Kamakura- (1185–1333) und Muromachi-Zeit (1336–1568) waren in Japan vierund-zwanzig Richtungen von Zen bekannt. Davon überlebten drei bis in die heutige Zeit: Rinzai-Zen, Sôtô-Zen und Ôbaku-Zen.

Was ist Zen

Das Wort Zen stammt vom chinesischen ch'an-na, das wie-derum eine Lautimitation des Sanskrit-Begriffes dhyâna ist, der schon in der indischen Tradition als Bezeichnung eines inneren Zustandes verwendet wurde, welcher sich in der Meditation ergibt. Da es sich bei dhyâna um Herzensruhe handelt, wurde dieser Begriff auch mit ch'an-ting (jap. zen-jô, skt. samâdhi) übersetzt. In Indien wurde sitzende Me-ditation seit dem Altertum als Weg zur Beruhigung des Her-zens verwendet. Das Hauptwort dhyâna hat seine Wurzel im Verb dhî, das «hinbringen» bedeutet. So sammelt dhyâ-na das unruhige, begehrende, liebende und hassende Herz aus seiner Zerstreuung zu einem einzigen Punkt; man könn-te es deshalb auch mit dem modernen Begriff «geistige Kon-zentration» übersetzen.

Man muß sich jedoch hüten, Zen als eine Konzentrati-on zu verstehen, die sich auf einen Punkt fixiert und so un-beweglich ist. Zen-Konzentration muß im Gegenteil immer eine Konzentration sein, welche sich ohne weiteres und frei bewegen kann. Diese ist eine absolute Konzentration, wel-che von nichts eingenommen und deshalb absolut frei ist.

So kann zum Beispiel ein Meister des Bogenschießens sein Herz auf Bogen und Pfeil konzentrieren und den Pfeil die Zielscheibe treffen lassen. Dies kann durch Übung er-reicht werden. Auch durch die Übung der sitzenden Me-ditation (zazen) können Auge und Ohr schärfer werden als gewöhnlich.

Das Ziel der Konzentration im Zen-Buddhismus ist es nun, das eigene verwirrte und zerstreute Herz, sein Bewußtsein, in einem Punkt zu sammeln und des Wesenursprunges jeg-licher Geistesregung und jeglichen Bewußtseins «selbst-ge-wahr» zu werden. Das Leben im Zen-Kloster zielt auf die-ses «Selbst-Gewahrwerden», auf dieses Erwachen zum Ur-sprung des Herzens und Geistes.

Im Gespräch mit dem Schüler verfolgt der Meister seine Fortschritte in der Lösung des Kôans. Wenn die Antwort nicht zufriedenstellend ist, drückt der Meister auf den Klingelknopf und der Schüler muß auf der Stelle stoppen, seine Handflächen aneinanderlegen, sich verbeugen und sich zurückziehen. Aus Giei Satô: Unsui nikki (Tagebuch eines Zen-Lehrlings), Übers. Johanna Fischer. Günther Neske Verlag: Pfullingen 1988, S. 78.

Manchmal werden Schüler, die eben erst vom Meister grob beschimpft und hinausgeworfen wurden, weil sie der Lösung ihres Kôans nicht nähergekommen waren, gegen ihren Willen wieder vor den Meister gezerrt. Hier wird die Angst, sich erneut zu blamieren, von der Oberaufsehern mit Gewalt gebrochen: «In die Enge getrieben, klammern sie sich an ihrem Sitzplatz oder sonstwo fest, werden geschlagen, mit den Füßen weggestoßen, ja ihr Gewand wird in Fetzen gerissen, bis sie letztlich hinausgeschleift werden. Auf den ersten Blick ist dieses Go-annai, sinngemäß etwa: die ‹ehrenwerte Pferdekur›, brutal und barbarisch. Doch diese Tradition aus alter Zeit, die Neuankömmlinge völlig aus der Fassung bringt, ist nichts anderes als die Äußerung tiefster Aufrichtigkeit gegenüber den in der Übung Unerfahrenen, die, in dichtem Nebel eingeschlossen, weder aus noch ein wissen. Es soll sie veranlassen, unerschrocken frischen Mut zu fassen und einen Ausweg zu finden.» Aus Giei Satô: Unsui nikki (Tagebuch eines Zen-Lehrlings), Übers. Johanna Fischer. Günther Neske Verlag: Pfullingen 1988, S. 79.

Das tägliche Leben im Zen-Kloster

Zen ist, wie schon hervorgehoben, nichts vom Buddhismus Verschiedenes. Die buddhistischen Mönche des alten Indien formten Klostergemeinschaften (*sangha*), um dieses Erwachen zu erlangen. Das tägliche Leben in diesen Gemeinschaften war streng geregelt, und die Tradition dieser Klosterregeln setzte sich auch in China fort. Da aber die Gewohnheiten, Bräuche und klimatischen Verhältnisse Chinas sehr verschieden von denjenigen Indiens waren, wurden auch die Regeln den unterschiedlichen Umständen angepaßt und neu formuliert. Ein Zen-Meister der T'ang-Zeit, Pai-chang (jap. Hyakujô; 749–814) faßte diese neuen Regeln für das tägliche Leben im Kloster erstmals in den *Alten Klosterregeln des Pai-chang* zusammen, und später wurden auf ihrer Basis viele andere Regeln verfaßt, zum Beispiel die berühmten *Regeln der Zen-Klöster (Ch'an-yüan ch'ing-kuei,* jap. *Zen'en shingi)* aus dem Jahre 1103.

Nach der Einführung des Zen in Japan sind wiederum neue Klosterregeln entstanden. Das heutige tägliche Leben in japanischen Zen-Klöstern wird von diesen in Japan entstandenen Regeln bestimmt. Bis in die Einzelheiten wird durch sie der klösterliche Tages-, Monats- und Jahresablauf geregelt.

Im Tenryûji-Kloster in Kyôto wird zum Beispiel das Jahr in zwei Übungsperioden aufgeteilt, die Sommer- und die Winterperiode. Die Zeit vom 15. April bis zum 15. Juli wird «Sommer-*ango*» genannt und diejenige vom 15. Oktober bis Ende Januar «Winter-*ango*». *Ango* entspricht dem traditionellen indischen *vârsa*; es bezeichnet einen neunzigtägigen Zeitraum, in dem man sich im Kloster ganz der sitzenden Meditation widmet. Während dieser zwei Perioden ist es im allgemeinen nicht erlaubt, das Kloster zu verlassen oder neu einzutreten; dies muß jeweils in den Zeiten zwischen den beiden *ango* erfolgen.

Während der dreimonatigen Übungszeiten wird eine Woche pro Monat ganz dem stillen und intensiven Üben der sitzenden Meditation gewidmet. In diesen «Dai-Sesshin» genannten Wochen stehen die Mönche jeden Morgen um drei Uhr auf (*kaijô*) und legen sich um elf Uhr nachts schlafen (*kaichin*). Untertags begeben sie sich dreimal ins Refektorium (*jikidô*) für Mahlzeiten, dürfen nur zu streng

Die Welt der Toten als Spiegel des Alltags: Skelette beim Rasieren des Schädels. Aus Ikkyû Sôjun: Gaikotsu (Skelette), 1457.

Rasieren des Schädels und Saubermachen. Blockdruck aus: Ikkyû shokoku monogatari zue (Illustrierte Aufzeichnungen über die Pilgerrreisen des Mönchs Ikkyû). Vgl. Abb. S. 186.

bestimmen Zeiten aufs WC; außerdem muß sich jeder einzelne dreimal pro Tag dem Meister unter vier Augen stellen (*sanzen*). Abgesehen davon ist der ganze Tag der sitzenden Meditation in der Meditationshalle (*zendô*) gewidmet, und diese Halle darf nicht ohne zwingenden Grund verlassen werden. In Indien nahmen die buddhistischen Mönche und Nonnen nur zwei Mahlzeiten am Vormittag zu sich, aber in den heutigen japanischen Zen-Klöstern wird auch ein Nachtessen (*yakuseki*) eingenommen. So wird jeweils eine ganze Woche damit verbracht, in sitzender Meditation nach dem Weg des Buddha zu streben. Für Anfänger ist dies eine äußerst harte Übung.

Auch in den Wochen der beiden Übungsperioden, in denen keine *sesshin* mit intensiver Meditation stattfinden, ist das Leben genau geregelt. So gehen die Mönche an Tagen, die mit der Ziffer drei oder sechs oder acht enden, vormittags in der Stadt auf Betteltour und sammeln Spenden. An mit einer Null, Zwei, Fünf und Sieben endenden Tagen hören sie morgens während etwa zwei Stunden eine Vorlesung über Zen-Texte und lernen so etwas über das «Erwachen» von Zen-Leuten in alter Zeit. Nachmittags widmen sich die Mönche jeweils der Arbeit im Gemüsegarten und Klostergelände. An mit Vier oder Neun endenden Tagen (*shikunichi*) wird im Kloster und außerhalb geputzt. An diesen Tagen scheren sich die Mönche die Haare und dürfen ein Bad nehmen. Am Vierzehnten und Neunundzwanzigsten jeden Monats (*dai-shikunichi*) darf man neben den erwähnten Dingen auch andere Obliegenheiten erledigen wie das Flicken von Kleidern oder die Behandlung

von Verspannungen mittels Akupunktur oder Moxa-Kauterisierung (von jap. *mogusa*, Artemisia Moxa, deren getrocknete und geriebene Blätter auf der Haut aufgehäuft und verbrannt werden).

Auf diese Weise werden die Tage streng nach den Regeln und in Ruhe verbracht. Es wird darauf geachtet, daß die Mönchshalle und deren Umgebung zu allen Zeiten äußerst rein ist.

Der Tagesplan einer konzentrierten Meditationswoche (*dai-sesshin*) sieht wie folgt aus: Morgens drei Uhr ist Tagwacht, und nach einer Zeremonie muß jeder einzelne sich dem Meister stellen (*sanzen*). Um vier Uhr früh wird das Frühstück eingenommen (*shukuza*), wonach sitzende Meditation (*zazen*) geübt wird. Nach dem Mittagessen (*saiza*) um zehn Uhr morgens wird wieder meditiert bis zum *sanzen* um ein Uhr nachmittags. Bis zum Nachtessen (*yakuseki*) um vier Uhr wird wieder meditiert, und um fünf (Winter) oder sechs Uhr (Sommer) stellen sich die Mönche dem Meister zum dritten Mal (*sanzen*). Bis zum Lichterlöschen um elf Uhr nachts wird anschließend wieder Zazen geübt.

An den übrigen Tagen stehen die Mönche um vier Uhr früh auf und legen sich um zehn Uhr nachts schlafen. Abgesehen davon unterscheidet sich der Tagesablauf nicht wesentlich von demjenigen der intensiven Meditationswoche, außer daß tagsüber statt Zazen zu praktizieren auf Betteltour gegangen wird oder sonstige Arbeiten verrichtet werden. Die Morgen- und Abendmeditation findet immer statt.

Die Prinzipien des Klosterlebens

Arbeit, sitzende Meditation und Sûtrenrezitieren werden im Klosterleben von alters her großgeschrieben. Im Zen-Kloster werden vor allem Arbeit und Zazen betont. Einst sagte ein Zen-Meister der T'ang-Zeit, Pai-chang (jap. Hyakujô), zu seinen Mönchen: «Ein Tag ohne Arbeit: ein Tag ohne Essen.» So hielt er sie zu einem Zen-Leben mit Arbeit an. Arbeit (samu) bedeutet sowohl körperliche wie auch geistige Arbeit.

Zusammen mit ihrem Meister arbeiteten die damaligen Zen-Mönche wie Bauern auf den Feldern, errichteten Gebäude wie Bauarbeiter und arbeiteten im Wald wie Waldarbeiter. Man kann wohl sagen, daß dies eine große Wende war, hatten sich doch vorher die Mönche in Indien mehrheitlich auf das Streben nach dem Buddha-Weg in stiller Meditation konzentriert. Das heutige Zen-Klosterleben in Japan steht auch in der Tradition des Arbeitsgeistes von Meister Pai-chang.

Neben der körperlichen Arbeit widmeten sich so die chinesischen Zen-Mönche auch der ruhigen, traditionellen Meditation; ihre Übung bildete also eine Einheit aus Bewegung und Ruhe. Folglich ist es auch nicht erlaubt, während der Arbeit laut zu reden, und das erste Prinzip des Klosterlebens ist «Schweigen». Vom Leben in der Mönchshalle sagt man auch: «Eine halbe Tatami-Matte für den Tag, und eine Tatami-Matte für die Nacht.»

Beim Verfolgen seines Weges soll ein Zen-Mönch außer dem absolut Lebensnotwendigen (Nahrung, Kleidung, Dach über dem Kopf) nichts begehren; er muß auf einfaches Leben achten und sich in Reinheit und Armut üben. Die Einfachheit wurde schon in Indien gefordert, wird doch vom Buddha überliefert, er habe in seinem Edlen Achtfachen Weg, in welchem er die zur Erlösung führenden Verhaltensweisen zusammengestellt hat, auch den Rechten Lebensunterhalt, also Genügsamkeit, verlangt. Dies wird im berühmten indischen Sûtra von den letzten Lehren des Buddha berichtet und die buddhistischen Mönche Chinas haben sich auch daran gehalten.

Das zweite Prinzip des Klosterlebens ist deshalb «Genügsamkeit» oder «Einfachheit». Die Zen-Auffassung des täglichen Lebens in Schweigen und Genügsamkeit hat großen Einfluß auf die chinesische Kultur ausgeübt, und auch fernöstliche ästhetische Ideale wie «raffinierte Einfachheit» und «stille Schönheit» sind auf diesem Boden gewachsen.

Klosterleben und Gegenwart

Man sagt, daß die moderne Gesellschaft im Banne der hochentwickelten Wissenschaft und Technik steht. Sicherlich hat die Entwicklung der Technologie in neuerer Zeit der Menschheit Wohlstand und Glück beschert. Gleichzeitig scheint es aber, daß die Technologie unbekümmert um die Menschen und ihr Wohlergehen sich frisch drauflosentwickelt. Dies kann man in allen industrialisierten Ländern beobachten, in Japan wie im Westen. Doch können die Bemühungen dieser hochentwickelten Zivilisation, jegliche Begierde des Menschen zu stillen, dem Menschen wirkliches Glück bringen? Die Begierden des Menschen sind grenzenlos. Wohin führt es, wenn versucht wird, durch Ausbeutung der beschränkten Ressourcen dieser Erde, die grenzenlosen Begierden der Menschen zu stillen? Führt dies nicht dahin, daß der Mensch durch die Erfüllung seiner Begierden mittels hochentwickelter Technologie sich am Ende selber das Leben auf dieser Erde unmöglich macht?

Wäre es nicht an der Zeit, daß wir modernen Menschen uns wieder der Lehre der Begierdearmut und Genügsamkeit erinnerten und dem Worte «Wer Genügsamkeit kennt, ist immer reich» unsere Aufmerksamkeit schenkten?

Doch Zen ist kein «-ismus», der rücksichtslos alle Begierden unterdrücken und ausmerzen will. Es ist das Ziel der Zen-Übung, genau denjenigen in sich zu entdecken, der die geistige Kraft hat, die grenzenlosen Begierden der Menschen einzuschränken und zu beherrschen.

Vorgarten zwischen Buddhahalle (hondô) links und Meditationshalle (zendô) rechts.

Ein Unsui, ein Mönchslehrling, kommt zum ersten Mal ins Kloster.

Um den Hals gehängt trägt er in einem Einwickeltuch (furoshiki) all seine Habseligkeiten und Gebrauchsgegenstände für den Alltag mit sich.

Wenn die Tür geöffnet wird, verneigt er sich dreimal.

Die Bitte um Aufnahme ins Kloster wird abschlägig beschieden, und der Mönch muß die Unerschütterlichkeit seines Strebens unter Beweis stellen und darf sich tagelang nur für die lebensnotwendigen Handlungen von der Stelle rühren.

Noch immer trägt er seine Habseligkeiten verpackt mit sich, als würde er sich gleich wieder auf den Weg machen.

Fünf Tage bittet der Mönch um Einlaß und harrt in einem kleinen Kämmerchen aus.

Vor dem um Aufnahme ansuchenden Mönch steht das Empfehlungsschreiben seines Heimattempels.

Die Meditationshalle (zendô) von vorne. Über der Tür steht in der Schrift des Tempelgründers Musô Soseki «Die Höhle des Löwen».

Der persönliche Lebensbereich des Mönches umfaßt ca. 2 qm, die Größe einer Tatami-Matte, auf der er nachts schläft und tagsüber meditiert.

Sitzkissen (tan-futon) auf den Tatamis in der Meditationshalle.

An der Außenseite der Meditationshalle (zendô), neben dem Eingang zur Monju-bosatsu-Statue, hängt das Schlagbrett, mit dem die Zeiten des Aufstehens und Schlafengehens sowie der Meditationen verkündet werden. Wenn das Holzbrett durchlöchert ist, darf der Tradition nach solange keine Meditation abgehalten werden, bis ein neues Brett hängt.

Neben dem Mönchseingang in die Zendô hängen die Koromos (Kutten) der Mönche. Der Boden im Inneren der Meditationshalle besteht aus gestampfter Erde. Um die wertvollen Tatamis nicht mit dem Sand von den bloßen Fußsohlen zu verschmutzen, tragen sie in der Zendô Strohsandalen (zôri).

Monju-san, der Bodhisattva der Weisheit, dessen Statue direkt am Haupteingang der Meditationshalle steht. In der Rechten hält er ein Schwert, mit dem er die Unwissenheit der Mönche «abschneidet», in der Linken eine Sûtrenrolle. Er sitzt auf einem Lotosthron, den ein Löwe trägt; zu seiner Verehrung stehen vor ihm eine Blumenvase, Räucherstäbchen, eine Wasserschale und eine Kerze.

An einem Pfeiler des Monju-Altaraufbaus lehnt der Schlagstock (keisako).

Meditation im Sitzen (zazen) in der Zendô.

Zwischen den beiden Mönchen liegt auf einem Brokatkissen ein kleiner «Holzfisch», der zu den Sûtrenrezitationen am Morgen und Abend geschlagen wird. Auf der Stange darüber hängen die sorgfältig gefalteten Kesa-Umhänge der Mönche.

Meditation in der Zendô.

Der Mönchsvorsitzende geht mit dem Schlagstock während der Zazen-Übung vor den meditierenden Mönchen auf und ab.

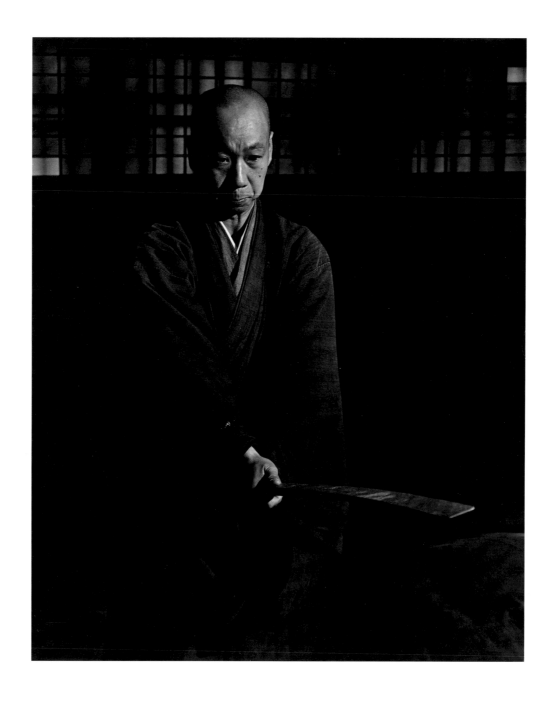

Der Vorsitzende der Zendô (jikijitsu) mit dem kräftigen Winterschlagstock. Ab Mai, nach dem «Wechsel des Kimonos», wird ein leichterer Schlagstock aus Kiefer verwendet, der dünneren Kleidung angemessen.

Der Vorsitzende erkennt, wer schläfrig wird oder wessen Gedanken beim Meditieren abzuschweifen beginnen. Mit drei Schlägen auf die Rückenmuskulatur «weckt» er ihn wieder.

Mönchsvorsitzender (jikijitsu) beim Zazen.

Halbstündlich, zu Beginn und zu Ende der Zazen-Übung, schlägt der Mönchsvorsitzende die Schlaghölzer und die Stielglocke (inkin).

Mönchsvorsitzender (jikijitsu) beim Zazen.

Utensilien des Mönchsvorsitzenden: Tischchen mit Teeschale und Räucherstäbchen (die etwa eine halbe Stunde brennen und als Zeitmesser dienen), daneben Schlaghölzer und Stielglocke.

Zu Beginn der Zazen-Übung schlägt der Vorsitzende Mönch drei Mal die Stielglocke (inkin) an.

Tür zum Wohnbereich eines Mönchsvorsitzenden. Die beiden Hauptmönche der Meditationshalle haben direkt neben der Zendô jeweils ein eigenes Zimmer.

Morgens vor dem Sûtrenrezitieren wird die Glocke am Eingang zur Buddhahalle geschlagen.

Zusammenrufen der Mönche zur Sûtrenrezitation.

Verneigung vor Beginn der Sûtrenrezitation.

Zweimal am Tag, um 9 und um 15 Uhr, rezitiert ein Mönch Sûtren.

Dreimal wird die Standglocke angeschlagen: Zu Beginn, in der Mitte und am Ende der Sûtrenrezitation.

Mönch beim Rezitieren der Sûtren.

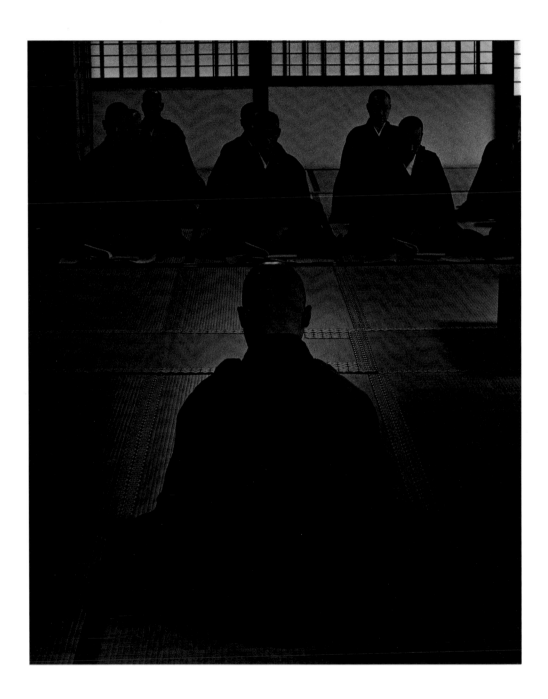

Gemeinsame morgendliche Sûtrenrezitation.

Der Mönchsvorsitzende mit dem Schlagstock.

Dreimalige Verneigung des Meisters vor der Buddhastatue während der allmorgendlichen Sûtrenrezitation.

Morgendliche Sûtrenrezitation in der Buddhahalle des Klosters (hondô) durch den Meister und die Mönche.

Die große Tempelglocke wird abends um 16 Uhr 30 angeschlagen.

Bis dann müssen alle Mönche wieder im Kloster sein.

Gästehalle im Haupttempel mit der Standglocke (kanshô).

Die Priester auf dem Weg zur Sûtrenrezitation in der Buddhahalle (hondô).

Zu besonderen Anlässen, wie dem Geburtstag des Buddha am 8. 4., rezitieren die Mönche in der Buddhahalle im Gehen ca. eine Viertelstunde lang Sûtren.

Allmonatlich am 15. vor dem Sesshin findet in der Buddhahalle unter der Leitung des Abtes eine Zeremonie statt. Dabei trägt der Abt einen Brokatumhang (kesa) sowie Wedel und Gebetskette als Embleme seiner Würde. Alle Priester tragen zu diesem Anlaß rote Filzschuhe.

Etwa alle 5 Tage gibt der Abt um 8 Uhr morgens meist in der Hondô eine einstündige Vorlesung (teishô).

Hirata Seikô, Zen-Meister und Abt des Tenryûji-Haupttempels.

Morgendliches Saubermachen im Klostergarten.

Jeden Morgen reinigt ein Mönch die Schale für die Räucherstäbchen vor der Statue des Monju-bosatsu.

Zweimal am Tag – in der Früh und am Abend – reinigt ein Mönch die Zendô.

Fegen der Binsenmatten (tatami).

Morgendliches Säubern des Vorgartens im Kloster.

Säubern und Rechen des Kieses.

Mönche beim morgendlichen Sich-Wärmen im klostereigenen Gemüsegarten.

Im Hintergrund die Meditationshalle.

Vom Ch'an-Meister Pai-chang, der Ende des 8. Jahrhunderts die Zen-Mönchsregel festgelegt hat, stammt der Satz:
„Ein Tag ohne Arbeit –
ein Tag ohne Essen."

Am 4. und 9. Tag der Monatsdekaden wird gebadet.

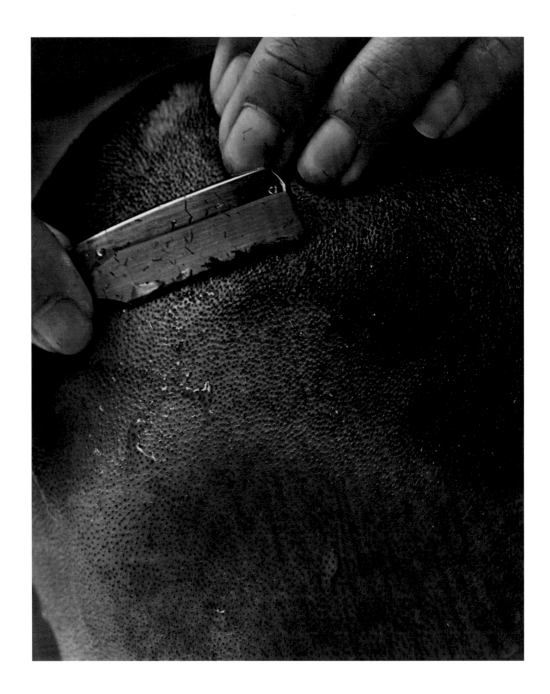

Alle fünf Tage rasieren die Mönche einander den Kopf. Die Haare werden lediglich mit heißem Wasser befeuchtet und am Anfang mit dem Strich, zum Abschluß hin gegen den Strich geschoren. Heute benutzt man meist statt des traditionellen Rasiermessers elektrische Rasierapparate.

Kopfscheren.

In der kalten Jahreszeit zünden die Mönche früh am Morgen vor der Meditationshalle ein Feuer an, um sich zu wärmen.

Morgenwäsche im «mausgrauen Kimono» (nezumi-kimono).

Küchendienst.

«Unter den verschiedenen Ämtern im Zen-Kloster wird der Tenzo, der Koch, außergewöhnlich geschätzt und genießt Hochachtung. Denn da er die Lebensmittelversorgung für die große Klostergemeinschaft organisiert und damit die undankbare Herkulesarbeit des Kochs übernommen hat, hat er dabei umso mehr Gelegenheit, Verdienst durch gute Taten anzuhäufen. Dementsprechend sind die, die in dieses Amt gelangen, in der Regel Altgediente, die als zuverlässig gelten. Die Speisen, die der für die Küche Zuständige zubereitet, sind – und wäre es auch nur ein Korn Reis oder Gerste – Schweiß und Blut der frommen Unterstützer des Tempels. ‹Ein Korn Getreide wiegt so schwer wie der Weltenberg Sumeru›, heißt es.» Aus Giei Satô: Unsui nikki (Tagebuch eines Zen-Lehrlings), Übers. J. Fischer. Günther Neske Verlag: Pfullingen 1988, S. 36.

«Beim Waschen des Reises und beim Säubern von Gemüse hat der Küchenmeister selbst mit Hand anzulegen, und sorgsam auf alle Einzelheiten zu achten. …Richtet er beim Waschen des Reises seine ganze Aufmerksamkeit auf den Reis, achtet er darauf, ob sich nicht noch Sand darin befindet, sieht er mit der gleichen Sorgfalt auf Sand und Reis, so sind die ‹Drei Tugendkräfte› von selbst vorhanden und auch die ‹Sechs Geschmacksmöglichkeiten› wurden genügend berücksichtigt. Als Hsüeh-feng im Kloster von Meister Tung-shan weilte, hatte er dort das Amt des Küchenmeisters inne. Er wusch

eines Tages eben den Reis, da trat Tung-shan an ihn heran und fragte: ‹Bleibt eigentlich, nachdem du den Sand herausgewaschen hast, der Reis übrig oder der Sand, nachdem du den Reis herausgewaschen hast?› Hsüeh-feng antwortete: ‹Ich werfe Sand und Reis gleichzeitig weg.› – ‹Was sollen dann die Mönche essen?› Darauf kippte Hsüeh-feng den Topf mit dem Reis um. Tsung-shan sagte: ‹Du wirst bei einem anderen Lehrer zur Erkenntnis gelangen (nämlich bei einem, der ein genauso grober Klotz ist wie du)!› «Aus: Die Lehre des Küchenmeisters von Dôgen, Übers. Oscar Benl, in: Oriens Extremus 22, 1975, S. 66 f.

«Man kann zwar sagen, daß bei der Lebensmittelversorgung im Kloster die Spenden den Hauptteil abdecken. Andrerseits gibt es ständig alle möglichen Arbeiten, die dem Selbstunterhalt des Klosters dienen. Nach dem Grundsatz, insbesondere bei Gemüsen unabhängig zu sein, ist Arbei (samu) im Gemüsegarten von großer Bedeutung. …(Nach der Ernte wird der) Berg von Abfall-Riesenrettichen unverzüglich in einer Sonder-Samu, der Rettichzukost-Zubereitung, verschiedenartig verarbeitet und kein Blatt wird dabei verschwendet. Gründlich gewaschen und fein geschnitten (werden sie dann) in 72-Liter-Bottiche randvoll eingestampft.»
Aus Giei Satô: Unsui nikki (Tagebuch eines Zen-Lehrlings), Übers. J. Fischer. Günther Neske Verlag: Pfullingen 1988, S. 48, 110 und 116.

In einem Raum neben der Buddhahalle werden vor den Mahlzeiten Sûtren rezitiert.

Nach dem Essen des morgendlichen Reisbreis wird Tee ausgeschenkt, der zugleich zum Reinigen der Schalen dient.

Um 11 Uhr nehmen die Mönche das Mittagessen zu sich, das aus drei Teilen gekochtem Reis und sieben Teilen gekochter Gerste, aus Miso-Suppe und altem eingelegtem Rettich besteht. Jeder Mönch legt ein Häufchen Reis beiseite, das eingesammelt und als Opfergabe den Hungergeistern dargebracht wird.

Auf dem Weg vom Eßraum zur Meditationshalle (zendô).

Am 1. und 6., am 3. und 8. Tag jeder Dekade gehen die Mönche in Gruppen auf Bettelgang, Takuhatsu (wörtlich: «Mit beiden Händen den Bettelnapf hinhalten»). Zum Aufbruch aus dem Tempel schlägt der Hauptmönch die Schlaghölzer.

Zum Klang der Schlaghölzer verneigen sich die Mönche.

Mönchsgruppe auf dem Weg zum Bettelgang vor der Buddhahalle (hattô) des Tenryûji. Erst außerhalb des Tempelbezirks darf der Hut aufgesetzt werden.

Alle paar Tage sind die Mönche auf ihrem Bettelgang vom frühen Morgen bis 11 Uhr mittags unterwegs.

*Einer hinter dem anderen «wie Wildgänse im Flug» ziehen sie auf festgelegten Wegen durch die nähere Umgebung des Klosters,
die zu Fuß erreichbar ist. Seltener fahren größere Gruppen mit öffentlichen Verkehrsmitteln ins Zentrum der Stadt.*

Auf einem Waldweg am Arashiyama-«Berg».

Auf dem Bettelsack steht der Name des Klosters: Tenryû-sôdô.

Mit dem Ruf: «Hooh! Hooh!» verharrt der Mönch einige Augenblicke vor einer Tür, bevor er weiterzieht.

Im allgemeinen erhalten die Mönche Reis- oder Geldspenden. Die traditionelle Almosenschale, wie sie aus Südostasien bekannt ist, wird auch von den Mönchen der Sôtô-Schule verwendet, während die Rinzai-Mönche einen Bettelsack tragen.

Auf der Toge-tsukyô-«Brücke», die nahe dem Tenryûji den Katsura-Fluß überquert.

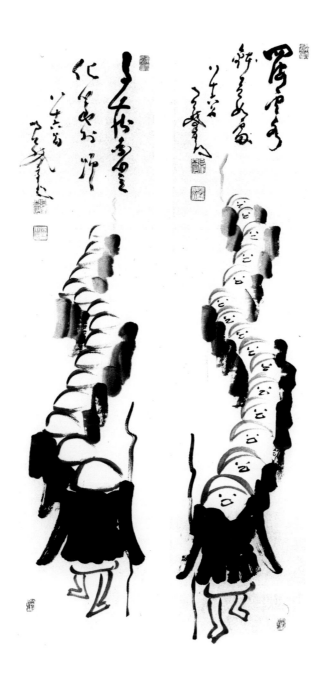

Mönchsprozession. Natembô Tôjû (1839–1925).
Hängerollenpaar, Tusche auf Papier, je 129,5 x 29,8 cm; dat. 1925. Man'yôan Sammlung.
Die beiden Inschriften lauten (nach der Übersetzung von Stephen Addiss: The Art of Zen, Abrams: New York 1989, S. 203): «Im Herbst
kehren sie zurück aus den Dörfern mit ihren runden Hüten, Almosenkörbe in den Händen.» (links) und «Alle die Wandermönche in der
ganzen Welt – Ihre Bettelschalen klingen wie Donnerhall.» (rechts).

Der Takuhatsu-Gang wird von Teepausen unterbrochen, wie hier im Tempelbereich oder auf Einladung in einem Privathaus.

Füßewaschen nach der Rückkehr vom Bettelgang. Die Mönche tragen lediglich Strohsandalen an den Füßen, die im Winter häufig wegen der Nässe zerfallen. Wenn dann die harten Fußsohlen aufplatzen, schmieren sich die Mönche nach einem bewährten Rezept Harz in die Risse und nähen diese zu, da sich die Wunden ansonsten durch das Streusalz entzünden würden.

Zum Zeichen, daß er den aristokratischen Stand verläßt, um Asket
zu werden, hat sich der historische Buddha Gautama mit dem
eigenen Schwert den Haarschopf abgeschnitten. Nach diesem
Vorbild muß sich jeder Mönch und jede Nonne mit dem Eintritt in
das Kloster die Haare scheren lassen.
Chôzen oshô gyôjôki fu (Biographie des Zen-Mönches Chôzen).
Joû (Sensiki inshi), Verf. Okyyama Tsunenori, Ill. Kyôto 1723, Bd. 1.
Japanologisches Seminar der Universität Bonn (Sign. 5/141: Trautz
40, Nachl. Trautz).

Klosterregel für den Alltag von Zen-Mönchen*

I. Allgemeine Vorschriften

Ihre Hauptaufgabe ist es, Zen zu studieren und zu meistern. Wann immer Sie daher mit dem Meister über etwas diskutieren möchten, wenden Sie sich an den Mönchsvorsitzenden (*jikijitsu*) und bitten Sie darum, den Meister zu sehen, egal zu welcher Tages- oder Nachtzeit.

1. Beim Betreten der Meditationshalle (*zendô*) legen Sie Ihre Hände vor der Brust mit den Flächen aufeinander; beim Verlassen legen Sie die rechte über die linke Hand und halten beide vor der Brust. Achten Sie darauf, daß Sie ruhig gehen und stehen. Durchqueren Sie die Halle nicht vor dem Mañjushrî-Schrein; beim Gehen vermeiden Sie, unsicher oder überheblich zu wirken.

2. Während der Meditationsstunden darf niemand die Halle verlassen, außer wenn er den Meister sprechen möchte. Für andere notwendige Bedürfnisse müssen die Pausenstunden genutzt werden. Außerhalb der Halle darf nicht geflüstert oder getrödelt werden.

3. Während des *kinhin* (Meditieren im Gehen) dürfen Sie nicht auf Ihrem Sitz bleiben; schlurfen Sie während des Gehens nicht mit den Sandalen. Wenn Sie – z. B. wegen Krankheit – am *kinhin* nicht teilnehmen können, bleiben Sie mit Zustimmung des Mönchsvorsitzenden (*jikijitsu*) vor Ihrem Platz auf dem Boden stehen.

4. Der *keisaku* (Schlagstock) ist vom Hauptmönch mit unterschiedlicher Kraft einzusetzen, je nachdem, ob ein Mönch döst oder nicht. Wenn Sie die Schläge entgegennehmen, falten Sie höflich die Hände und verbeugen sich; hüten Sie sich vor eigensüchtigen Gedanken und davor, Unmut aufkommen zu lassen.

5. Während der Teezeremonie (*sarei*), die zweimal täglich stattfindet, soll niemand fehlen. Übriggebliebenes darf nicht auf den Boden geworfen werden.

6. Auf den Sitzplätzen (*tan*) dürfen keinerlei Gegenstände herumliegen. Der Besitz von Schreibutensilien ist nicht erlaubt. Legen Sie Ihr Obergewand nicht ab, wenn Sie die Hintertür benutzen.

7. Auch wenn in der Meditationshalle keine regulären Übungen stattfinden, dürfen Sie Ihre Zeit nicht mit Dösen verbringen oder sich gegen die Rückwand lehnen.

8. Niemand darf aus eigenem Ermessen Schläge mit dem *keisaku* fordern, selbst wenn er unter verkrampften Schultermuskeln leidet.

9. Es ist nicht gestattet, in die Stadt zu gehen oder die Wirtschaftsräume des Klosters (*jôjû*) aufzusuchen. Falls dennoch etwas unbedingt zu erledigen ist, bitten Sie einen der Hauptmönche (*jisha*) der Meditationshalle darum; Privatangelegenheiten müssen an den «Nadel- und Moxa-Tagen» (*hashin kyûji*) erledigt werden.

10. An gewöhnlichen Tagen dürfen die Mönche die Unterkünfte der Hauptmönche (*jisharyô*) nicht betreten; falls es dennoch notwendig sein sollte, muß der Mönchsvorsitzende (*jikijitsu*) davon unterrichtet werden.

11. Während der Morgenmeditation müssen Mönche, die noch schläfrig sind, kräftig mit dem *keisaku* (Schlagstock) geschlagen werden.

12. Während des Essens haben sich die Mönche leise zu verhalten und keine Geräusche mit den Eßschalen zu machen; die diensthabenden Mönche müssen sich ruhig und angemessen bewegen.

13. Wenn am Abend die Meditationsstunden zu Ende sind, gehen Sie sofort schlafen; stören Sie andere nicht durch Sûtren-Lesen, durch Verbeugungen oder durch Flüstern mit den benachbarten Mönchen.

14. Während der Meditationsperiode dürfen die Mönche das Kloster nur verlassen, wenn ein Lehrer oder ein Elternteil schwer erkrankt oder gestorben ist.

15. Wenn ein Mönch neu in die Gemeinschaft aufgenommen wird, wird dies verkündet, und er nimmt den ihm zugewiesenen Sitzplatz ein. Zuvor muß er sich vor dem «Heiligen Mönch» (Mañjuśrî) verbeugen und dem Hauptmönch des *tan* und dem Mönchsvorsitzenden (*jikijitsu*) seine Aufwartung machen.

16. Auf den Bettelgängen dürfen die Mönche nicht mit ihren Armen schlenkern, ihre Hände nicht ins Gewand stecken, auf den Straßen nicht hin- und herlaufen oder miteinander tuscheln: Solches Verhalten schadet der Würde der Mönchsgemeinschaft. Wenn Ihnen auf den Straßen Pferde, Wagen o. ä. entgegenkommen, dann gehen Sie ihnen vorsichtig aus dem Weg. In all ihren Bewegungen sollen die Mönche ein angemessenes Verhalten an den Tag legen.

17. An allen Tagen mit den Ziffern vier und neun (also am 4., 9., 14., 19., 24. und 29. eines Monats), findet das allgemeine Reinemachen statt sowie Rasieren, Baden und Außenarbeiten; auch Näharbeiten, Moxa-Behandlung u. ä. können an diesen Tagen vorgenommen werden. Die Mönche sollen sich aber nicht gegenseitig besuchen und ihre Zeit damit verbringen, miteinander zu schwatzen, sich Witze zu erzählen und über Unsinn zu lachen.

18. Um die Termine für die Badetage festzusetzen, sollen die mit dieser Aufgabe betrauten Mönche den *shikaryô* (Hauptmönch der Verwaltung) fragen und sich nach seinen Anweisungen richten.

19. Wenn jemand unpäßlich ist, ist dies dem *jikijitsu* und dem zuständigen diensthabenden Mönch (*jisha*) mitzuteilen;

---

* Aus: D. T. Suzuki: *The Training of the Zen Buddhist Monk*, Kyôto 1934. (Übersetzt von Inge Hoppner).

der Kranke wird aus der *zendô* fortgebracht. Solange er gepflegt wird, darf er keine Bücher lesen oder selbst schreiben oder seine Zeit mit müßigem Geschwätz verbringen. Wenn er länger als fünf Tage krank gewesen ist, muß er sich dem Ritus der «Rückkehr in die *zendô*» unterziehen. [Eine dreimalige Verbeugung vor dem Mañjushrî-Bildnis in der Meditationshalle und vor dem Vorsitzenden, *jiskishitsu*, Anm. d. Hg.]

Diese Vorschriften müssen sorgfältig beachtet werden. Jene, die dagegen verstoßen, gehören zur Gruppe der Störenfriede, die dem Wohlbefinden einer Gemeinschaft Schaden zufügen. Auf Beschluß einer Versammlung sind sie sofort auszuschließen, damit das Leben im Kloster unbehindert fortgeführt werden kann.

II. Regeln für das Krankenquartier

Jeder, der sich wegen seiner Krankheit in diesem Raum aufhalten muß, darf nicht vergessen, auch während der medizinischen Behandlung und im Liegen insgeheim für sich Zen zu praktizieren. Niemals darf er darin nachlassen, sich in der Entwicklung des richtigen Denkens zu üben. Tut er das nicht, könnte sich die Krankheit verschlimmern und die Arznei wirkungslos sein. Dreimal täglich ist die Arznei einzunehmen. Jeder Korbvoll Holzkohle kostet drei *Sen*.

1. Jegliches Feuer muß mit großer Sorgfalt behandelt werden.
2. Weder Sake noch zwiebelartige Pflanzen sind erlaubt, auch nicht als Arzneimittel. Die Küche wird von der Art der Krankheit unterrichtet und bereitet eine geeignete Diät zu. Alles andere ist verboten.
3. Achten Sie darauf, das Bettzeug etc. nicht zu beschmutzen.
4. Im Krankenbett darf der Mönch keine Bücher lesen, schreiben oder seine Zeit mit müßigem Geschwätz verschwenden. Wenn die Krankheit länger als fünf Tage gedauert hat, muß er sich dem Ritus der «Rückkehr in die *zendô*» unterziehen.

III. Vorschriften für die Wirtschaftsräume (*jyôjû*)

Die wichtigste Tätigkeit der Mönche ist das Studium des Zen, und es wird erwartet, daß Sie sich darin üben. Nach der täglichen Arbeit halten Sie Ihre abendliche Meditation genauso wie in der Meditationshalle. Wie ein alter Meister sagt: «Übung während der Arbeit ist hunderttausendmal mehr wert als Übung in Ruhe.» Beherzigen Sie dies und üben Sie, so gut Sie können.

1. Achten Sie mit größter Sorgfalt auf jegliches Feuer und Licht.

2. Bei der Morgen- und Abendmeditation und bei allen anderen Gelegenheiten, die ihre Dienste erfordern, dürfen die Hauptmönche nicht hinter den anderen zurückbleiben.
3. Wenn Sie bei den Mahlzeiten Dienst haben und deshalb nicht essen können, sorgen Sie unbedingt dafür, daß Sie anschließend etwas bekommen. Bei der Handhabung der Schalen und wenn Sie Suppe trinken, dürfen Sie kein Geräusch machen. Die diensthabenden Mönche müssen sich ordentlich und angemessen bewegen.
4. Auf Bettelgängen oder bei Arbeiten außerhalb des Klosters sollen Sie die anderen Mönche begleiten und ihnen helfen; wenn Sie verhindert sind, müssen Sie den *shikaryô* davon unterrichten.
5. Besuchen Sie keine anderen Wirtschaftsräume und verbringen Sie Ihre Zeit nicht mit Schwätzen und müßigem Gerede. Damit stören Sie die Meditationsstunden der anderen. Wenn irgendwelche Angelegenheiten Besuche erfordern, dürfen diese nicht länger als absolut notwendig dauern.
6. Es ist streng verboten, in die Stadt zu gehen. Sollte es notwendig sein, außerhalb des Tores etwas zu erledigen, ist der *shikaryô* davon zu unterrichten. Wenn Mönche in die Stadt gehen, müssen sie sich ordentlich benehmen.
7. Wenn Sie krank sind und Ihren Dienst nicht verrichten können, muß dies dem *shikaryô* mitgeteilt werden; Sie dürfen dann keine anderen Wirtschaftsräume betreten.
8. Nach der Abendmeditation soll sich jeder Mönch sofort zu seinem Schlafplatz begeben. Es ist nicht erlaubt, Licht zu vergeuden, indem man lange wach ist und schwatzt. Bettzeug und andere Gegenstände müssen sauber gehalten werden.
9. Alle Gegenstände und Möbel, die in die Wirtschafts räume gehören, sind mit größter Sorgfalt zu behandeln. Achten Sie darauf, sie nach Gebrauch wieder dahin zurückzustellen, wo sie hingehören. Wie ein alter Meister sagt: «Man soll das Eigentum des Klosters hüten wie seinen eigenen Augapfel.»
10. Die Sandalen dürfen nicht achtlos auf dem Boden zurückgelassen werden. Wenn Sie in der Halle hin und her gehen, dürfen Sie nicht rascheln. Schätzen Sie die einfachen Handlungen des Alltags nicht gering, denn auch aus ihnen können große Tugenden erwachsen. Beherzigen Sie bitte das hier Niedergeschriebene.

IV. Vorschriften für den Gästeraum

Mönche, die die feste Absicht haben, die Zen-Lehre zu meistern, begeben sich auf der Suche nach einem fähigen Meister und erfahreneren Freunden auf eine Pilgerreise. Gegen

Abend suchen sie ein Kloster, in dem sie die Nacht verbringen können. Nachdem ihnen Einlaß in den Gästeraum gewährt worden ist, legen sie ihre Reiseausrüstung ab und setzen sich in Meditationshaltung mit dem Gesicht zur Wand. Es ist höchst bedauerlich, daß sich seit einiger Zeit reisende Mönche nicht an die alten Gebräuche halten wollen. Für einen Möch kommt es jedoch vor allem darauf an, seine gesamte Energie – in welcher Umgebung auch immer – auf die wichtigste Angelegenheit in seinem Leben zu richten. Einzig und allein darin liegt der Wert einer Pilgerreise im Zen

1. Nach dem Schlagen der Abendglocke werden keine reisenden Mönche mehr aufgenommen.

2. Bitten Sie nicht darum, eine zweite Nacht im Gästeraum verbringen zu dürfen, egal wie stürmisch und regnerisch der Tag auch sein mag. Im Krankheitsfall ist diese Regel nicht anzuwenden.

3. Es ist nicht erlaubt, sich gegen den Reisesack zu lehnen und zu dösen. Der reisende Mönch darf sich nicht schlafen legen, bevor die Abendmeditation abgeschlossen ist oder er über ihr Ende benachrichtigt wurde.

4. Wenn Sie die Glocke in der Halle hören, kommen Sie zur Morgenreziation; den kesa-Umhang dürfen Sie zurücklassen

5. Die morgendliche Reisplempe wird gereicht, wenn der umpan (Wolkengong) geschlagen wird.

6. Während der Nacht darf kein Licht brennen.

V. Vorschriften für den Baderaum

Während des Bades muß das «köstliche Gefühl» von Wärme genutzt werden, um «zur Bewußtwerdung der Natur des Wassers» zu gelangen. Müßiges Geplauder ist nicht erlaubt. Vor und nach dem Bad muß man dem ehrwürdigen Bhadra seine Aufwartung machen. [Auf einem Brett im Bad ist in chinesischen Schriftzeichen der Name des Siddha Bhadra geschrieben, der der Überlieferung nach sein «Erwachen» im Bade erlebt hatte. (Siddhas sind legendenhafte, exemplarische Lehrer mit übernatürlichen Fähigkeiten, siddhi). Bhadra, ein indischer Brahmane, wurde beim Baden von einem schmutzigen und (rituell) unreinen Yogin um eine Speisegabe gebeten. Er versuchte ihn zu verscheuchen, doch der Asket entgegnete lediglich, daß man mit Wasser zwar den Leib, nicht aber das Denken reinigen könne und nur reines Denken schließlich zur Erlösung führe. Diese Belehrung legte in Bhadra den Keim für seinen Erlösungsweg. Anm. d. Hg.]

1. Das Feuer muß mit größtmöglicher Sorgfalt behandelt werden.

2. Die Arbeit im Baderaum wird von den Mönchen der zendô im Turnus übernommen. Ansonsten gibt der shikaryô Anweisungen.

3. Wenn der Meister ein Bad nimmt, sind seine Gehilfen zu benachrichtigen. Bei anderen höhergestellten Personen ist besonders darauf zu achten, daß das Bad sauber und ordentlich ist.

4. Wenn das Bad vorbereitet ist, werden die Schlaghölzer (taku) vorschriftsmäßig geschlagen, und die Diensthabenden der zendô geleiten die Mönche der Reihe nach in den Baderaum.

5. Als Heizmaterial sind dürres Laub, das in den Wäldern gesammelt wurde, sowie anderer Abfall zu verwenden.

6. Wenn alle ihr Bad beendet haben, müssen die Mönche dafür sorgen, daß die Glut und die heiße Asche unter dem Badezuber zusammengescharrt und vollständig gelöscht werden.

7. Am folgenden Tag wird der Badezuber sorgfältig geschrubbt, der ganze Raum gereinigt und die Wasserschüsseln werden ordentlich aufgeräumt.

Die oben angeführten Regeln müssen in allen Punkten beachtet werden. Es ist nicht erlaubt, den Baderaum nach Belieben zu benutzen, da dies den reibungslosen Ablauf des Klosterlebens beeinträchtigen könnte.

Erläuterungen zur Klosterregel*

Die Klosterregel (kiku) fixiert die Vorschriften, nach denen der Alltag der Zen-Mönche abläuft und sich ihr Verhalten zu richten hat. Sie ist auf Holztafeln geschrieben, die an den Hallen und betreffenden Quartieren des Klosters aufgehängt sind. Auf diesen Tafeln sind nicht nur die allgemeinen Grundsätze des Gemeinschaftslebens verzeichnet, sondern auch bis ins Detail gehende Anweisungen, etwa wann zu meditieren und zu rezitieren ist, welches Zeremoniell zu verschiedenen Anlässen zu beachten ist, wie die Eßstäbchen zu handhaben oder die Sandalen anzuziehen sind. Mit der Unterwerfung unter die Regel vollzieht der angehende Mönch den ersten Schritt in die geschlossene Gemeinschaft des Zen-Klosters, dessen Ernsthaftigkeit durch die mehrfache und Tage dauernde Abweisung am Eingang des Klosters auf die Probe gestellt wird.

Die meisten Klöster oder klosterähnlichen Gemeinschaften in aller Welt geben sich solche Vorschriften – zu den bekanntesten im christlichen Abendland zählt die Regel des heiligen Benedikt –, doch nur wenige kennen die strenge

---

* Verfaßt vom Herausgeber

und absolute Differenzierung der Rangordnung von oben nach unten, die die Zen-Gemeinschaft kennzeichnet. Ausnahmslos gilt das Prinzip der Seniorität, die sich nach dem Eintrittstag in das Kloster richtet. «Lebensalter, Bildungsgang, Herkunft spielen überhaupt keine Rolle. Wer einen Tag früher da war, dem muß man als Vorgesetzten dienen.»[1]

Im Alltag der Mönche wird diese strenge Hierarchisierung bei allen Diensten, Pflichten und Verrichtungen immer wieder und auch auf körperlich spürbare Weise erfahren, wie van de Wetering in seinem Bericht aus einem Zen-Kloster schildert: Mönche und Laienschüler müssen vor den allmorgendlichen Gesprächen mit dem Meister entsprechend ihrem Rang – also dem Eintrittstag ins Kloster – in einer Reihe auf der Veranda des Haupttempels knien. Dort warten sie, Wind und Wetter ausgesetzt, bis sie auf ein Glockenzeichen hin jeweils zum Meister vorgelassen werden. «Als Spätankömmling hatte ich in der Schlange auf der Veranda den letzten Platz; dort kniete ich manchmal, mit schmerzenden Gelenken, eine Stunde oder länger auf den Holzplanken. Jedesmal, wenn die Schlange vorrückte, konnte ich meine Glieder rühren; aber solange der nächste Mönch beim Meister blieb, saß ich wiederum fest, Krampf und Stechen in den Beinen.» Ein ehemaliger Schüler des Klosters, der seine bereits vorangeschrittene Ausbildung für einige Zeit unterbrochen hatte, wollte nach seiner Rückkehr in der Rangordnung dort wieder einsteigen, wo er aufgehört hatte. Der Vorsteher forderte ihn jedoch gleich am ersten Morgen auf, sich am Ende der Schlange einzureihen, und als er nicht gehorchte, packte er ihn an der Schulter und führte ihn an den zugewiesenen Platz.[2]

Die hier vorgestellte Regel ist ein charakteristisches Beispiel für Klöster in der Rinzai-Tradition. Sie wurde vom Zen-Meister D. T. Suzuki (1870-1966) in dieser Form 1934 niedergelegt. Suzuki gilt als Pionier in der Verbreitung der Zen-Lehre im Westen. Seine Regel wurde bis heute immer wieder nachgedruckt, obgleich an einzelnen Anweisungen unschwer zu erkennen ist, daß sie aus einer vergangenen Epoche stammt: Die Frage, wie einem Pferdewagen auszuweichen ist (I.16), stellt sich heute in Kyôto genausowenig, wie die nach dem Preis von Holzkohle (II), damals für Pfennigbeträge zu haben, heute jedoch als Wärmequelle für Klöster unerschwinglich. Und vermutlich ist auch die Vorschrift, nicht mit den Sandalen zu «rascheln» (III.10), eine ferne Erinnerung an die ehemals in Klöstern üblichen Sandalen aus Papier.

Unverändert bis heute ist jedoch die immer wiederholte Forderung, mit größter Sorgfalt Feuer und Licht zu kontrollieren (II.1, III.1, V.6). Die Angst vor Feuersbrünsten, die Tempelanlagen, Siedlungen und ganze Stadtteile in Asche legten, durchzieht wie ein Leitmotiv die japanische Geschichte.

Selbst bei einem schwachen Erdbeben konnte offenes Feuer auf die verbreiteten leichten Holzkonstruktionen überspringen und zu Brandkatastrophen führen. Aus diesem Grund mußten zahlreiche bekannte Tempel und Schreine in Japan durch die Jahrhunderte mehrfach wieder aufgebaut werden: der Tenryûji-Tempel das letzte Mal vor ca. 100 Jahren und der berühmte Goldpavillon (Kinkakuji) in Kyôto nach einem Brand im Jahre 1950.[3]

Es gibt keine für alle Zen-Klöster einheitliche Regel. Sie variiert nach Schultraditionen und verändert sich im Laufe der Zeit. So liegt es durchaus im Ermessen der jeweiligen Meister eigene Vorschriften zu erlassen. Sie dürfen jedoch nicht den für alle Zen-Klöster verbindlichen Grundkonsens verlassen, den Schülern die Lehre des Zen zu vermitteln und mit ihnen zu praktizieren. Dieser Traditionskern ist älter als die Anfang des 6. Jahrhunderts in China gegründete Ch'an-Tradition und geht auf den historischen Buddha Gautama selbst (trad. 563-483 v. Chr.) zurück: Er hatte mit seiner ersten Lehrrede fünf Anhänger gewonnen und diese als Mönche ordiniert.

Unter den gesellschaftlichen und klimatischen Voraussetzungen Indiens war die ursprüngliche Mönchsregel, dem Ideal der Bedürfnislosigkeit in der Form von «einem Gewand und einer Almosenschale, unter einem Baum und auf einem Stein» zu leben, durchaus praktikabel. Mit der Ausbreitung des Buddhismus nach Norden in den Jahrhunderten nach Christi Geburt ließ sich jedoch diese Art der Lebensfristung nicht mehr aufrechterhalten. Und so wurde bereits in der frühen Ch'an-Tradition Chinas die Notwendigkeit von körperlicher Arbeit propagiert, um das Überleben der Mönchsgemeinschaft zu sichern. Der Almosengang hingegen wurde eher aus Gründen der Erinnerung an die ursprüngliche Besitzlosigkeit bewahrt, als um des reinen Überlebens willen.

Der eigentliche Schöpfer der Ch'an-Klosterregel, auf den sich alle späteren Zen-Klostertraditionen berufen, ist Pai-chang Huai-hai (720-814), der den Ehrentitel erhielt «Patriarch, der den Wald (d. h. die Jüngergemeinde) schuf». Seine *Reine Regel* (chin. *Pai-chang ching-k'uei*, jap. *Hyakujô Shingi*), die allerdings nur in einer überarbeiteten Version aus dem 13. Jahrhundert erhalten ist, gründet auf den bekannten und auf den Lehrstifter zurückgehenden Vorschriften der buddhistischen Mönchsgemeinde: Die auch für Laien verbindlichen fünf Verbote:

1 nicht zu töten
2 nicht zu stehlen
3 sexuelle Ausschweifungen zu meiden
4 nicht zu lügen und
5 sich nicht zu berauschen

sowie weitere fünf, für Laien nicht verpflichtende Regeln gegen unmäßigen Luxus:

6 Essen nach Mittag
7 Tanz, Musik und Theater
8 Blumen und Schmuck
9 üppige Ruhestätten und
10 Gold und Silber.

Pai-changs wesentliche Neuerung betraf den vorrangigen Platz, den er der körperlichen Arbeit innerhalb der Mönchsregeln zuwies. So wird auch der ihm zugeschriebene Satz «Ein Tag ohne Arbeit – ein Tag ohne Essen!» immer wieder zitiert bzw. variiert (vgl. Regel II).

Trotz seines unbestreitbaren, historisch gesicherten Verdienstes, die Klosterregel festgelegt zu haben, stand Pai-chang, der *more sinico* auch nicht als «Erneuerer», sondern als «Übermittler» dargestellt wird, mit seiner Forderung nach körperlicher Arbeit in einer langen Tradition. So mußte der sechste chinesische Patriarch Hui-neng (638-713) bei seinem Vorgänger acht Monate lang Holz spalten und die Reismühle treten, und von Pai-changs eigenem Lehrer Matsu wird die Anekdote berichtet, daß er mit aller Kraft versucht habe, durch *Zazen* (Meditation im Sitzen) zur Erleuchtung zu gelangen. Doch vergebens. Sein Lehrmeister, der das beobachtet hatte, sagte daraufhin zu ihm: «Wenn man durch Sitzen in Meditation Buddha zu werden hofft, dann ist das, als ob man einen Dachziegel reiben und daraus einen Spiegel machen wollte.»[4]

Auch der liebenswert geschilderte Pai-chang steht im Mittelpunkt einer Legende, die auf exemplarische Weise seine Einstellung zu körperlicher Arbeit charakterisiert: Um die geschwächten Kräfte ihres alten Meisters zu schonen, sollen die Schüler seine Gartengeräte versteckt haben, worauf er so lange in Hungerstreik trat, bis man ihn wieder arbeiten ließ.

Die auf Pai-chang zurückgehende traditionelle Dreiteilung des japanischen Mönchslebens in Meditation, Kult und körperliche Arbeit wird, was das letzte Element betrifft, in Suzukis Klosterregel nur indirekt, aber beharrlich angesprochen: Die Warnung vor sinnlosem Schwatzen und Trödeln gilt nicht so sehr dem Herumgeblödle an sich. Dies ist nämlich an manchen Tagen – wohl als eine Art Ventil – durchaus nicht verboten. Vielmehr geht es darum, sich allem was man tut bewußt zu sein. Arbeit darf nicht gedankenlos und nebenbei, sondern muß bewußt gemacht werden. Einem westlichen Zen-Schüler, der beim Gemüseputzen noch nicht einmal merkte, daß er nicht aufpaßte, erklärte dies der Vorsteher auf drastische Weise: «Wenn du das Gemüse putzt, dann mußt du es richtig putzen; die guten ins Töpfchen,

die schlechten ins Kröpfchen. Was du auch tust, tu es so gut Du kannst. Und sei dir bewußt, was du tust. Tu nicht zwei Dinge auf einmal, zum Beispiel pissen und dir die Zähne putzen. Ich habe bemerkt, daß du das machst. Vielleicht glaubst du, damit sparst du Zeit; aber das Resultat ist nicht weiter als Dreck im Abort und Dreck in deinem Mund.»[5]

Anmerkungen

1 Giei Satô: *Tagebuch eines Zen-Lehrlings*. Übersetzt von Johanna Fischer. Pfullingen 1988, S. 30.
2 Janwillem van de Wetering: *Der leere Spiegel*. Reinbek 1981, S. 65 f.
3 Vorlage für Yukio Mishimas bekannten Roman *Die Brandstiftung*.
4 Satô (s. Anm. 1), S. 11.
5 van de Wetering, (s. Anm. 2), S. 49, f.

Dieses Hängerollenpaar gehörte aller Wahrscheinlichkeit nach
ursprünglich zu einer Viererserie von Wildgansdarstellungen, wie
sie in mittelalterlichen Zen-Kreisen zur Ausschmückung der Innenräu-
me chinesischer und japanischer Klöster sehr verbreitet und
offenkundig als beispielhafte Analogie für mönchischen Lebenswan-
del zu verstehen war.

Helmut Brinker, der die Bedeutung dieses Bildthemas in der Zen-
Tradition ausführlich untersucht hat, schreibt unter anderem: «Die in
vier Grundverhaltensweisen gezeigten Wildgänse, nämlich im Flug
(hi), in schnatterndem Geschrei (myô), im Schlaf (shuku) und bei der
Nahrungsaufnahme (shoku), wurden in Analogie gesetzt zu den
‹Vier würdigen Verhaltensweisen› (chin. szu-wei-yi, jap. shi-igi)
mönchischer Disziplin, zum korrekten Gehen (gyô), zum richtigen
Stehen (jû), zum korrekten Sitzen (za) und zum angemessenen
Liegen (ga). ... Über die Frage, warum gerade Wildgänse als
Sinnbild mönchischer Disziplin gewählt wurden, können wir
einstweilen nur Vermutungen anstellen. Sicher ist, daß die Wildgänse in China wegen ihres präzisen Instinkts für Zeit und Ort ihrer
Migrationen, wegen ihrer äußerst disziplinierten Flugordnung und
wegen ihrer unzertrennlichen Treue unter den Paaren bewundert
wurden. Die Ethologie hat die vorbildliche Partnertreue als einen der
bemerkenswertesten Charakterzüge der Anatiden herausgestellt. In
China galten und gelten sie, dank intimer Vertrautheit der Menschen
mit der Natur und einer ethologischen Beobachtungsgabe, die in
unserem Bewußtsein weitgehend verlorengegangen ist, seit
Jahrhunderten als Symbol aufrichtiger ehelicher Treue. Schließlich ist
die Wildgans in der chinesischen Literatur und Geschichte als
zuverlässiger Kurier anzutreffen. In buddhistischen Quellen finden
wir sie gelegentlich als Motiv zen-buddhistischer Kôan, doch werfen
diese Stellen kein erhellendes Licht auf unsere Frage. Mehr Ansätze
zu einer Klärung bietet dagegen eine alte indische Wildgans-
Erzählung, die Eingang fand in die lehrhaft moralisierende Literatur
des Buddhismus und hier im Sinne buddhistischer Ethik ausgestaltet
wurde. Ohne auf die Unterschiede literarisch schmückender Details
in den einzelnen Versionen einzugehen, läßt sich der Inhalt der
Geschichte kurz wie folgt darstellen:

Fliegende und schreitende Wildgans. Unbekannter Meister. Japan,
14./15. Jh. Hängerollenpaar, Tusche auf Papier, je 86,5 x 34
cm. (Jeweils mit einem vermutlich später hinzugefügten Siegel von
Mu-ch'i). Ehem. Slg. Hayashi. Museum für Ostasiatische Kunst SMB
(Inv. Nr. 3569 a/b).

In einer seiner früheren Existenzen war der historische Buddha Shâkyamuni König der Wildgänse. Mit einer Schar flog er eines Tages vom Citrakûta-Berg zu einem weithin gerühmten, prächtigen Teich in der Nähe von Benares, wo der Gänsekönig in eine Falle geriet und mit einem Bein in einer Schlinge hängen blieb. Auf seinen Warnschrei, mit dem er jedoch wartete, bis seine Schar sich sattgefressen hatte, flogen alle Wildgänse in großer Angst auf und davon. Allein sein treuer Heerführer Sumukha, eine Inkarnation des Buddha-Jüngers Ânanda, verharrte trotz inständiger Bitten seines Herrn an dessen Seite. Als der Fallensteller kam, stellte er erstaunt fest, daß nur eine der beiden Wildgänse gefangen war. Nachdem ihn Sumukha über die Tugend der Freundestreue und die Loyalität gegenüber seinem Herrn belehrt hatte, befreite der Fallensteller tief beeindruckt den gefangenen Gänsekönig. Um ihm für sein großherziges Handeln zu danken und ihm eine Belohnung zu verschaffen, beschlossen die beiden Vögel, sich vor den König von Benares bringen zu lassen, in dessen Diensten der Fallensteller stand. Der König hörte die bewegende Geschichte voller Bewunderung und ließ den Fallensteller reich belohnen. Nachdem der König der Wildgänse dem König von Benares seine Lehre verkündet und mit ihm über das Gesetz des rechtschaffenen Verhaltens diskutiert hatte, kehrte er mit Sumukha zu seinen Untertanen auf den Citrakûta-Berg zurück. ...

Es wäre durchaus denkbar, daß diese Legende aus einer der früheren Existenzen des Buddha den Anstoß gab zu der in mittelalterlichen Zen-Kreisen Chinas und Japans offenbar sehr geschätzten Wildgans-Allegorie, denn hier stehen schließlich die Vor- und Urbilder buddhistischen Mönchstums schlechthin, der irdisch-historische Religionsstifter Shâkyamuni und einer seiner beiden ersten Jünger, Ânanda, in Gestalt von Wildgänsen als Inbegriff würdigen, korrekten mönchischen Verhaltens in jeder Lebenslage, als Wahrzeichen buddhistischer Ethik.» (Helmut Brinker, Zen-Ikonographie, Bildthemen und -gattungen, in: Zen in der Kunst des Malens. Otto Wilhelm Barth Verlag: Bern, München, Wien 1985, S. 144-147; vgl. auch ders., Religiöse Metaphorik in Vogeldarstellungen zen-buddhistischer Malermönche, in: Fernöstliche Weisheit und christlicher Glaube, Festschrift für Heinrich Dumoulin SJ, Hg.:Hans Waldenfels und Thomas Immoos, Matthias-Grünewald-Verlag: Mainz 1985, S. 25-42).

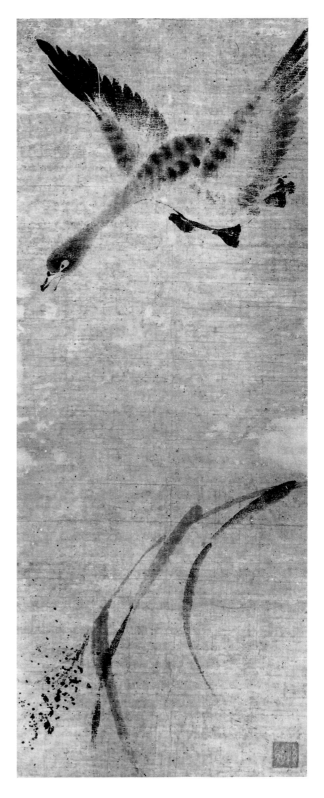

Vor der Schwelle in der Meditationshalle aufgereihte Strohsandalen (zôri)

Katalog

Johanna Fischer, Claudius Müller

Kleidung der Mönche, Ausstattung der Meditationshalle,
Kultgeräte (Kataloganhang)

*Die in der Folge beschriebenen Objekte aus dem Umkreis des Zen-
Alltages wurden dem Museum für Völkerkunde als Schenkung des
Tenryûji-Klosters in Kyôto übergeben. Lediglich Abtstuhl und
Faßtrommel, gehören zum Altbestand des Museums. Soweit nicht
vermerkt, handelt es sich um rezente Erwerbungen (1992), die alle
charakteristisch für die Rinzai-Schule sind. Zur Identifikation und
Beschreibung der Gegenstände konnten die Autoren auf die reiche
praktische Erfahrung von Meister Hirata, Abt des Tenryûji, von Toga
Masataka, Direktor des Institute for Zen Studies Kyôto, und von
Heinz Anneser, lange Jahre Mönch im Tenryûji, zurückgreifen. Als
sehr hilfreich erwiesen sich die folgenden Bücher, in denen auch
die chinesischen Schriftzeichen der Fachtermini zu finden sind:
Hirata, Seikô (Hrsg.): Zazen no susume (Ratgeber für das Zazen).
In: Zen bunka kenkyu sho. The Institute for Zen Studies: Kyôto
1982.
Inagaki, Hisao: A Glossary of Zen Terms. Nagata Bunshodo: Kyôto
1991.
Satô, Giei: Unsui nikki (Tagebuch eines Zen-Lehrlings), Übers.
Johanna Fischer. Günther Neske Verlag: Pfullingen 1988.*

Mönch im «mausgrauen» Kimono
*Am Hals ist das weiße Untergewand (juban) erkennbar. Unterge-
wand und Kimono sind links über rechts geschlagen. An den Füßen
die traditionellen Socken (tabi) und die Strohsandalen (waraji). Das
Gewand wird mit dem Gürtel (obi) zusammengehalten.*

Untergewand (juban)
Weißer Baumwollstoff. L: 82 cm, Breite über Ärmel: 135 cm.

Kimono
Grober, «wie fallender Reif» grau gesprenkelter Baumwollstoff.
L: 152 cm, Breite über Ärmel: 135 cm.
Er wird Sommer wie Winter über dem aus weißem Baumwollstoff
gefertigten Unterkleid (juban) und unter dem Obergewand (koromo)
getragen. Auch als Nezumi-Kimono, «mausgrauer» Kimono,
bezeichnet.

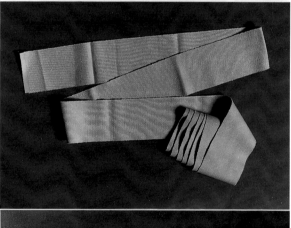

Gürtel (obi)
Fest gewebter und doppelt genähter Baumwollstoff, weiß.
9,5 x 344 cm.
Dient zum Zusammenhalten des Kimonos.

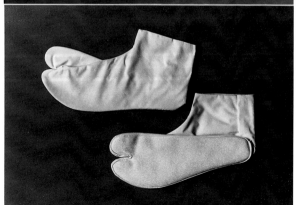

Traditionelle japanische Socken (tabi)
Weißer Baumwollstoff. 29 x 11 x 12,5 cm.
Mit seitlichem Hakenverschluß und abgesetzter großer Zehe. Durch
den Zwischenraum läuft der Halteriemen der japanischen Sandale.

Sandalen (waraji)
Reisstroh. 21 x 9 cm.
Grob geflochtene Sohlen mit je zwei Schlaufen an den Seiten und
einer großen Schlaufe an der Ferse. An der Fußspitze je zwei
gedrehte Strohbänder, mit denen die Sandalen am Fuß und an der
Wade befestigt werden. Diesen Typ von Strohsandalen trägt man
außerhalb des Klosters, z. B. auf dem Bettelgang (vgl. Abb.
S. 195ff.). Im Inneren der Meditationshalle verwendet man die
einfachen Strohsandalen, Zôri (vgl. Abb. S. 216).

Ausstattung des Mönches bei seiner Aufnahme in das Kloster

Bettelgangbeutel (zuda-bukuro), ohne Abbildung
Schwarzer Baumwollstoff mit grauem Innenfutter. 32,5 x 33,5 cm.
Dieser Umhängebeutel (vgl. Abb. S.200) mit zwei Innentaschen
wird vor der Brust getragen und dient zum Einsammeln der Spenden
auf dem Bettelgang. Die Bezeichnung Zuda-bukuro, wörtlich Zuda-
Beutel, verweist auf die asketische Lebensweise (zuda) der Mönche.

Bambushut (ajiro-gasa)
Geflochtener Bambus mit braunem Baumwollstoff gesäumt. H: 22 cm,
D: 55,5 cm.
Mit zwei Stoffschlaufen und Plastikring zum Festhalten des Hutes
unter dem Kinn sowie einem Stützeinsatz. Solche Hüte trägt man auf
Wallfahrten und bei Bettelgängen. Sie dürfen erst nach Verlassen
des Tempelbereichs aufgesetzt werden.

Winter-Obergewand (momen-goromo)
Drillichartiger, dunkelblauer Baumwollstoff, braun gefüttertes
Oberteil. L: 135 cm, Breite über Ärmel: 210 cm.
Das traditionelle Mönchsgewand im Kimono-Schnitt für die kalte
Jahreszeit (Oktober bis Mai).

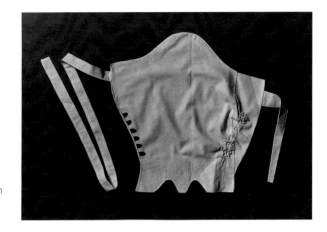

Gamaschen (kyahan)
Weißer Baumwollstoff. 40 x 19 cm.
Mit seitlichem Hakenverschluß. Sie reichen von der Ferse bis zum
Knie. Die Gamaschen werden mit den am Tuch befestigten Bändern
unterhalb des Knies zusammengebunden. Man trägt sie zu den
Strohsandalen außerhalb des Klosters.

Gürtel (futoshukin)
Endlosschlauch aus blauer Baumwolle, mit Watte gefüttert.
L: 440 cm, D: 4 cm.
Dieser wulstartige Gürtel wird um den Kimono und die «Kleine
Kesa» (rakusu) in Form eines «unendlichen Knotens» geschlungen,
ein traditionelles Glückszeichen des Buddhismus.
Zeichnung: Renate Sander, Museum für Völkerkunde SMB.

Umhängetasche (kesa-bunko, auch kesa-bukuro)
Grober, dunkelblauer Baumwollstoff, mit feiner Baumwolle gefüttert
und gepaspelt (35 x 25,5 x 9,3 cm); darin Deckelkasten aus
Kunststoff (34 x 25 x 9 cm). Die Tasche ist an einem wulstartigen,
mit Watte gefütterten Stoffschlauch festgebunden (L: 112 cm).
Wörtlich:»Kesa-Büchertasche«. Die Tasche enthält einen Deckelka-
sten, traditionell eine Lackarbeit, mit der Kesa («Schultertuch») und
den persönlichen Habseligkeiten des Mönches. Die Dinge des
täglichen Bedarfs (Eßschalen, Stäbchen, Sûtrentext, Rasierzeug)
werden in Einschlagtücher gehüllt und auf der Umhängetasche
festgebunden (vgl. Abb. S. 133).
Die Kesa-bunko-«Tasche» gehört zu der seit alters üblichen Pilgerklei-
dung, die ein junger Zen-Mönch beim Aufbruch zur Angya, der
«Fußwanderung» zu einem Zen-Meister, trägt.

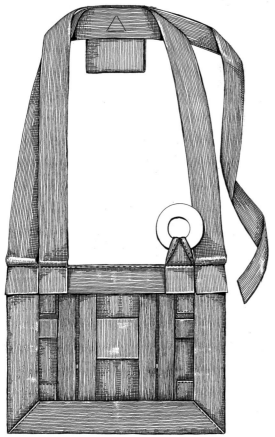

«Kleine Kesa» (rakusu)
Schwarzer Baumwollstoff. 71,5 x 37,5 cm.
An zwei Bändern befestigter Brustlatz, der um den Hals getragen
wird. Eines der Bänder ist an einem weißen Plastikring verknotet.
Dieses Brusttuch geht auf die traditionelle, ebenfalls aus Stoffflicken
zusammengenähte Kesa (Schulterumhang) zurück. Sie erinnert an
das ursprünglich in Indien übliche Gewand der buddhistischen
Mönche, das gemäß der Vorschrift des Buddha nur aus weggewor-
fenen Stoffetzen bestehen durfte. Kleine Kesas und die großen
Schulterumhänge von Priestern und Äbten bestehen häufig aus
wertvollen Brokatflicken.
Zeichnung: Renate Sander, Museum für Völkerkunde SMB.

Mönch mit Umhänge-Kesa
Zu Untergewand (juban) und grauem Kimono trägt er den dunkel-
blauen Winter-Koromo. Über die linke Schulter ist das große
Schultertuch (asa-gesa) gelegt, über dem linken Unterarm hängt das
zusammengelegte «Sitztuch» (zagu).

Arbeitsanzug eines Mönches (samu-gi, trad. Aussprache samu-e)
Dunkelblauer Baumwollstoff.
Die Mönche tragen den zweiteiligen Arbeitsanzug bei der
körperlichen Arbeit (samu) in Haus und Garten. Über den Kopf ist
ein Schweißtuch aus Frotté geschlungen.

Sommer-Koromo (asa-goromo)
Aus gazeartig gewebtem, schwarzem Hanf (asa), braune Einfas-
sung bzw. Fütterung aus Baumwolle in Arm- und Halsausschnitt.
L: 138 cm, Breite über Ärmel: 198 cm.
Das leichte Übergewand des Mönches, «dünn wie ein Moskito-
netz», im Kimono-Schnitt.

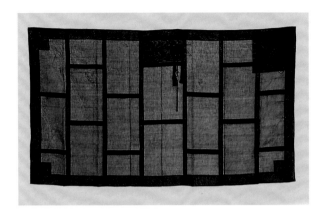

Großes Schultertuch (asa-gesa)
Dünnes schwarzes Gewebe aus Hanf (asa), flickenartig zusammen-
genäht, zwei schwarze Kordeln mit Quasten und zwei Messingrin-
ge zur Befestigung des Tuches vor der linken Schulter.
106,5 x 194 cm.
Wird von den Mönchen zu zeremoniellen Anlässen (Sûtrenrezita-
tion) getragen.

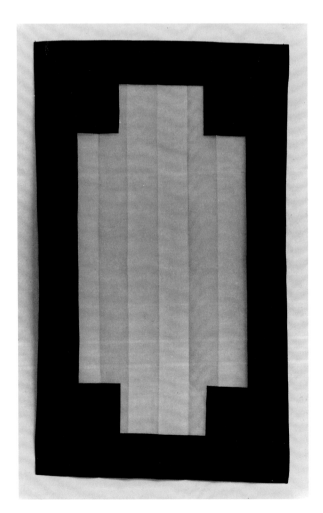

«Sitztuch» (zagu)
Gazeartig gewebt, innen gelb, außen schwarz. 113,5 x 67,5 cm.
Zu einer Breite von knapp 10 cm zusammengefaltet wird das Tuch
über den linken Arm gelegt (vgl. Abb.171. Zur dreifachen «Tiefen
Verbeugung» vor dem Buddha breitet man es auf dem Boden der
Buddhahalle aus und verneigt sich auf den Knien, so daß die Stirn
den Boden berührt (vgl. Abb. 166).

Auf der Bambusstange an der Rückwand hinter den Tatami in der Meditationshalle hängt die zusammengelegte große Kesa (asagesa) und das darum geschlungene, gefaltete «Sitztuch» (zagu).

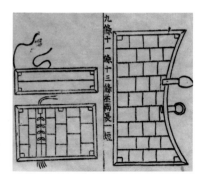

Kesa (rechts) und Rakusu, kleine Kesa, (links), Ausschnitt.
Aus: Zôho shoshû Butsuzô zui (Illustriertes buddhistisches Lexikon),
von Shigetsuken Gizan (Verf., 1690) und Shôsôkino Hidenobu (Ill.
und Hg.). Edo 1783. Blockdruck, 17,7 x 22,2 cm (gesamt).
Staatliches Museum für Völkerkunde München (Inv. Nr. S. 1195,
Slg. Siebold).

Einschlagtuch für Sûtrentexte (kyôhon-zutsumi)
Schwarzer, braun gefütterter Baumwollstoff. 38,5 x 39 cm; mit
blauem Schnürband, L: 45 cm.

Sûtrentext (sankyô-gappon)
Als Leporello gebundene, beidseitig bedruckte Sammlung der drei
Hauptsûtren der Rinzai-Schule. 18,5 x 8 cm; dat. Heisei, 2. Jahr
(1990).
Zu diesen «Drei Sûtren in einem Band» zählen das Diamantsûtra,
das Lotossûtra (zumeist wie hier nur das 25. Kapitel, das Kan-
nonsûtra) und das Herzsûtra (vgl. Abb. S. 237).

Rasiergarnitur bestehend aus Rasiermesser (kamisori), Schleifstein
(toishi) und Abziehstein.
a) Rasiermesser. Stahlklinge mit dunkelblauem Kunststoffgriff;
L: 15,5 cm. Im Griff ist in lateinischen Buchstaben der Firmenname
«Yasuki» eingeprägt.
b) Schleifstein. 21,5 x 7.5 x 4,5 cm. Auf Holzplatte montiert.
Inschrift: O shiage-to(ishi), «(Stein) von feiner Qualität», nämlich der
besten in der dreistufigen Qualitätsskala «grob», «mittel» und «fein».
c) Abziehstein (5,2 x 3,5 cm) zum Glätten des Schleifsteins vor dem
Schärfen der Klinge.

Speisen- und Getränkebehälter für die Mahlzeiten der Mönche
Aus Giei Satô: Unsui nikki (Tagebuch eines Zen-Lehrlings), Übers.
Johanna Fischer. Günther Neske Verlag: Pfullingen 1988, S. 37.
«Der Servierer, ‹Tischdienst› (handai-kan) genannt, sitzt pflichtbe-
wußt bereit. Vor ihm stehen die verschiedenen Behälter (von links
nach rechts): Der Han-ki mit Reis, der Sai-ki mit eingelegtem
Gemüse, der Tô-ki mit Tee bzw. heißem Wasser sowie der Sessui-ki
für die Tee- und Wasserreste nach dem Säubern der Eßschalen und
der Saba-ki für den eingesammelten ‹Leben spendenden Reis›.»
Holzschaufel und Schieber (saba-ki) sind auf dem Reisbehälter (han-
ki) erkennbar (vgl. Abb. S. 193).

Eßgarnitur eines Mönches, bestehend aus einem Einschlagtuch (a),
5 Schalen (b), einem Paar Eßstäbchen mit Hülle (c), einem Trocken-
(d) und einem Abdecktuch (o)
a) Kleines Einschlagtuch (jihatsu-zutsumi). Schwarzer Baumwollstoff,
braun gefüttert. 38,3 x 37 cm. Wird auch als Tischset verwendet.
b) Fünf Eßschalen (jihatsu). Schwarzer Kunststoff. D: 12,6; 11,8;
11; 10,2; 9,5 cm. Die beiden größeren Schalen werden für Reis
bzw. Suppe, die drei kleineren für die vegetarische Zukost
verwendet.
c) Eßstäbchen (hashi) mit Hülle (hashi-bukuro) aus schwarzem
Baumwollstoff. L: 38 cm.
d) Trockentuch (fukin). Weißer Baumwollstoff mit Blaudruck.
40 x 33,2 cm. Die Funktionsbezeichnung «fukin» ist in Silbenschrift
aufgedruckt.
e) Abdecktuch. Schwarzer Baumwollstoff. 38 x 37,2 cm. Das Tuch
wird nach dem Essen zusammengefaltet und auf die ineinanderge-
stapelten Schalen gelegt. Danach hüllt der Mönch das gesamte
Eßgeschirr in das kleine Einschlagtuch (a).

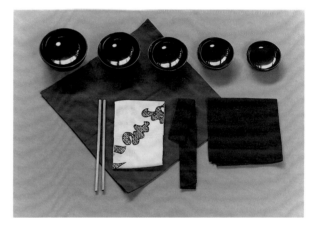

Einschlagtuch (furoshiki)
Baumwollstoff, Blaudruck. 90 x 91 cm.
Traditionelles japanisches Einschlagtuch, dessen vier Ecken über
Kreuz miteinander verknotet werden und das als «Tasche» dient.
Das vorliegende Einschlagtuch ist ein Geschenk des Geschäftes an
einen guten Kunden und in dieser traditionellen Funktion heutigen
westlichen Tragetaschen mit aufgedruckter Werbung vergleichbar.
Die beiden chinesischen Zeichen in der obersten Zeile des
Rankenfrieses geben den Geschäftsnamen, Kichibei, an. Darunter
stehen der Name des Geschäftsinhabers (Sômoku Hyôisuke?), die
Adresse (Kyôto, Itana, Oike agaru) und die Telephonnummer.
Das sehr verbreitete traditionelle Friesmuster, das als «klassischer
chinesischer Rankendekor» (jap. karakusa) bezeichnet wird, ist
zusätzlich mit Früchten der wilden Mandarine geschmückt. Das
chinesische Zeichen für wilde Mandarine (jap. tachibana, Citrus
tachibana Tanaka) ist identisch mit dem ersten Zeichen im Namen
des Geschäftsinhabers (sinojap. Lesung kichi). In der linken oberen
Ecke befindet sich weiterhin ein stilisierter Seidenraupenkokon als
Hinweis darauf, daß es sich um einen Stoffladen handelt. (Deutung
des Dekors von Setsuko Kuwabara, Berlin).

Innenansicht der Meditationshalle (Detail)
Der vorsitzende Mönch sitzt auf einem wattierten Kissen
(66 x 63 cm) und einer zusammengelegten, ebenfalls wattierten
Decke mit dunkelblauem Baumwollüberzug (217 x 87 cm).
Die nach originalem Muster in Kyôto für die Ausstellung angefertigte
Meditationshalle wurde vom Konstrukteur, Zimmermann Isa
Taketoshi aus Kyôto, und dem Vorsteher des Sanshûin-Haustempels
im Tenryûji, Toga Masataka, nach Verstreuen von Salz, dem
traditionellen buddhistischen Bauopfer, am 16. und 17. Februar
1993 im Museum für Völkerkunde in Dahlem aufgebaut. Aus
technischen Gründen umfaßt sie nur eine Hallenhälfte in der Größe
von 6 Tatami (Binsenmatten) sowie den Mittelgang. Die Gesamt-
größe beträgt 260 x 600 x 605 cm. Die Mönchspuppen wurden
von Heinz Anneser, Bildhauer in Apelern-Solndorf (bei Hannover)
und 10 Jahre lang Mönch im Tenryûji, entworfen.
Der in charakteristischer Haltung Zazen praktizierende Mönch sitzt
auf einem wattierten Sitzkissen (tan-buton) und der Zudecke, die
nachts auch als Schlafdecke dient (vgl. Abb. S. 140f). Weil man
sich darin zum Schlafen so einwickelt, daß man wie ein «Reis-
kuchen im Eichenblatt», Kashiwa-mochi, aussieht, wird die Decke
auch «Eichenblatt-Futon», Kashiwa-buton, genannt.
Zur Linken des Mönches steht ein Tischchen mit Räucherutensilien,
davor befinden sich eine Stielglocke und die Gegenschlaghölzer.
Hinter ihm, auf einer Bambusstange hängen die große Kesa und
das gefaltete Sitztuch.

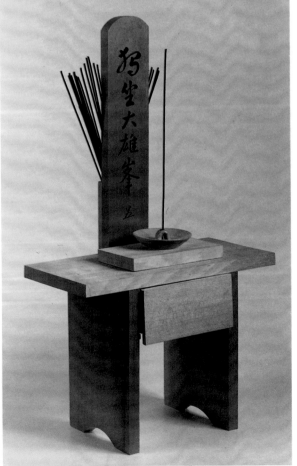

Weihrauchtischchen (kôban)
Holz. H: 53 cm (mit Tafel), B: 30 cm, T: 14,5 cm.
Das Weihrauchtischchen steht meist neben dem Jikijitsu, dem
Ältesten der Meditationshalle, den man deshalb auch «Kôban-hen»
nennt. Auf der Rückseite der Holztafel ist ein Köcher für Weihrauch-
stäbchen befestigt. In der Keramikschale vor der Tafel wird das
Räucherstäbchen abgebrannt, das jeweils die Dauer der Meditation
(ca. 40 Minuten) angibt. Die vom derzeitigen Abt des Tenryûji,
Hirata Seikô, auf die Holztafel geschriebene Inschrift lautet:
«Dokuza-dayû-hô» (Ich sitze allein auf diesem großen, erhabenen
Gipfel) und bezieht sich auf eine im Pi-yen lu aufgezeichnete
Episode (Kôan 26). Ein Mönch fragte den Ch'an-Meister Pai-chang
(720-814): «Was ist das wunderbarste?» Der Meister antwortete:
«Ich sitze allein auf diesem großen, erhabenen Gipfel.» Der Mönch
verneigte sich und Pai-chang schlug ihn. Damit wollte er aus-
drücken, daß er selbst der große, erhabene Gipfel ist, die letzte
Wahrheit des Universums (Lesung der Inschrift von Toga Masataka).

Inschriftentafel über dem Haupteingang der Meditationshalle
Keyaki-Holz (Zelkova serrata, eine Unterfamilie der Ulmengewäch-
se). 29 x 80 cm. Inschrift in Tusche.
Die Inschrift «Die Höhle des Löwen» wurde vom Abt des Tenryûji,
Hirata Seikô, verfertigt und signiert. Sie ist eine Anspielung auf die
vom Buddha mit «löwengleicher Stimme» verkündete Lehre. Die über
dem Eingang zur Meditationshalle des Tenryûji hängende Original-
tafel mit dem gleichen Text stammt vom Tempelgründer Musô Soseki
(vgl. Abb. S. 177).

Schlagbrett (han, auch moku-han genannt)
Keyaki-Holz (Ulme). 75,5 x 44 x 4,4 cm. Inschrift in Tusche.
Holzschlegel, L: 31,5 cm.
Das Brett hängt neben der Vordertür der Meditationshalle. Es ist
eines der vielen Klanggeräte, die im Kloster die Zeit anzeigen, d.
h. streng und unerbittlich das Leben im Zen-Kloster vom Aufstehen
bis zum Schlafengehen regeln. An einem Seil unter dem Brett hängt
der Holzschlegel. Der mit diesem Dienst beauftragte Mönch ergreift
mit der einen Hand das Seil und schlägt mit dem Schlegel in der
anderen mehrmals am Tag mit sieben, fünf und drei Schlägen auf
das Brett, so zum Wecken bei Tagesanbruch, beim Sonnenunter-
gang usw.
Auf dem Han steht geschrieben: «Seishi jidai/ Mujô jinsoku/ Kôin
kashaku/ Jifu jijin.» Auf deutsch: «Leben und Tod sind große
Dinge,/ Vergänglich und flüchtig – / Wie Licht und Schatten ist die
Zeit, ach!/ Sie wartet nicht auf den Menschen!» Das abgebildete
Stück trägt in der Schrift von Hirata Seikô, dem derzeitigen Abt des
Tenryûji, lediglich die ersten vier Schriftzeichen: «Leben und Tod
sind große Dinge». (Lesung der Inschrift nach Toga Masataka)
Der Kreis (ensô) ist das Zeichen des Absoluten: Durch das Schlagen
bildet sich im Laufe der Jahre eine Höhlung und schließlich ein Loch
im Brett, Symbol für das Ziel des Erkenntnisweges der Mönche (vgl.
Abb. S. 46).

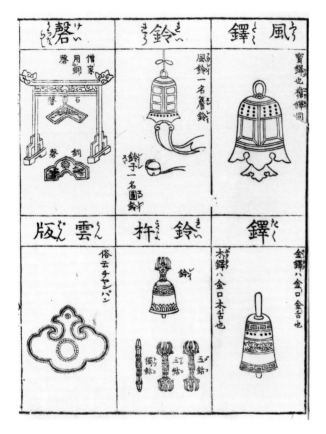

Verschiedene Typen von Glocken und Klangplatten (unten links der Wolkengong)
Aus: Zôho shoshû Butsuzô zui (Illustriertes buddhistisches Lexikon), von Shigetsuken Gizan (Verf., 1690) und Shôsôkino Hidenobu (Ill. und Hg.). Edo 1783. Blockdruck, 17,7 x 22,2 cm. Staatliches Museum für Völkerkunde München (Inv. Nr. S. 1195, Slg. Siebold).

Klangplatte (unpan, wörtlich: »Wolken«-Platte)
Bronze. H: 46 cm, B: 48,5 cm.
Auf der Vorderseite zwei Phönixe mit Lotoskapsel, auf der Rückseite Lotoskapsel sowie Herstellermarke («Vom alten Meister gefertigt»), jeweils im Flachrelief. Ursprünglich als Musikinstrument in Tempeln benutzt. Die Bezeichnung leitet sich von der stilisierten Wolkenform ab, die auch symbolisch die Bedeutung von Feuerlöschen ausdrückt, da Wolken Regen enthalten. Der Wolkengong hängt in der Klosterküche und wird mit einem Holzhammer angeschlagen, um die Essenszeiten, Frühstück und Mittagsmahl, anzukündigen (vgl. Abb. S. 190).

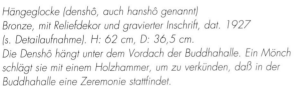

Hängeglocke (denshô, auch hanshô genannt)
Bronze, mit Reliefdekor und gravierter Inschrift, dat. 1927
(s. Detailaufnahme). H: 62 cm, D: 36,5 cm.
Die Denshô hängt unter dem Vordach der Buddhahalle. Ein Mönch
schlägt sie mit einem Holzhammer, um zu verkünden, daß in der
Buddhahalle eine Zeremonie stattfindet.

Die abgebildete Glocke trägt eine umlaufende gravierte Inschrift:
«Im Gedenken an den Gründer (des Tenryûji), Musô Soseki.» ... Es
folgt die namentliche Aufzählung der Stifter: Der Abt des Tempels,
sechs Spendensammler (sewa-gata), zwei Initiatoren (hokki-nin) und
einundvierzig Stifter. ... «Datiert: Shôwa, 2. Jahr (1927), 2. Monat,
17. Tag.»

Hängeglocke (kanshô)
Ähnlich der Denshô, jedoch kleiner (H: ca. 20 cm) und in einem
Holzrahmen aufgehängt, ohne Abbildung.
Der beim Rôshi diensttuende Mönch (jisha) schlägt sie vor dem
Zimmer des Meisters sitzend und gibt damit dem nächsten , der

hintereinander hockend wartenden Mönche das Zeichen, daß er
zur Unterweisung eintreten darf. Diese täglich ein Mal, bei «Großen
Sesshin», der halbjährlichen intensiven Meditationswoche, drei bis
vier Mal stattfindende Zwiesprache mit dem Meister, nennt man im
allgemeinen «San-zen».

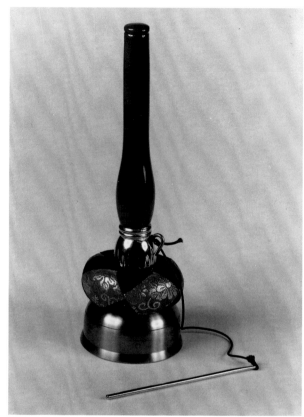

Handglocke (shinrei)
Bronze. H: 14 cm, D: 6 cm.
Griff in Form eines fünfspeichigen Vajra («Diamantszepter»), die wie
bei tibetischen Vajras um die Mittelspeiche gruppiert sind, während
bei den üblichen japanischen Vajras alle fünf Speichen kreisförmig
angeordnet sind. Auf der Schulter des Klangkörpers gravierter
Lotosblattdekor. Die Shinrei ist die Glocke des Meisters, mit der er
in seinem Zimmer unter anderem das Einzelgespräch mit dem Zen-
Lehrling beendet.

Stielglocke (inkin)
Klangkörper aus Bronze mit brokatstoffbespanntem Wulstring; an
einer Öse, dem «Ohr», hängt der metallene Schlagdorn; braun
lackierter Holzgriff. H: 29 cm (gesamt), D: 9 cm.
Der Jikijitsu, Aufseher in der Meditationshalle, schlägt diese Glocke
(vgl. Abb. S. 156 um den Tagesablauf der Mönche zu regeln.

Dharma-Trommel (hokku)
Holzkorpus aus Faßdauben, beidseitig mit Leder bespannt; oben
metallener Ring zum Hängen. Japan, 19. Jh. (Trommelfuß und
Schlaghölzer nachträglich ergänzt). D: 61 cm, H (des Fasses):
48 cm. Museum für Völkerkunde SMB (Inv. Nr. ID 36 952).
Die Hokku (wörtl. «Dharma-Trommel») steht in der Buddhahalle und
ertönt, wenn sich die Zen-Lehrlinge dort zu einer großen Zeremonie
oder Feierlichkeit versammeln. Sie wird mit zwei Schlegeln in Form
von Rundhölzern geschlagen. Ihr Ton ähnelt Donnerschlägen, daher
wird sie auch Hôrai, «Dharma-Donner», genannt.

Zwei Paar Gegenschlaghölzer (taku)
Holz. L: 20 cm, B: 3 cm (kleines Paar), L: 24,8 cm, B: 9 cm
(großes Paar).
Das kleine Taku-Paar wird in der Meditationshalle, das große zur
Ankündigung des «Yakuseki» (Heilmittel) genannten Abendessens,
zur Eröffnung des Bades sowie im Freien zur Nachtwache
geschlagen.

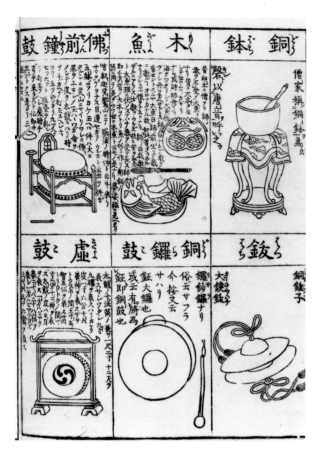

«Holzfisch» (mokugyo)
Holz, naturalistisch geschnitzt, mit länglichem Klangschlitz an der
Unterseite, Rückseite vermutlich durch Tempelbrand verkohlt. Japan
oder Korea, 19. Jh.; L: 51 cm.
Museum für Völkerkunde SMB (ehem. Ostasiatische Sammlung).
Solche Fische hängen in buddhistischen Tempeln und werden wie
die folgenden Gongs zur Sûtrenrezitation geschlagen.

Klanginstrumente des buddhistischen Kults: Zwei Holzfische (oben
Mitte), Standglocke (oben rechts).
Aus: Zôho shoshû Butsuzô zui (Illustriertes buddhistisches Lexikon),
von Shigetsuken Gizan (Verf., 1690) und Shôsôkino Hidenobu
(Ill. und Hg.). Edo 1783. Blockdruck, 17,7 x 22,2 cm. Staat-liches
Museum für Völkerkunde München (Inv. Nr. S. 1195, Slg. Siebold).

Kleine Standglocke (shôkei)
Klangkörper aus Bronze, gegossen und gehämmert. H: 8 cm,
D: 14 cm. 19. Jh.(?) Auf violettem Seidenkissen (26 x 25 cm) mit
blauen Kordeln an den Ecken; hirschlederbezogener Schlegel mit
dunkelbraun lackiertem Holzgriff (L: 21,5 cm).
Begleitet die Sûtrenrezitation. Unter dem Rand des Klangkörpers
eine in chinesischen Zeichen eingravierte Widmungsinschrift:
«Gefertigt von Kinryûshi im Auftrag des (Mönches) Tannen aus dem
Zen-Tempel Yôgyô am Yômei-zan (-Berg) im Katono-Distrikt von
Yamashiro (eine traditionelle Bezeichnung für Kyôto)».

«Holzfisch»-Gong (mokugyo)
Beschnitzter Holzklangkörper (51 x 45 x 33 cm), auf brokatbezogenem Kissen (H: 16 cm, D: 63 cm); Holzschlegel mit hirschlederbezogenem Kopf (L: 51 cm).
Dient bei der Sûtrenrezitation zum Taktschlagen. Seine dickleibige Fischgestalt soll die Zen-Lehrlinge dazu anregen, nach dem Vorbild der Fische, die nachts nicht schlafen, den Schlaf zu vergessen und sich der Meditationsübung zu widmen. Der Klangkörper verläuft nach oben (in der Abb. vorne) in zwei gegenständige Drachenköpfe (vgl. Abb. S. 147). Auf der Rückseite, am unteren Rand des Klangschlitzes (s. Detailaufnahme), ist in chinesischen Zeichen eine Widmungsinschrift eingraviert und mit roter Farbe ausgefüllt. Sie lautet: «Für (die beiden Verstorbenen): den Dai-kan-in Ku-on jitsu-dô Koji und die Dai-ji-in Ku-muro-tei-jun Dai-shi. Mögen sie auf dem Weg zur Buddhaschaft sein!». (Lesung nach Toga Masataka)

Standglocke (keisu) und Schlegel (bai)
Klangkörper aus Bronze, gegossen und gehämmert (H: 28,5 cm, D: 34,5 cm), auf Brokatkissen (D: 42 cm) und Standring sowie beschnitztem Holzständer (H: 28 cm); hirschlederbezogener Schlegel mit braun lackiertem Holzgriff (L: 37 cm).
Der Mönch, der die Standglocke schlägt, begleitet im Takt die Sûtrenrezitationen der Mönchsgemeinschaft. Die Gießermarke unter dem Rand des Klangkörpers lautet in Übersetzung: «Gegossen von Shoryu, Meister der traditionellen Kunst und des Handwerks.»

Stuhl (kyokuroku)
Holz, beschnitzt und bemalt; gravierte Beschläge aus Messing;
Sitzfläche aus Leder mit Prägedekor. H: 95 cm., B: 85 cm. Japan,
19. Jh. Museum für Völkerkunde SMB (Inv. Nr. ID 37 720).
Der in Grün, Rot und Goldlack bemalte Schnitzdekor zeigt die «Drei
Freunde der kalten Jahreszeit»: Pflaumenblüten, Kiefernzweige und
Bambus. Solche zusammenklappbaren Stühle, auf denen der Zen-
Meister Platz nimmt, werden in buddhistischen Tempeln und Klöstern
bei Lehrpredigten und Gedenkmessen verwendet. Sie sind auf
zahlreichen Porträts von Äbten und Zen-Meistern als Thronsitz zu
sehen.

Lesepult (kendai) mit Schutzhülle für Bücher (kyôhon-zutsumi) und
Sûtrentext
Holz, braun gebeizt. H: 57 cm, B: 59 cm; Schutzhülle aus Karton
mit Brokatstoff bezogen, 30,5 x 59 cm.
Pult zum Ablegen des Textes (Sûtren oder Schriften der Patriarchen),
aus dem der Zen-Meister zu Beginn einer Lehrpredigt vorliest. Die
Schutzhülle dient zum Tragen des Buches. Aufgeschlagen ist das
17. Kapitel des Diamantsûtra in der chinesischen Übersetzung von
Kumârajîva (344–413), Faltbuch, 19. Jh. Museum für Völkerkunde
SMB (Inv. Nr. ID 24541 b. 1).

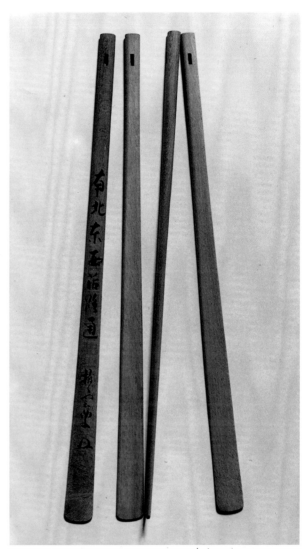

Vier Warn- oder Weckstöcke (keisaku, auch kunkai no bô,
«Ermahnungsstock», genannt)
Japanische Eiche, flach gehobelt, am oberen Ende Öse zum
Aufhängen; ein Stock mit Tuscheinschrift. L: 98 cm, B: 5 cm.
Warn- oder Weckstock, mit dem der Mönch vom Aufseher der
Zendô während der Meditation zur Ermunterung auf die Schulter
geschlagen wird.
Die von Hirata-Rôshi, dem Abt des Tenryûji, signierte Inschrift «Ich
sehe, daß der Weg des Absoluten sich in alle Richtungen erstreckt»
geht auf Shûhô Myôchô (1282-1337) zurück, einen der bedeutend-
sten Lehrer der Rinzai-Schule und Gründer des Daitokuji-Tempels in
Kyôto. Der Satz ist Teil eines Gedichtes, das Shûhô nach seinem
«Erwachen» verfaßt haben soll, nachdem er über das Kôan «Ts'ui-
yens Augenbrauen» (auch «Die Schranke des Wolkentores», Pi-yen
lu, Kôan 8) meditiert hatte. Er zeigte das Gedicht seinem Lehrer
Nanpo Jômyô, einem berühmten Zen-Meister seiner Zeit, der seine
endgültige Erleuchtung bestätigte. Das Gedicht lautet: «Ich habe die
Schranke des Wolkentores durchbrochen:/ Ich sehe, daß der Weg
des Absoluten sich in alle Richtungen erstreckt./ Der Abend trifft den
Morgen, Subjekt und Objekt verschwinden./ Wohin ich auch
gehe, weht nun eine kühle Brise.» (Lesung nach Toga Masataka).

Tisch zur Ablage von buddhistischen Texten (kyô-zukue)
Holz, braun gebeizt. 75,5 x 28,5 x 35 cm.
Niedriger Tisch mit Schublade, auf den Sûtrentexte und Schriften,
die über «Worte und Taten» der Zen-Patriarchen berichten, gelegt
werden. Auf dem abgebildeten Tisch aufgeschlagen ist das Sankyô-
gappon («Drei Sûtren in einem Band»), vgl. Abb. S. 226.

Trockengarten (karesansui)
Drei Findlinge, Kies, 200 x 400 cm.
Für die Ausstellung eingerichtet von Sone Saburo, Gartenarchitekt,
Kyôto.

Im allgemeinen wirkt die Symbolik eines Zen-Trockengartens auf den ersten Blick überzeugend, auch für den westlichen Betrachter: Das Bild von Inseln im Ozean. Doch solche höchst kunstvoll arrangierte Gärten erfüllen für den Zen-Mönch die gleiche Funktion wie Kôans, die bekannten «Rätselsprüche», deren tiefere Bedeutung sich erst nach intensiver Meditation erschließt.

Fotonachweis
(Zahlenangaben beziehen sich auf die jeweiligen Seiten)

Swantje Autrum-Mulzer, Staatliches Museum für Völkerkunde München: 13, 15, 19, 67, 91, 107, 225 (unten), 230 (oben), 234 (oben links).

Thomas Frischkorn, Berlin: 100 (rechts), 101.

Dietrich Graf, Museum für Völkerkunde Berlin PK, Abt. Ostasien, Fotoarchiv: 17, 18 20, 21, 24, 25, 27–29, 32–35, 38, 40–46, 48, 49, 51–55, 61, 63–66, 68–71, 72 (rechts), 76–79, 81, 83, 86–88, 89 (links), 90, 94–97, 99, 100 (links), 104, 105, 106 (links), 108–110, 128, 129, 190, 205, 208, 217–224, 225 (oben), 226–229, 230 (unten), 231–234 (oben rechts, unten), 235, 238.

Ingeborg Klinger, Heidelberg: 50.

Thomas Leims, Bonn: 80.

MOA Museum of Art, Atamu, Japan: 47.

Hiroshi Moritani, Kyôto: Titelbild, 9, 56–59, 73, 74, 84, 98, 111–119, 121–126, 131–189, 191–204, 206, 207, 216.

Museum für Indische Kunst Berlin PK, Fotoarchiv: 10.

Museum für Ostasiatische Kunst Berlin PK, Fotoarchiv: 12, 72 (links), 75, 85, 89 (rechts), 214, 215.

Privatsammlung, Japan; 39.

The Institute of Zen Studies, Kyôto, Fotoarchiv: 106 (rechts).

Zeichnungen:
Renate Sander, Museum für Völkerkunde Berlin PK: 221, 222.

Alle Bildlegenden vom Herausgeber, außer die mit TL (Thomas Leims) und HJZ (Hans-Jürgen Zaborowski) gezeichneten.

Die japanischen Eigennamen werden im laufenden Text in traditioneller japanischer Reihenfolge mit dem Familiennamen an erster Stelle geschrieben. Werden sie als Autoren genannt oder bibliographisch zitiert, gilt die übliche westliche Reihenfolge.

Porzellan aus China und Japan
Die Porzellangalerie der Landgrafen von Hessen-Kassel

Herausgeber: Staatliche Kunstsammlungen Kassel
588 Seiten mit 613 Schwarzweiß-Abbildungen und
118 farbigen Abbildungen, mit Porzellanmarken
Format 21 x 28 cm
Hardcover DM 98,– / ISBN 3-496-01070-3

«Mit seinen Beiträgen, in denen fast durchweg neueste Forschungsergebnisse zur Sammlungsgeschichte des fernöstlichen Porzellans im 17. und 18. Jahrhundert publiziert werden, ist der Band nahezu unentbehrlich.»
Frankfurter Allgemeine Zeitung»

Herbert Härtel/Marianne Yaldiz
Die Seidenstraße
Malereien und Plastiken aus buddhistischen Höhlentempeln

179 Seiten mit 45 farbigen und 82 Schwarz-weiß-Abbildungen sowie 3 Karten
Format 22,5 x 21,5 cm
Hardcover DM 44,– / ISBN 3-496-01042-8

Im Gebiet der Seidenstraße entdeckten um die Jahrhundertwende archäologische Forscher unvorstellbare Schätze einer verschollen geglaubten Kultur. Die schönsten Stücke aus den Beständen des Museums für Indische Kunst Berlin werden hier vorgestellt.

Claudius Müller (Hg.)
Wege der Götter und Menschen
Religionen im traditionellen China

Begleitbuch zur Ausstellung des Museums für Völkerkunde
Staatliche Museen Preußischer Kulturbesitz, Berlin
156 Seiten mit 27 farbigen und 89 Schwarz-weiß-Abbildungen, 1 Faltkarte, Register und Bibliographie
Format 22,5 x 21,5 cm
Broschiert DM 48,– / ISBN 3-496-01063-0

Am Beispiel China führt dieses Buch in das Wesen religiöser Erfahrung ein. Ausgangspunkt ist eines der größten sakralen Gemälde, die außerhalb Chinas erhalten sind. Dieses Bild, das die Predigt des historischen Buddha Sakyamuni darstellt, wird ikonographisch erläutert und in seiner politischen Bedeutung erklärt. Der Band gibt darüber hinaus Auskunft über wichtige Kulte des chinesischen Volksglaubens und die vielfältigen Aspekte der Begegnung zwischen Mensch und Gottheit.

Dietrich Reimer Verlag · Berlin